190

1322

In jahrelangem Bemühen hat Sigismund v. Radecki den vorliegenden Band Anekdoten und aphoristischer Kurzgeschichten aus aller Welt zu einem Feuerwerk des Witzes und Tiefsinns zusammengetragen. Hier liegt, auf die schlagendste und geschliffenste Form gebracht, ein Anekdotenschatz vor, der in der Tiefe des Witzes noch die Träne des Ernstes birgt.

Der Erzähler und Essayist Sigismund v. Radecki wurde am 19. November 1891 in Riga geboren, besuchte die Mittelschule in Petersburg und absolvierte 1913 die Freiberger Akademie als Bergingenieur. Als Student bereiste er Frankreich, Italien und Skandinavien und geriet schon damals unter den Einfluß der Schriften von Karl Kraus, Theodor Haecker und G. K. Chesterton, die für seinen Lebensgang und seinen schriftstellerischen Weg entscheidend wurden. 1914 arbeitete er als Bewässerungsingenieur in Turkestan, verbrachte den Ersten Weltkrieg in Rußland und trat 1919 bei den Siemens-Werken in Berlin ein. Seit 1923 ist er, mit einem Berliner Intermezzo als Schauspieler und anerkannter Porträtzeichner, freier Schriftsteller und Verfasser von bisher 23 Büchern. 1946 übersiedelte er von Hamburg nach Zürich.

Neben seinen feuilletonistischen Sammelbänden «Alles Mögliche», «Nebenbei bemerkt», «Die Welt in der Tasche», «Wie kommt das zu dem?», «Der runde Tag», «Was ich sagen wollte» sowie dem religiös-mystischen Band «Wort und Wunder» wurde er vor allem auch als einer der einfühlsamsten Übersetzer aus dem Russischen und Englischen bekannt. Insbesondere seine dreibändige Gogol-Übersetzung ist eine eigenschöpferisch-kongeniale Nachdichtung. Aber auch Werke Hilaire Bellocs und anderer stellte er essayistisch und übersetzerisch in Deutschland überzeugend vor. Seine Prosa ist voller Zwischentöne und leiser Unterströme und nie ohne philosophisches Lächeln.

209

SIGISMUND v. RADECKI

Das ABC des Lachens

*Ein Anekdotenbuch zur Unterhaltung
und Belehrung*

ROWOHLT

Nebenstehend eine Skizze aus dem Nachlaß Rudolf Wilkes
Umschlagentwurf Karl Gröning jr. / Gisela Pferdmenges

1.– 50. Tausend	Mai 1953
51.– 75. Tausend	August 1953
76.–100. Tausend	Januar 1954
101.–125. Tausend	Juli 1954
126.–150. Tausend	Mai 1955
151.–175. Tausend	Januar 1956
176.–188. Tausend	Dezember 1956
189.–200. Tausend	Mai 1957
201.–213. Tausend	November 1957
214.–225. Tausend	April 1958
226.–238. Tausend	Dezember 1958
239.–250. Tausend	Juli 1959
251.–263. Tausend	Mai 1960
264.–273. Tausend	April 1961
274.–283. Tausend	März 1962
284.–293. Tausend	Februar 1963
294.–308. Tausend	Mai 1964
309.–313. Tausend	November 1966
314.–320. Tausend	Januar 1968
321.–325. Tausend	April 1970

Veröffentlicht im Rowohlt Taschenbuch Verlag GmbH,
Hamburg, Mai 1953, mit Genehmigung des
Rowohlt Verlages GmbH, Reinbek bei Hamburg
Gesetzt aus der Linotype-Aldus-Buchschrift
und der Palatino (D. Stempel AG)
Gesamtherstellung Clausen & Bosse, Leck/Schleswig
Printed in Germany
ISBN 3 499 10084 3

Für den Mangel, daß er allein von allen Lebewesen weint, wurde der Mensch damit entschädigt, daß er allein von allen auch lachen kann: es ist das Geistige in uns, was die körperlichen Reaktionen des Tränentröpfelns und der Zwerchfellerschütterung bewirkt. Was ist denn an der Welt so komisch? — Alles ... ebenso wie auch alles zum Weinen ist. Sterne, Blumen, Tiere sind an sich nicht komisch, doch sowie sie zum Menschen in Beziehung treten, können sie komisch werden, denn der Mensch ist das Tränen- und Lachzentrum der Welt: weil er halb als Tier und halb als Geist erschaffen wurde. Diese Mischung von Lehm und Gotteshauch läßt sich noch an jeder Träne und jedem Lachen feststellen. Es gibt naive, tierhafte Tränen — weil man sich abgeschlagen oder keinen Pelz bekommen hat — und Tränen innerster Erschütterung; ebenso gibt es ein naives Lachen, weil man halt gut gelaunt ist, und das echte Lachen blitzartiger komischer Erkenntnis. Gute Laune ist noch lange kein Humor: dort lacht man, weil man froh ist, hier aber ist man froh, weil man lacht.

Einst wurde alle Dichtung gesprochen oder gesungen, und erst später fand man es der Mühe wert, sie aufzuschreiben. Doch seitdem starb jede Wortkunst den schwarzen Tod des Gedrucktwerdens und kann heute nur noch im Geiste des Lesers auferstehen. Einzig die Anekdote lebt wie eh und je von Mund zu Mund, und selbst das Gedrucktwerden kann ihr nichts anhaben, da solches doch bloß die Seitenlache eines fortmurmelnden Stromes der Überlieferung bedeutet. Die Anekdote ist das Volkslied einer benzinbetäubten Welt. Doch je mehr die sonstige Literatur ins gedruckte Schweigen versank, um so mehr fühlte die Anekdote sich verpflichtet, keimhaft alle Dichtungsformen in deren einstigem gesprochenem Leben zu bewahren, und so gibt es Anekdoten, die im geheimen Märchen sind oder Fabeln, Zehnzeilenromane, Novellen, Gedichte und echte, wildbewegte Dramen. Immer aber ist sie potenzierte Zeitung und improvisiertes Theater. Und er, der Anekdotenerzähler, ist Bote, Rhapsode und Schauspieler in einer Person. Die Anekdote ist jedermanns Kunst, also des Liebhabers. «Es braucht einer natürlich nicht einen einzigen Satz geschrieben zu haben, der im gebräuchlichen Sinne zur humoristischen Literatur gehört, um Humor zu haben als Lebensluft und Hintergrund seines Seins und Schaffens», sagt Jean Paul.

Warum hat sich die Anekdote dieses mündliche Eigenleben bewahrt? Jede Gemeinschaft muß sich im gesprochenen Worte verwirklichen, um zum Bewußtsein ihrer selbst zu kommen. Solches geschieht etwa in der politischen Versammlung, im Theater, im Gottesdienst. Das sind Institutionen. Der einzige Fall hingegen, wo die Gesellschaft spontan ein Kunstwerk improvisiert, um zu sich selbst zu kommen, ist die Anekdote. Und dieses geschieht durch das Lachen, denn Humor ist das Bindemittel zwischen Mensch und Mensch.

Dieses Lachen ist zugleich — oft durch sein Ausbleiben — der schöpferische Kritiker der Anekdote. Es erzieht sie zu strengster Wortkunst: die Anekdote muß gedrungen, sie muß pointiert und aktuell sein. Die Hörer hängen am Munde des Erzählers, er aber an ihren Augen und Ohren: hier kann die geringste Verfehlung in Rhythmus und Pointe den elektrischen Stromkreis unterbrechen. Nichts ist öder als ein öder Anekdotenerzähler. Eine Prüfung auf Aktualität hat die Anekdote nach jeder entscheidenden Wende des Weltbewußtseins zu bestehen, denn nun lacht man über das Alte und lacht auch über das Neue: weil sie beide jedem Menschen deutlich erkennbar wurden. So druckte man nach dem Ersten Weltkrieg zahllose Anekdotenbücher, während nach dem Zweiten kaum eines herauskam: offenbar lag die entscheidende Wende um 1914. Die alte Anekdote, die einst die Zeit kritisierte, wird nun ihrerseits von der Zeit kritisiert; ganze Schwärme von Anekdoten sind nun selber zum Gelächter geworden in der bekannten Rubrik «Worüber unsere Väter lachten». Und sie gehen ein wie die Herbstfliegen, aber eben wie die Fliegen tauchen sie dann doch wieder auf. So eine Anekdote hat nunmehr ihr Land, ihr Milieu, oft sogar den stofflichen Inhalt gewechselt, doch untersucht man sie genauer, dann entdeckt man etwa in einem kolportierten Ausspruch des Bernhard Shaw eine Geschichte, die bereits bei Strabo oder Plutarch vorkommt. So wird die Anekdote für ihr schnelles Veralten durch ebenso schnelles Verjüngtwerden entschädigt. Schiller zählte dreißig tragische Situationen; die Zahl der komischen dürfte etwa die gleiche sein — und diese Urtypen dienen als permanente Kleiderständer für stets wieder neu aufgehängte Zeitkostüme. Dennoch gibt es gewisse tragikomische Zeitthemen, wie z. B. die Technik, die der Humor vielleicht deshalb nicht überleben wird, weil er an ihnen sterben könnte. So findet ein Rückblick auf die Geschichte der Anekdote lauter Gerippe und abgestreifte Schlangenhäute, nämlich Grundthemen und tote Aktualitäten, und das sprühende Leben, das die heutige für uns heutige hat — was ist es? Ist es nur deshalb Leben, weil wir lebendig sind?

Nein, nicht alle Anekdoten sterben. Vor allem nicht die echte Persönlichkeits-Anekdote, denn solange Goethe unsterblich ist, wird eine Goethe-Anekdote ihren von ihm geliehenen Wert behalten. (In der unechten Persönlichkeits-Anekdote schießt ein beliebiges Witzwort einen vorhandenen Kristallisationspunkt der Komik — etwa «Forain» — an, nur damit das Kind einen Namen hat. Hier ist mit dem Namen Forain gerade das Gegenteil von Persönlichkeit gemeint, nämlich «irgendein witziger Mensch».) Aber es gibt auch Persönlichkeits-Anekdoten, deren Held eben nur dank der Anekdote lebt, und doch ganz gut fortlebt — nämlich dann, wenn er die Kraft hatte, sein ganzes Wesen in dem einen Ausspruch zu verkörpern. Wenn Alexander vor Diogenes' Tonne steht und dieser, als einzige Gunst, den Weltherrscher bittet, ihm aus der Sonne zu gehen (so daß die Sonne fast zur dritten Person des Vorganges wird), dann steht hier ein Wort so mächtig für ein ganzes Leben ein, daß es dieses für alle Zeit rettet. Doch es gibt auch anonyme Helden der Anekdote, deren Heldentum gerade in ihrer Namenlosigkeit liegt. Wer war das Genie, welches die (wegen Unanständigkeit nicht druckbare) Anekdote von den zwei Clowns und dem Schutzmann erfunden hat? Diese Geschichte, die ganze Romanbibliotheken aufwiegt, lebt nicht von der Zote, von der salerie triste, sondern der Stoff lebt von ihr. Ihr Schöpfer, der sich heroisch hinter seinem Werk verbirgt, erreichte — jedenfalls im Augenblick, da er sie schuf — die satirische Größe eines Swift. Er wird unerkannt sterben, aber sein komischer Blitz, der eine Nachtlandschaft aufleuchten läßt, lebt dennoch fort. Wodurch? Man könnte es so sagen: Jede gute Anekdote rettet den Alltag für den Geist, indem sie uns auf einen Gipfel des Lachens hebt, der eine lohnende Aussicht aufs Flachland erschließt. Entrollt sie das Panorama durch bloße Anspielung, setzt sie es also im Zuhörer voraus — so wird die Anekdote mit ihm und mit der Zeit untergehen. Gelingt es ihr aber, mit dem Gipfel zugleich das Panorama, mit dem Lachen zugleich den Zeithintergrund zu gestalten, so wird sie, die seltenste Anekdote, am Leben bleiben. Sie setzt uns in Begeisterung und für die Nachwelt etwas in Spiritus.

Alle aber leben doch nur vom gesprochenen Wort. Die erzählte Anekdote unterscheidet sich von der geschriebenen wie ein schaukelnder Falter vom aufgespießten unter Glas. Eine Anekdotensammlung ist ein Museum, auch ein ethnographisches... Das sind Komödientexte für Amateure, souffliert vom Unbekannten Menschen. Neulich hörte ich eine wunderbare Anekdote. Ich schrieb sie auf. Sie wurde gedruckt. Jener Erzähler las sie, blickte mich an und sagte: «Ganz gut... aber wo sind die Noten dazu?» Darin liegt das Problem der Anekdote.

Sigismund v. Radecki

ABERGLAUBE

Das alte Frankreich

Bei den alten Römern galt das Stolpern als schlechte Vorbedeutung. Als während der Französischen Revolution einmal ein Trupp Aristokraten auf den Weg zur Guillotine geführt wurde, geschah es, daß ein Marquis auf dem Pflaster stolperte. «Ein Römer wäre umgekehrt», flüsterte er seinem Nachbar zu.

Das Abenteuer im Bristol-Expreß

Zwei ältere Gentlemen, die sich noch nie vorher gesehen hatten, saßen vor ein paar Wochen in einem Abteil I. Klasse des Bristol-Expreß. Sie sprachen über Gespenster. Der eine von ihnen war ein Geistlicher, der andere ein Geschäftsmann. Der Geschäftsmann rieb seine Nase und erklärte, daß er an Gespenster nicht glaube. Der Geistliche war darüber etwas ärgerlich, suchte ihn mit allen Mitteln zu überzeugen, und sagte endlich: «— Aber schließlich *müßten* Sie doch an Gespenster glauben, wenn Sie eines vor sich sähen!»

«Nein», sagte der Geschäftsmann hartnäckig: «Ich würde eben wissen, daß es eine Illusion ist.»

Doch da wurde der alte Geistliche schrecklich böse und sprach mit verhalten wutzitternder Stimme:

«Well, aber *jetzt müssen* Sie an Gespenster glauben, *denn ich bin eines!!* ...» Wobei er sich sogleich spurlos in der Luft verkrümelte. Er war einfach nicht mehr da.

Der Geschäftsmann blickte erstaunt über die Brille. Er fand, daß er noch glimpflich aus einer unliebsamen Affäre gekommen sei, legte sich das Plaid warm um die Knie und begann seine Zeitung zu lesen — denn er wußte ja ganz gut, daß es nur eine Illusion war.

Die Papiertüte

Es gab eine Zeit in Europa, wo man gegen den Aberglauben kämpfte wie etwa heute für den Frieden — und allen voran der große Mathematiker Isaak Newton.

Eines Tages — bald nach der Geschichte mit dem Apfel und der Erdanziehung — kam eine Lady zu ihm, die gehört hatte, daß er so was wie ein berühmter Astrologe sei, und fragte ihn, wo sie ihr Portemonnaie verloren habe. Es müsse etwa auf dem Wege zwischen London Bridge und Shooters Hill gewesen sein. Der berühmte Mann schaute ihr bloß stumm ins Gesicht und zuckte die Achseln.

Aber die Lady wollte es nicht begreifen, daß so ein großer Professor in solchen Dingen unwissend sein sollte. Sie war eine von den Hartnäckigen. Sie kam und kam immer wieder. Im ganzen vierzehnmal.

Um sie endlich loszuwerden, zog der gelehrte Mann bei ihrem letzten Besuche einen alten, wildgeblümten Schlafrock an, setzte sich eine Riesenpapiertüte auf den Kopf, dazu eine blaue Brille auf die Nase, zog einen Kreidekreis auf dem Fußboden, stellte sich in Positur und rief: «Abrakadabra! — Die Fassade von Greenwich-Hospital, das dritte Fenster auf der Südseite. Auf dem Rasen dicht davor sehe ich einen dicken kurzen Teufel über eine Geldbörse gebückt...!»

Und schon hatte die Lady ihre Reifröcke zusammengenommen und war fortgesaust. Und es tut mir schrecklich leid, aber es ist eine historisch bezeugte Tatsache: *sie fand ihr Portemonnaie!* Greenwich-Hospital, Südseite, vor dem dritten Fenster im Grase...

Das Gespensterzimmer

Bill Blackwood war von seinen Bekannten wieder mal in ihre Villa am Hudson eingeladen. Eines Sonnabends macht er sich also auf und trifft auf dem Landsitz bereits eine Riesenmenge von Gästen. Es ist nicht zu leugnen, daß an besagtem Abend nicht bloß Limonade getrunken wurde. Gegen Ende der Sitzung tritt der Hausherr zu Bill:

«Mein armer Bill, ich muß dich leider ins Gespensterzimmer einquartieren. Alle anderen sind überfüllt.»

«Well», meinte Bill gelassen, «wird mir ein Vergnügen sein.»

«Oh, Mister Blackwood!» riefen einige Damen bewundernd. «Haben Sie denn gar keine Angst? Sie wissen doch, daß dort jene arme Frau umgeht, die vor 30 Jahren in dem Zimmer Selbstmord verübt hat...»

«Woher weiß man das, da noch niemand in dem Zimmer je hat schlafen wollen?... Was ist denn Großes dabei? Es hat eine famose Aussicht. Ich glaube an keine Ammenmärchen. Gute Nacht, meine Damen.»

Eine Viertelstunde darauf liegt Bill im Pyjama auf dem Bett im berüchtigten Zimmer. Immerhin hat er seinen Browning auf den Nachttisch gelegt. Immerhin hat er die Lichtbirne über dem Kopfende brennen lassen.

Beim Einschlafen bemerkt er plötzlich fünf kleine schwarze Finger, die sich langsam am Fußende des Bettes bewegen...

Bill reißt die Augen auf, schließt sie, öffnet sie wieder...

Die fünf kleinen schwarzen Finger sind noch immer da... und jetzt, plötzlich sind es zehn geworden! Bill stützt sich ein wenig auf.

«Lassen Sie diese blöden Scherze», sagt er. «Zeigen Sie Ihr Gesicht, oder ich schieße!»

Und greift, kalt und bewußt, nach seinem Browning.

Die kleinen Hände bewegen sich fast flehend, aber kein Gesicht kommt zum Vorschein.

«Ich werde nicht wiederholen», ruft Bill. «Bei drei schieße ich.»

Und er beginnt sorgfältig zu zielen.

Die kleinen Hände bleiben starr, rühren sich nicht.

«Stehn Sie auf, oder ich schieße!» schreit Bill.

Die zehn Finger kommen ein wenig ins Zittern...

«Eins!» ruft Bill... «Zwei! Drei!» Und drückt ab.

Seitdem hinkt Bill auf dem linken Fuß.

ÄRZTE

Die Medizin

In gewissen Teilen von China gibt es ein Gesetz, laut welchem die Ärzte verpflichtet sind, nach dem Tode jedes ihrer Patienten abends eine Laterne mehr herauszuhängen. Ein kürzlich in die Stadt zugereister Chinese, dessen Frau plötzlich erkrankt war, begab sich auf die Suche nach einem Arzt. Die enorme Zahl von Laternen vor dem Hause eines jeden Arztes machte auf ihn einen beklemmenden Eindruck. Endlich entdeckte er vor dem Lackpavilllon eines Arztes bloß fünf Laternen. Er klingelt hocherfreut und bittet den Mann der Wissenschaft, seine Frau zu behandeln. Auf dem Wege zur Kranken beglückwünscht er den Arzt wegen der erstaunlich geringen Zahl von Laternen vor seinem Hause.

«Das ist nichts Erstaunliches», versetzte der Arzt bescheiden, «ich habe mich erst seit gestern hier niedergelassen.»

Ein letzter Trost

Frau Meier trifft ihren Hausarzt, der ihren Gatten in Behandlung hat, auf der Straße. Frau Meier geht mit erschreckten Augen auf ihn zu und sagt:

«Herr Doktor, denken Sie sich, Herr Doktor, mein Mann ist ja diese Nacht gestorben...»

Der Doktor ist konsterniert. Er fühlt, daß er irgend etwas sagen muß. Er fragt teilnehmend:

«Hat er viel geschwitzt?»

«Ja, lieber Herr Doktor, er hat schrecklich geschwitzt, schrecklich...»

Da nickt der Doktor langsam, hebt den Zeigefinger und sagt begütigend, tröstend:

«Schwitzen ist guut...»

Qui vivra verra

Vor einem armen Teufel stehen zwei Mediziner und diskutieren über die Natur seiner Krankheit, die ihn ans Bett fesselt.

Die Diskussion wird nach und nach hitziger:

«... Und ich versichere Ihnen, daß es typhöses Fieber ist!»

«Nie im Leben!»

«Nie im Leben? Na gut — wir werden's ja bei der Autopsie sehen!»

Schonende Behandlung

Aus London wird ein interessanter klinischer Fall berichtet. Bei einem berühmten Nervenarzt erscheint ein distinguiert angezogenes, älteres Ehepar, das von der erfahrenen Empfangsdame sogleich unfehlbar auf Portweinhandel und «British Consols» taxiert wird. Zuerst läßt sich der Gatte anmelden, zieht den Doktor flüsternd in eine Ecke und klagt ihm sein Leid: die Frau ist Kleptomanin. Was er armer Mann all die Jahre hindurch an Wiedergutmachung und Vertuschung habe leisten müssen — das könne sich niemand vorstellen. Wenn man sie im Moment des Stehlens ertappe, bekomme seine Frau die lebensgefährlichsten Herzanfälle! Eine Stunde nachher lasse sie sich alles geduldig wie ein Lamm abnehmen. Er vergötterte seine Frau, der Doktor müsse ihm helfen, die Kosten spielten keine Rolle — aber vor allem: um Gottes willen die Frau nicht aufregen!

Darauf tritt der sichtlich bekümmerte Gatte ab, und die Dame wird einer eingehenden Untersuchung unterworfen. Anfangs antwortet sie ruhig, doch bald bemerkt der erfahrene Psychiater einen fiebrigen Glanz in ihren Augen und das Verschwinden seiner Brieftasche. Hierauf folgt eine tranceartige Gesichtsstarre sowie seine Uhr, sein Zigarettenetui und einige kleinere Wertsachen. Natürlich verzieht der erfahrene Psychiater keine Miene. Endlich ist die Untersuchung abgeschlossen. Der Doktor verspricht dem Gatten baldige Heilung und verständigt sich mit ihm durch einen Blick und ein Kopfnicken über die verschwundenen Gegenstände. Mit rührender Sorglichkeit geleitet der alte Mann seine Gattin zum Ausgang.

Die Ausbeute betrug 574 Pfund und 9 Schilling, wobei die Gold-sachen natürlich nur zum Schmelzwert taxiert sind.

ALTER

Hab' Mut und bleib jung!

Sie hat einen Salon (seit dreißig Jahren), sie schwärmt für moder-nes Leben (seit dreißig Jahren), sie geht mit dem Fortschritt, so daß dieser keuchend zurückbleibt — sie hat es endlich auch zuwege ge-bracht, den berühmten einsiedlerischen Maler K. zu einem Besuch herauszukriegen.

Dumpf betäubt erzählt dieser nachher seinen Freunden:

«Ich trete ins Vorzimmer. Plötzlich öffnet sich die Tür vom Salon und ein entzückendes Wesen tänzelt herein: rosige Wangen, Seiden-strümpfe, Bubiköpfchen, kniefreier Rock, blitzende Augen — der gan-ze Fratz war *keine siebzig Jahre alt!*»

Französisches Duell

Zwei ganz kleine Schauspielerinnen haben hinter den Kulissen einen ganz großen Krach.

«Ein Schlampe, die nicht einmal weiß, wer ihre Mutter ist!» zischt die eine und stemmt ihren Arm in die Hüfte.

«Von meiner Mutter», sagte die andere, «von meiner Mutter mußt du nicht schlecht reden... Vielleicht bist du es selbst!»

Triumph der Relativitätstheorie

Im alten Moskau lebten drei alte Jungfern, welche die drei Par-zen genannt wurden. Diese drei Parzen schienen auf allen Bällen ebenso unvermeidlich zu sein wie die Kronleuchter und das Vanille-eis. So alt sie auch waren, war doch die dritte von ihnen immerhin die jüngste. Auf sie konzentrierte sich die ganze Liebe und Sorglich-keit der älteren Schwestern: Sie ließen sie nicht aus den Augen, ver-zärtelten sie aus irgendeinem Mutterinstinkt und erlaubten ihr nicht, allein auszufahren. Meist kamen die Parzen als erste auf einen Ball und fuhren als letzte weg. Jemand sagte einmal zu der Ältesten:

«Wie können Sie in Ihren Jahren noch so ein anstrengendes Le-ben aushalten? Machen Ihnen Bälle wirklich noch Vergnügen?»

«Was heißt da Vergnügen, Onkelchen!» gab sie zurück — «aber wir müssen doch unserem Wildfang eine Freude bereiten...»

Es muß gesagt werden, daß dieser Wildfang genau 62 Jahre zählte.

Ein Wiedersehen

Die große Künstlerin Sorel ist jung wie 20 Jahre, aber dabei doch ein wenig älter. Diese Tatsache läßt die Witzbolde nicht schlafen. Kürzlich haben sie wieder folgende Geschichte ausgeheckt:

Die große Künstlerin weilt zur Erholung in Ägypten und steht eines Morgens, bei aufgehender Sonne, vor dem steinernen Riesenantlitz der Sphinx.

Die Künstlerin ruft ergriffen: «O Sphinx! Du hast alles durchlebt, du weißt alles... die ersten Sonnenstrahlen berühren dein Haupt... oh sprich, oh, künde mir ein Wort!»

Die Sphinx (ausbrechend): — *Mutter!*

ANERKENNUNG

Der Bildhauer Falguière hatte in seiner Frühzeit eine Passion: die Malerei. Er glaubte, ein großer Maler zu sein. Eines Tages lud er seinen Freund Henner ein, seine neuesten Bilder zu besichtigen.

Henner sieht sich die Bilder prüfend an und ruft vor jedem einzelnen lärmend: «Großartig!»... «Wunderbar!»... «Ein Meisterwerk!»

Plötzlich bemerkt er eine entzückende kleine Statuette Falguières in der Ecke und sagt ruhig: «Das da... das ist gut.»

ANGELN

Zwei historische Anglergeschichten
Eine aus dem Altertum

Der große Triumvir Mark Anton vergnügt sich — so erzählt Plutarch — bisweilen damit, im Nil zu angeln. Als eines Tages die Königin Kleopatra zusehen wollte, stellt Mark Anton einen geschickten Taucher an, der ihm unterm Wasser die schönsten Fische an den Haken hängte.

So glänzte er vor der Königin als großartiger Angler und wurde vom ganzen Hofe bewundert.

Allein Kleopatra hatte die List bemerkt und stellte am nächsten Tage einen noch geschickteren Taucher an, der unterm Wasser die lebenden Fische schnell abnahm und statt ihrer *gesalzene* Fische an den Haken hängte.

Und der große Triumvir Mark Anton zog einen gesalzenen Fisch nach dem anderen heraus. Bis er es merkte und ihm das Blut in die Wangen stieg...

«Überlaßt das Angeln von Fischen uns Sterblichen», sprach Kleopatra. «Ihr, Mark Anton, seid vom Schicksal dazu ausersehen, Städte, Länder und Königreiche zu fangen.»

— und eine aus der Neuzeit

Im Jahre 1870 saß ein Mann auf dem Hafenpier in Sydney und angelte Haifische. Die schwimmen im grünen Wasserstrich vor der ersten Brandungswelle und sind hungrig. Nun mußte der Angler in die Stadt und forderte einen Hafenvagabunden auf, derweil auf die Haifischangel Obacht zu geben. Bisse einer an, so sollte der Vagabund alles bekommen, was sich etwa im Haifischmagen vorfände (denn da findet man zuweilen kuriose Sachen).

Einer biß an. Nach langem Kampfe wurde er an den Strand gezogen. Im Magen befand sich eine Sardinenbüchse und ein alter Uniformrock. Damit zog der Vagabund ab.

Am nächsten Tage ließ er sich beim reichsten Wollmakler von Sydney melden. «Ich habe Ihnen ein Geschäft vorzuschlagen. Bedingung: Der Gewinn geht halbpart.» Der Makler nickte. — «Ich habe zuverlässige Nachricht, daß die Wollpreise nach einer Woche um 80 Prozent in die Höhe gehen werden.»

«Woher wissen Sie das?»

Hier zog der Vagabund eine Zeitung heraus, die um eine Woche neuer war als die letzte in Sydney eingetroffene.

«In dieser Zeitung hier», sagte er, «ist eine Nachricht enthalten, von der kein Mensch in Australien weiß — nämlich, daß Frankreich Preußen den Krieg erklärt hat. Wegen der Uniformlieferungen ist eine Wollhausse eingetreten.»

«Mann, woher haben Sie die Zeitung?»

«Aus einem Haifischmagen, d. h. aus einem Uniformrock, den ich in ihm vorfand. Haifische schwimmen immer noch schneller als Dampfer.»

So wurde der Hafenbummler ein reicher Mann.

Die Australier aber legten im nächsten Jahr ihr erstes Telegraphenkabel.

ANGESTELLTE

Büro-Szene

Es ist Mittagspause. Die Stenotypistin («Miss Charlottenstraße») schreibt an einem Privatbrief. Der Chef, Dr. Ausgang, ist unerhört neugierig. Er kann nicht widerstehen, er muß hinter sie schleichen und ihr über die Schulter sehen... Doch die Miss muß was gemerkt haben, denn sie schreibt ruhig weiter: «Ich würde Dir gern noch mehr davon erzählen, aber der Chef steht hinter mir und guckt in den Brief.»

«Aber Fräulein», murmelt Dr. Ausgang, «das ist nicht wahr, ich habe kein Wort gelesen!»

Frommer Wunsch

Eines Tages wurde der miserable Bürolehrling aufsässig. Er zwängte sein schmales Antlitz zwischen die Milchglastür und stammelte zum Chef: «Ich würde heute nachmittag gern zu einem Begräbnis gehen...»

«Aber Sie werden *nicht* gehen, verstanden?» rief der Chef.

«Oh, ich weiß es... Aber ich würde so gern!» sagte der Junge zaghaft und leise.

Der Chef blickte auf ihn mit einer Regung von Mitleid.

«Zu wessen Begräbnis würden Sie so gern gehen, mein Junge?»

«Zu Ihrem, Herr.»

Bissig

Sie war eine hübsche, kluge Stenotypistin, und fand das sehr unnütz und ärgerlich — nämlich, daß sie eines Tages von einem Hunde gebissen wurde. Doch führte sie, trotz diesem Unfall, ihre Büroarbeit fleißig und brav weiter. Aber nun begann eine neue Nervenpein: die humorlosen Fragen der Kollegenschaft.

Als es zum zehnten Male hieß: «Bitte, war der Hund toll, der Sie gebissen hat?» sagte sie endlich: «Ja, er war toll.»

«Und Sie schreiben trotzdem ruhig weiter? Wohl das Testament, nicht wahr?»

«Nein», sagte sie und strich sich die Locken aus der Stirn, «ich stelle eine Liste zusammen. Eine Liste der Leute, die ich beißen will, wenn *ich* toll werde.»

Ein neues Wort

Ich habe ein neues Wort gehört, und ich brenne vor Begierde, es allen mitzuteilen. Denn das ist ja das schönste, was einem Wort passieren kann — daß es von Mund zu Mund geht.

Es ist kein tiefes Wort. Aber es sitzt «wie mit der Kelle angeworfen», wie ein Narr bei Shakespeare sagte. (Dieser Nichtsnutz muß mal den Maurern bei der Arbeit zugeschaut haben.)

Es ist ein Berliner Wort. Und seitdem macht es mir erst wirklich Spaß, in Berlin zu wohnen.

Sie haben doch sicher einmal einen Bagger gesehen: ein Mittelding zwischen Ponton und Dampfer, dessen Eimerkette immerzu aus dem Wasser Lehm, Kies und Schlamm hervorholt. Die Eimer tauchen auf — kippen den Schlamm aus — und sinken wieder hinunter — immerzu ...

Und dann haben Sie sicher einen Paternoster-Aufzug gesehen. Man findet sie in vielen großen Bürohäusern, und die Neulinge haben immer Angst, daß sie den Moment verpassen und oben umgekippt werden.

Neulich hatte ich in einem solchen Hause zu tun. Ich fragte einen Botenjungen, wo die Stelle, an die ich mich wenden wollte, sei?

«Das ist oben, im sechsten Stock», rief er und wies auf den Paternoster: «Fahren Sie doch rauf mit dem *Kulibagger!*»

ANGST

Die Lieblingsgeschichte

Dieses war Rogers' Lieblingsgeschichte: — Ein Engländer und ein Franzose duellierten sich auf Pistolen in einem stockdunklen Zimmer. Der Engländer tappte sich großmütig bis an den Kamin, schoß den Schornstein hinauf — *und brachte den Franzosen herunter.* «Wenn ich diese Geschichte in Frankreich erzähle», setzte Rogers hinzu, «so pflege ich den *Engländer* 'runterkommen zu lassen.»

Schmerzensgeld

Colonel B. war außerordentlich dick. Das Theater verlassend, rief er einen Tragsessel heran und begann sich in ihn hineinzuzwängen ... In diesem Augenblick rief ein Bekannter von seiner Kutsche aus: «Komm mit, B., ich setz' dich vor deiner Haustür ab!» B. gab den Sesselträgern einen Schilling und wollte in die Kutsche steigen, doch die beiden kratzten sich den Kopf und verlangten mehr Geld. — «Wofür, Ihr Betrüger?» brüllte B., «wo ich doch in euren Sessel gar nicht hineingekommen bin?!» «Aber, Euer Gnaden, bedenken Sie unsere Angst — bedenken Sie unsere Angst!»

In New York gibt es bei der öffentlichen Bibliothek eine telephonische Auskunftsstelle. Unter anderem erkundigt man sich dort sehr oft nach den Zehn Geboten. Neulich fragte eine Damenstimme nach dem Wortlaut des sechsten Gebotes. Der Angestellte antwortete: «Du sollst nicht ehebrechen!» Da rief die Dame erschreckt: «Oh, mein Himmel!» und hängte sofort ab.

In einem prunkvollen Ausstattungsballett trat auch ein Löwe auf. Er wurde Abend für Abend erschossen und hatte dann tot in einen Abgrund zu fallen.

Der Statist, der dem Löwen in allen Gliedern steckte, war eines Abends in großer Angst. Denn ein boshafter Kollege hatte ihm kurz vor seinem Auftritt zugeflüstert: «Mensch, paß uff — die Flinte ist geladen!»

Der Löwe tritt mit katzenhaftem Ducken auf.

Der Schuß kracht.

Da sah das Publikum, wie das furchtbare Untier seine Tatze hob und andächtig ein Kreuz schlug! Dann ließ es sich froh in den Abgrund fallen.

Noël Coward, der bekannte englische Autor, hat eine Vorliebe für etwas grausame Scherze. So kam er eines Tages auf die Idee, den zwanzig prominentesten Leuten in London zwanzig gleichlautende Expreßbriefe zu schicken: «Alles ist entdeckt. Flieh, solang es noch möglich ist.» Sämtliche zwanzig verließen eiligst die Stadt.

Das Geheimnis des Westens

Eine Missionarin in China war einst zum Tee bei den acht Frauen eines Mandarins. Die chinesischen Damen untersuchten ihre Kleider, ihre Zähne und so weiter, am meisten aber waren sie über ihre Füße erstaunt.

«Wie!» schrie eine von ihnen, «Sie können gehen und laufen so gut wie ein Mann?» «Aber sicher», versetzte die Missionarin. «Können Sie auch reiten und schwimmen?» «Jawohl.» «Dann müssen Sie ja so stark wie ein Mann sein?» «Bin ich.»

«Und Sie würden sich von einem Mann auch nicht schlagen lassen — nicht einmal von Ihrem Gatten — nicht wahr?» — «Gewiß nicht», sagte die Missionarin.

Da schauten sich die acht Frauen des Mandarins an und nickten mit den Köpfen. Und dann sagte die älteste sanft: «Nun verstehe ich, warum diese weißen Teufel niemals mehr als eine Frau besitzen. Sie haben glatt Angst.»

Der Blick ins Gesicht

Admiral Lord Howe wurde eines Nachts hastig vom wachhabenden Leutnant geweckt: das Schiff sei nahe der Pulverkammer in Brand geraten! Sie könnte Funken fangen!! — «Ob das der Fall sein wird», sagte Howe und kleidete sich ganz langsam an, «werden wir ja bald wissen.» Der Leutnant eilte sofort zur Brandstelle und kehrte sogleich zurück mit dem Ruf: «Sie brauchen keine Angst zu haben, Sir — das Feuer ist bereits gelöscht!»

«Angst, was meinen Sie mit Angst, Sir?» erwiderte Howe: «Ich habe noch nie Angst gehabt in meinem Leben.» Dann schaute er dem Leutnant gerade ins Gesicht und fuhr fort: «Verzeihung — wie ist das Gefühl eines Menschen, der Angst hat? *Wie er aussieht, brauche ich ja nicht zu fragen.*»

Ein amerikanischer Seemann auf Urlaub ging neulich mit seinen Eltern in einen Kriegsdokumentarfilm, weil dort unter andrem auch der Angriff auf sein Schiff, den Flugzeugträger «Franklin», den er selbst miterlebt hatte, gezeigt wurde. Als sie wieder auf die Straße kamen, war der baumstarke Matrose bleich und außer sich. «Mein Kind, wir hätten dich nicht hinbringen sollen», sprach die Mutter, «der Film hat in dir das ganze Entsetzen, die ganze Angst wieder zurückgerufen.» —

«Angst?» sagte er. «Ich habe nie jemals Angst gehabt, bis ich diesen verdammten Film sah.»

Kühne Selbstironie

Diese Geschichte, die in Italien entstanden ist und in Frankreich veröffentlicht wurde, muß so gelesen werden, wie sie gedacht ist — cum grano salis und als eine bloße Stilübung. Wir wissen, daß die wahren Ursachen jenes Ereignisses andere waren, als hier angedeutet wird.

«Sie wissen nicht, warum wir bei Caporetto geschlagen wurden?» fragte der Italiener, dessen breite Stirnnarbe genug über seinen Mut aussagte. «Nun wohl, ich will es Ihnen sagen!»

«Ich bitte darum.»

«Also: Sie erinnern sich der Umstände, unter denen diese Schlacht vorbereitet wurde. Durch Monate hatten Tausende und Millionen von Arbeitern die Front und das Hinterland befestigt: ein kompliziertes Netz tiefer Schützengräben war errichtet worden; die betonierten Unterstände widerstanden den allergrößten österreichischen Mörsern; auf allen Abschnitten gab es eine Unzahl von Beobachtungsposten, mit einem Kartenmaterial, das nach der intensivsten Aufklärungsarbeit der Flieger, dank Millionen photographischer Aufnahmen, bis auf den Punkt stimmte; Straßen und Bahngeleise waren vermehrt und erneuert worden; nächst der Frontlinie lagen ganze Berge von Munition aufgehäuft, von Munition aller Kaliber — Granaten, Bomben, Schrapnells, Minen, Raketen in allen Farben usw. usw.... Alle hundert Meter stand ein dreifach gepanzertes Blockhaus, gespickt mit den modernsten Maschinengewehren . . . Die berühmtesten Feldherren, Cadorna, Diaz, kommandierten die auserlesensten Truppen: eine speziell auf den Sturm geschulte Infanterie, die fast ausschließlich aus Piemontesen bestand, dann die famosen Bersaglieri, die Truppen der Abruzzen und die aus Sizilien; eine feurige Kavallerie, welche nur darauf brannte, sich in die Bresche zu stürzen und den Sieg zu vollenden; eine Artillerie! Dreitausend Kanonen, zehnreihig übereinandergestaffelt, auf hervorragend gewählten Positionen, welche von jedem Punkt aus die österreichischen Linien donnernd beherrschten. Eine fabelhafte Aviation! D'Annunzio selber!!! Alles war bereit. Der Sieg gehörte uns. Schon war der König daran, in einem flammenden Tagesbefehl seine Truppen zu beglückwünschen, als . . .»

«Was?»

«... als ein Unwägbares, ein Nichts hinzukam . . .»

«Was denn?»

«Die Angst.»

Die Rache

In den USA gibt es ein Gebiet der blauen Berge, wo noch die Vendetta herrscht. Ein böses Glied der McGregor-Familie erstach hinterrücks einen Angehörigen der Larrabee-Familie. Diese hielt einen Rat ab und kam zu der Überzeugung, daß ein bloßes Totschlagen für den Schurken viel zu wenig sei. Statt dessen beschloß man folgendes: jeden lieben Tag von nun an sollte auf den McGregor ein Schuß abgegeben werden, der ihn um Haaresbreite *verfehlte*. Und zwanzig Jahre lang wurde das mit freundlicher Konsequenz durchgeführt. Als unser Gewährsmann das Opfer sah, trug dieses schneeweißes Haar, zuckte ständig an Gesicht und Händen, und warf seine Blicke rastlos von einer Seite auf die andere. Jetzt griff er nach dem Soda-Syphon, als ein Schuß fiel. Die Flasche war in tausend Splitter zersprungen. McGregor heulte auf wie ein Präriehund. «Die werden das jeden Tag machen», erklärte ein Einheimischer gleichmütig, «bis der arme Kerl sich aufhängt.»

Eine wahre Zirkusgeschichte

Der geistvolle Schriftsteller Ignaz Petroff war in seiner Jugend kräftig, schlank und gut gebaut. Doch liebte er es nicht, zu arbeiten, und hatte überdies damals seine literarische Befähigung noch nicht entdeckt. So lebte er ziemlich kümmerlich von einem Tag zum anderen, bis er sich schließlich einem großen Zirkus anschloß, der durch Südrußland zog. Er putzte die Pferde, er stellte die Zelte auf, er machte «Parade». Dieses Dasein als Faktotum befriedigte ihn, da er schon dafür sorgte, daß es nicht zu anstrengend wurde.

Nun passierte es in Odessa, daß Jegor, der König des Saltomortale, der Champion aller Trapezakrobaten, sich den Fuß beim Absteigen vom Trottoir verrenkt.

Der Direktor kriegt den üblichen Tobsuchtsanfall, denn Jegor ist sein größter Star! Er ruft Ignaz ins Büro und sagt:

«Du wirst für Jegor einspringen!»

«Nie im Leben, ich habe zuviel Angst.»

«Idiot! Du weißt sehr gut, daß es bloß ein Trick ist. Du steigst eine solide Leiter hinauf, du greifst nach dem Trapez, das über deinem Kopfe schwingt, du läßt es los, wenn es nach unten schwingt – und fällst gemütlich ins Netz. Du bist der einzige, der Jegor ersetzen kann. Das Publikum wird sich täuschen. Übrigens: wenn du nicht bereit bist – dort ist die Tür. Bist du einverstanden, so sind das 50 Rubel pro Abend.»

Ignaz war einverstanden.

Eine Stunde später klettert er – grellgeschminkt, grellbeleuchtet – unter dem Blick eines gespannten Publikums die 25 Sprossen der fatalen Leiter empor.

Oben angelangt, läßt er jetzt schon zum drittenmal das Trapez aus, das über ihm hin- und herschwingt.

Schreie, Pfiffe, Grölen: «Aber spring doch! Zum Teufel, spring doch!!»

Ignaz, hoch oben, im Licht von zwölf Scheinwerfern, macht eine Handbewegung, zum Zeichen, daß er reden will. Alles schweigt atemlos. Ignaz redet:

«Also vom Springen ist natürlich gar keine Idee! Ich frag mich bloß, wie ich von hier 'runterkomme, ohne mir die Fresse zu zerschlagen!...»

ANTWORTEN

Als der große Tragöde Devrient einmal Richard III. spielte und zu der Szene kam, wo der König nach der Schlacht ausruft:

«Ein Pferd! Ein Pferd! Ein Königreich für ein Pferd!...»

da ertönte plötzlich eine schallende Stimme von der Galerie:

«Genügt ein Esel?»

Devrient rief blitzschnell:

«Gewiß! Kommen Sie herunter!!

Eine andere großartige Antwort wird von dem Architekten Hansemann erzählt. Dieser sehr verdienstvolle Mann hatte als

Zeuge vor einem etwas strengen Richter zu erscheinen. Der Richter fragte:

«Sie sind Baumeister?»

«Verzeihung, nein — ich bin kein Baumeister, ich bin Architekt.»

«Soso; na, ich glaube doch, das ist so ziemlich dasselbe.»

«Das kann ich leider nicht zugeben. Ich halte das für zwei völlig verschiedene Dinge.»

«Was Sie nicht sagen ...? Vielleicht wollen Sie uns diesen gewaltigen Unterschied erklären.»

«Der Architekt macht die Skizzen, entwirft die Pläne, zeichnet die Einzelheiten — kurz, er liefert den Geist. Der Baumeister beaufsichtigt den Maurer und den Schreiner. Der Baumeister ist sozusagen die Maschine — der Architekt das, was die Maschine zusammenfügt und in Gang bringt.»

«Schön, Herr *Architekt*, das genügt. Und jetzt, nach dieser reizvollen Beschreibung, sagen Sie uns vielleicht — wer war denn der Architekt beim Turm zu Babel?»

«Gerade da *fehlte d*er Architekt, hoher Gerichtshof — — und daher die Verwirrung!»

ARBEIT

Spezifizierte Rechnung

Ein starkpferdiger Motor strebt gen Aberdeen (wo die sparsamen Schotten wohnen). Mitten auf einer Heide kriegt der Motor einen Knacks und steht still. Wie die Sphinx im Wüstensand. Der Besitzer steigt aus und arbeitet eine Stunde und zweiunddreißig Fettflecke lang. Es hilft nichts. Der Motor hält seinen Charakter durch.

Ein Schmied aus dem nächsten Dorfe wird geholt. Der hebt die Kühlerhaube ab, wirft einen nachlässigen Blick auf die Situation und schlägt mit dem Hammer dreimal leicht auf eine bestimmte Stelle. Ein Wunder: der Motor geht wieder!

«Was bin ich Ihnen schuldig?»

«50 Schilling.»

«Hm. Etwas teuer, etwas teuer! Wie kommt das zusammen?»

«1 Schilling für den ersten Schlag. 1 Schilling für den zweiten Schlag. Und 1 Schilling für den dritten Schlag ...»

«Macht 3 Schilling. Und die siebenundvierzig?»

«Und siebenundvierzig Schilling für zu wissen, *wo* man zu schlagen hat.»

Drei Stunden Arbeit

Ein englischer Soldat hatte mehrere Briefe von der Front nach Hause geschrieben, in denen er allerhand Regimentstratsch ausplauderte. Diese Stellen waren vom Zensor unleserlich gemacht worden. Darüber hatten sich die Angehörigen beim Absender beklagt.

Sogleich schrieb der Tommy einen neuen Brief. Er enthielt die Nachschrift: «P.S. Bitte, schau mal unter die Briefmarke.»

Der Brief wurde vom Zensor wiederum geöffnet. Worauf dieser drei Stunden damit zubrachte, die Briefmarke überaus vorsichtig mit heißem Dampf abzulösen — um auf die darunter befindliche Mitteilung zu kommen.

Endlich war die Briefmarke glatt abgelöst. Eine Meisterleistung. Darunter fand man geschrieben: — «War sie schwer abzukriegen?»

Neuer Beruf

Ein lustiger Bursche von sechzehn Jahren ist von der Polizei geschnappt worden. Er kommt vor den Jugendrichter, und es entspinnt sich folgender Dialog:

«Man hat Sie im Zoologischen Garten verhaftet?»

«Jawohl.»

«Sie sind uns von den Wächtern als unverbesserlicher Herumstreicher bezeichnet worden... Was haben Sie dort gemacht?... Sie haben keinen Beruf?»

«Was? Keinen Beruf!... Ich erklär' doch den Ausländern die Giraffen!...»

Der Steinbock

Ein Steinbruch der Gemeinde Wien. Vier österreichische Arbeiter bemühen sich, einen Granitblock auf die andere Seite zu wälzen. Mit vierstimmig gesungenem «Hooo-ruck!» tauchen sie immer wieder an, wie der örtliche Ausdruck lautet. Vergeblich. Der Granitblock hält seinen Charakter durch und rührt sich nicht.

Resigniert werden vier Zigaretteln angezündet.

Der preußische Vorarbeiter kommt gelaufen, erfaßt die Situation und hierauf den Granitblock. Des Vorarbeiters Blick wird starr, seine Muskeln straffen sich, seine Adern schwellen an: er *will* den Block umwälzen.

Und er wälzt ihn um.

Die vier Arbeiter (unisono): «Jaa, mit *Gewalt* ...!»

AUGE

Sherlock Holmes im Himmel

Als Sherlock Holmes in den Himmel kam, versammelte sich um ihn eine große Menge Neugieriger. Auch St. Petrus begrüßte ihn und sagte: «Mr. Holmes, wir haben hier offen gestanden auch bei uns einen mysteriösen Fall, bei dessen Aufklärung Sie behilflich sein könnten. Um es kurz zu sagen: Adam und Eva scheinen verschwunden zu sein. Seit mehreren Jahrtausenden hat keiner sie auffinden und identifizieren können. Wenn Sie uns da vielleicht an die Hand gehen könnten...»

Der berühmte Detektiv steckte seine berühmte Pfeife an. Dann ging er mit langen Schritten auf die Neugierigen zu und holte zwei völlig verdutzte Engel aus der hintersten Reihe hervor. «Hier sind sie», sagte er kurz.

Adam und Eva gaben ihre Identität auch bereitwillig zu. «Wir waren es müde, von jedem neuen Engel angestarrt und um Autogramme gebeten zu werden», erklärten sie. «Darum legten wir uns andere Namen bei, nebst dieser simplen Verkleidung, und blieben eine Weile ungestört, bis dieser Kerl mit Bügelfalten hergekommen ist.» —

«Wie haben Sie das gemacht, Holmes?» fragte Petrus.

«Sehr einfach, mein lieber Wat — hm — Petrus. Die beiden waren die einzigen ohne Nabel.»

Psychologie

Ein armer Teufel bettelt einen Bankdirektor um hundert Mark an.

Unbehagliches Schweigen.

Endlich sagt der Bankier: «Hören Sie mal, ich mache Ihnen einen Vorschlag. Kein Mensch weiß, daß ich ein künstliches Auge habe.»

«Aber bitte, Herr Direktor, ich habe nie daran gezweifelt...»

«Gut», sagte der Bankier, «hier ist mein Vorschlag: Wenn Sie erraten, welches von meinen Augen das Glasauge ist, bekommen Sie die hundert Mark.»

Da ruft der Bittsteller sofort, ohne zu zögern: «Das *linke* Auge ist das künstliche, Herr Direktor!»

«Verdammt... wie haben Sie das so schnell herausbekommen?»

«Aber das war doch leicht: Als ich Sie vorhin um das Geld bat, da hat Ihr *linkes* Auge mich mit viel mehr Sympathie angesehen als Ihr rechtes.»

AUTOS

Modernes Märchen

Ein Maultier und ein alter Fordwagen trafen sich auf einer gewissen Landstraße, in der Nähe von Avignon, Südfrankreich.

«Hallo», rief das Maultier, «was stellst du eigentlich vor?»

«Ich bin ein Auto», sagte der Ford, «und du??»

«Ich bin ein Pferd», sagte das Maultier.

Und beide lachten herzlich.

Das Zauberwort

Doktor Brillenhorn ist schrecklich reich. Dennoch dauert die Reparatur seines Wagens ziemlich lange. Ungeduldig kommt er in die Garage.

«Der Wagen muß heute abend unbedingt fertig sein!» ruft er.

«Verzeihung, aber — — — », will der Garagenwart einwenden.

«Das ist mein Wagen», donnert Brillenhorn, «das ist mein Wagen, und was ich sag, geht in Ordnung!!»

Da kam eine abgerackerte, verschmierte Schlosserphysiognomie unter der Maschine zum Vorschein und sprach mit heiserer Stimme:

«Bitte, bitte, sagen Sie mal schnell ‹Motor›!»

Gespenst und Auto

Ein Auto, das noch rechtzeitig die nächste Bahnstation erreichen wollte, jagte durch schweren Nachtnebel längs dem Ufer eines hochgeschwollenen Flüßchens. Plötzlich sahen die Insassen vor sich in der Luft eine schwebende Gestalt auftauchen, die ihnen fortwährend beschwörende Zeichen machte, als ob sie das Gefährt aufhalten wollte.

Die unheimliche Erscheinung schwebte, mit dem Rücken zur Fahrtrichtung, durch die Nebelluft über den Scheinwerfern.

Anfangs hofften die Insassen noch, daß es ein großer Vogel sei. Nach und nach aber lernten ihre aufgerissenen Augen, daß man es mit einer anderen Erscheinung zu tun hatte, denn auch bei rasendster Steigerung der Geschwindigkeit flog «es» lautlos voran und bat mit beschwörenden Winken um Einhalt!

Schließlich gingen die Nerven des Chauffeurs durch, und er brachte den Wagen mitten aus tollster Fahrt plötzlich zum Stehen. Man stieg aus und lief ein paar Schritte vor: das Gespenst zerfloß winkend im Nachtnebel — zugleich aber machte man eine andere Entdeckung. Die Straße ging hier mit einer Brücke über den Fluß,

und diese Brücke... war nicht mehr vorhanden. Ob sie nun eingestürzt oder von der Überschwemmung fortgerissen war — genug,
statt ihrer gab es bloß eine schaumwirbelnde Höllenschlucht. Ohne
das Stoppen vor dem Gespenst wäre das Auto kopfüber in den Fluß
geschossen! —

Nach dieser schauerlichen Entdeckung ging man zurück zum Auto, das mit seinen Scheinwerfern wartend dastand. Jetzt fiel allen ein
großer Nachtschmetterling auf, der flügelschlagend auf einem
Scheinwerferglas hin und her kroch. Man blickte sich um, und es
wurde klar: das Gespenst war in Wirklichkeit die Schattenprojektion
des flügelschlagenden Nachtschmetterlings, die in dem dichten Nebel
erschreckend körperhaft gewirkt hatte.

Also war das Gespenst kein Gespenst. Aber das Auto hat es immerhin gerettet.

Ein klinischer Fall

Auf der Straße New York—Boston fährt ein luxuriöser Cadillac.
Auf einer Hügelkurve mit dem herrlichsten Landschafts-Panorama
macht der Wagen plötzlich halt.

Ein Rolls-Royce summt heran, macht ebenfalls halt und bietet
seine Hilfe an.

«Reifenschaden?» fragt der Führer des Rolls.

«Nein», versetzt der andere.

«Benzin ausgegangen?»

«Nein.»

«Motorpanne?»

«Nicht, daß ich wüßte. Alles in Ordnung.»

«Darf ich wohl fragen, warum Sie hier gestoppt haben?»

«Um die Landschaft zu bewundern.»

Darauf gibt der Rolls Vollgas und nach sieben Minuten ist der
nächste Polizeiposten informiert:

*Daß sich 32 Meilen von Boston ein gefährlicher Irrer auf der Stra-
ße befindet.*

Praktischer Vorschlag

Mr. Henry Ford, der unter vielem anderen auch Zeitungsheraus-
geber und Philanthrop ist, brachte einmal als Titelzeile in seinem
«Dearbon Independent» die Riesenaufschrift: «Was können wir für
die leidende Menschheit tun?»

Ein Konkurrenzblatt erwiderte am nächsten Tage mit der noch
riesigeren Aufschrift:

«Bitte — leg noch eine Sprungfeder in den Sitz, Henry.»

Letzte Hoffnung

Die Insassen des riesigen Sportwagens hatten eine erregte Diskussion. Ob sie den D-Zug da bis zur Bahnkreuzung überholen können oder nicht.

«Ruhe!» rief der Mann am Volant: «Ich schaffe es spielend.»

«Kommt gar nicht in Frage!» schrie der Mann neben ihm: «Der Zug geht mächtig viel schneller als wir.»

«Unsinn!» brüllte der Mann am Rade, gab Vollgas und faßte den D-Zug scharf ins Auge.

«O Gott», sagte der Mann im Hintersitz, der bis dahin geschwiegen hatte, «wer gewinnt, ist mir völlig egal — aber *hoffentlich gibt's kein totes Rennen!*»

Der Arm aus dem Auto

Wenn der Lenker des Autos vor Ihnen seinen Arm aus dem Wagen streckt, so kann das, einer englischen Rundfrage nach, folgendes bedeuten:

Der Automobilist:

1. Klopft die Asche seiner Zigarette ab;
2. Zeigt an, daß er links einbiegen wird;
3. Droht, einen Straßenjungen zu ohrfeigen, der auf ihn Grimassen schneidet;
4. Zeigt an, daß er rechts einbiegen wird;
5. Macht seine Frau auf die Aussicht aufmerksam;
6. Untersucht, ob es regnet;
7. Reckt sich gähnend aus;
8. Fragt seine Frau, ob sie die Haustür verschlossen hat;
9. Begrüßt einen vorübergehenden Bekannten;
10. Kämpft gegen einen beginnenden Krampf an;
11. Wirft ein Streichholz weg;
12. Macht eine zornige Geste, weil er sich im Wege geirrt hat.

Statistik

Die Statistik ist eine Errungenschaft. Aber man muß die Zahlen auch zu lesen wissen. So trug eine kalifornische Zeitung kürzlich folgende dicke Überschrift:

Ein Auto auf je dreieinhalb Menschen in Los Angeles!

Das Konkurrenzblatt kommentierte diese Nachricht folgendermaßen:

«Die halben Menschen bedeuten nämlich jene Fußgänger, die von den anderen drei kaputtgefahren worden sind.»

Reparaturen

Ein schlichter Mann trat in die Verkaufsgarage und sprach mit leiser Stimme: «Als ich vor ein paar Wochen den Wagen kaufte, da sagten Sie, daß Sie mir gern jeden zerbrochenen Teil ersetzen würden —» «Aber gewiß, mein Herr», rief der Generalvertreter, «was habe ich das Vergnügen Ihnen zu liefern?»

«Ich wünsche», sagte der Käufer mit leiser Stimme, «ich wünsche ein paar neue Fußknöchel, eine mittlere Rippe, ein linkes Auge, drei Meter Körperhaut, ein Kästchen sortierte Fingernägel, vier Backenzähne, zwei Schulterblätter und ein Ohrläppchen.»

BABIES

Das Mysterium der Geburt

Die Eltern des kleinen Max erwarten Familienzuwachs. Sie sind ängstlich darauf bedacht, in Maxens Anwesenheit («Er ist noch so klein...») die Theorie vom Storch aufrechtzuerhalten. Alles lebt in Erwartung. Da kommt eine Tante zu Besuch und fragt süßlich:

«Nun, Max, was wünscht du, was soll dir der Storch bringen: ein Brüderchen oder ein Schwesterchen?»

«Wenn's die Mama nicht zu sehr anstrengt: a klanes Schaukelpferd.»

Das Strapazier-Baby

Kinderzimmer. Traulicher, gedämpfter Lampenschein. Tiefste Abgeschlossenheit von aller Hast und Unruhe der Welt.

Papa und der sechsjährige Bub schauen zu. Schauen zu, wie Mutti das Baby in Schlaf singt...

«Wenn ich Baby wäre», flüsterte der sechsjährige Philosoph, «dann würd' ich so tun, als ob ich schon eingeschlafen wäre.»

Baby ist mit den Eltern in die Sommerfrische gefahren. Mitten in der Nacht hört Papa aus dem Nebenzimmer eine sanft murmelnde Stimme: «Vati... Vati... Mutti...»

Baby träumt, denkt sich Papa.

Aber das sanfte Murmeln geht immer weiter.

«Mutti... Vati... ich bin aus dem Bett gefallen...»

Mit einem Satz ist Papa aus dem Bett: er findet Baby tatsächlich auf dem Fußboden.

«Warum hast du denn nicht lauter gerufen, Baby? Kein Mensch konnte dich hören... Du hättest schreien sollen: Papa! Papa!»

«Aber Vati», sagte Baby, «ich wollte dich doch nicht aufwecken!»...

Am Morgen sieht Baby zu, wie sich die Mama vor dem Spiegel das Haar in Ordnung bringt. In den dunklen Locken taucht ein silbernes Haar auf. Baby stürzt sich darauf:

«Mutti!... Mutti!... Gib her... ein Haar von Großmama!»

Auf der Hinreise fuhr der Zug durch einen Tunnel. Der Papa fragt, ob Baby Angst gehabt hat. Baby lächelt:

«Ach nein! Das war bloß so 'ne ganz kurze Puppen-Nacht.»

Das Interessante

Die große Schauspielerin Eleonora Duse erbot sich einst, ein einjähriges Baby zu betreuen, während die Eltern ausgingen. «Wenn es schreit, werde ich singen», sagte die Duse. «Ich kenne tausend Tricks, um Babys zu beruhigen.» Als die Eltern heimkamen, fanden sie das Baby ruhig im Wagen sitzen und gebannt auf das Sofa starren. Denn dort lag die große Tragödin mit geschlossenen Augen und — schnarchte. Laut und regulär.

Langsam öffnete sie die Lider. «Schschsch...!» sagte sie: «Wenn ich für eine Sekunde aussetze, fängt es an zu schreien.»

Sodann erklärte sie: «Ich sang ihm vor; ich tanzte ihm vor; ich machte ihm Grimassen; ich spielte vor ihm einen ganzen Akt ‹Paolo und Francesca›, und alles war ihm grundverhaßt. Aber das Schnarchen — vom leisesten Beginn an — das liebte es!»

Umtausch gestattet?

Nun sollte sich auch das kleine Mädchen das neue Baby ansehen. Bis dahin war ihr Lebensinteresse hauptsächlich auf Puppen konzentriert gewesen. Als das Baby in ihre Arme gelegt wurde, betrachtete sie es mit einem fünfjährigen, kritischen Blick. «Ist das nicht ein süßes Baby?» rief die Wärterin.

«Ja», sagte das kleine Mädchen zögernd, «es ist sehr nett... bloß der Kopf hängt etwas lose dran.»

Die Zwillinge

Es gab Zwillingsknaben in der Familie Morphy. Mit sechs Monaten sahen sie sich wie zwei Erbsen ähnlich. Die Nachbarn wunderten sich oft, wie Frau Morphy sie unterscheiden könne. Eines Tages sagte Frau O'Flaherty zu ihr: «Ein feines Paar Jungen haben Sie, Frau Morphy; aber wie können Sie beide auseinanderhalten?»

«Mein Gott, das ist doch leicht, Frau O'Flaherty», sagte Frau Morphy: «Ich lege meinen Finger in Dinnis Mund, und wenn er beißt, so ist es Micki.»

Vorsicht!

Das war in London. Ein kleines Mädchen spaziert mit seiner Mama auf der Straße und fragt neugierig, warum hier bei diesem Hause das Pflaster mit Stroh bedeckt sei.

«Die Lady in diesem Hause hat soeben eine kleine Tochter vom Himmel geschickt bekommen», sagt die Mama.

Da blickt die Kleine nachdenklich auf das Stroh und flüstert: «Schrecklich gut verpackt gewesen, Mutti, nicht wahr»?

BARBIERE

Rasieren und Haarschneiden

Ein Schotte traf auf dem Wege zum Barbier einen kleinen Jungen und fragte diesen, ob er sein Haar geschnitten haben wolle?

«Na klar», sagte der Junge, «aber ich hab' kein Geld!»

«Schon gut, mein Junge», war die Antwort, «komm nur mit mir.»

Der Schotte kam als Erster dran, wurde rasiert, ließ darauf den kleinen Jungen auf seinem freigewordenen Sessel Platz nehmen und verlangte vom Friseur eine Schachtel Zigaretten.

«Wir verkaufen hier keine Zigaretten», hieß es, «aber Sie können nebenan welche kaufen.»

«Schon gut», sagte der Schotte, «ich bin in einer Minute wieder zurück!»

Jetzt war das Haar des kleinen Jungen wunderbar geschnitten, doch die Rückkehr des Mannes ließ verdammt lange auf sich warten.

«Hör mal, dein Vater macht aber lange...», bemerkte schließlich der Barbier.

«Was heißt hier Vater», sagte der Kleine und griff nach der Mütze — «das ist doch bloß'n fremder Mann, der mich auf der Straße angeredet hat.»

Rasieren

«Sag mir doch, Mutti», fragt Elschen, «kommen Männer überhaupt in den Himmel?»

«Aber natürlich, Liebling. Warum fragst du?»

«Weil die Engel auf den Bildern niemals Schnurrbärte haben.»

«Nein, Kindchen», sagt die Mutti gedankenvoll, «einige Männer kommen sicher in den Himmel... aber sie werden dort gleich rasiert.»

BELEIDIGUNGEN

Hugo-Anekdote

Alphonse Daudet frühstückte an jenem Morgen bei Victor Hugo: das war in einem der letzten Lebensjahre des großen Romantikers. Hugo präsidierte natürlich bei der Tafel und saß an deren einem Ende. Die Unterhaltung gestaltete sich einigermaßen schwierig, denn er war gleichgültig gegenüber allem, was sich nicht unmittelbar auf ihn bezog, und litt zudem an einer wachsenden Taubheit.

Allmählich geschah es nun ganz von selbst, daß die Eingeladenen sich zum anderen Ende des Tisches kehrten, zu den jungen Leuten, zu Georges und Jeanne. Es ertönte Gelächter, anfangs gedämpft, später lauter. Plötzlich, mitten in eine lustige Anekdote, die irgendeiner der Jungen erzählte, hört man eine tiefe Stimme, eine tiefgekränkte Stimme, die Stimme des großen Mannes:

«Man hat mir kein Biskuit gegeben...»

Die Launen einer Frau

Der berühmte Staatsmann saß vor seinem Schreibtisch, spielte mit dem Bleistift und blickte ergeben auf den Reporter.

«Kann mir denken, Sir, daß Sie von Besuchern arg belästigt werden», sagte der fixe junge Bursche und stenographierte in der Rocktasche nach.

«230 Besucher pro Tag», flüsterte der große Mann seufzend.

«Sagen Sie mal, wie werden Sie die Leute eigentlich los? Wie geben Sie ihnen ein harmloses Signal zum Aufbruch?»

«Sehr einfach: wenn die Grenze überschritten ist, kommt mein Sekretär und sagt laut und deutlich, daß meine Frau mich zu sehen wünscht.»

«Haha — ha — ha», lachte der fixe junge Mann, «das ist eine blendende Idee, das ist — —»

«Sir Thomas», rief in diesem Moment der Sekretär und öffnete die Tür, «Sir Thomas, Ihre Frau Gemahlin wünscht Sie zu sehen...»

BENEHMEN

Der Gentleman

Als Sir W. Gouverneur von Jamaika war, erwiderte er eines Tages sehr höflich den Gruß eines vorübergehenden Negers. «Sir», fragte jemand vorwurfsvoll: «Sie grüßen einen Sklaven?» «Nun ja», versetzte Sir W.: «Ich kann es nicht dulden, daß solch ein Mensch mich in guten Manieren übertrifft.»

Empörender Vorfall

Neulich — es sind kaum 400 Jahre her — gab der Kardinal Bembo in Rom ein prunkvolles Fest. Unter den vielen vornehmen Gästen befand sich auch ein Graf Montebello, berühmt wegen seiner feinen Lebensart.

Als das Bankett anging, erhob sich der Graf plötzlich von seinem Sessel und schaute suchend umher. Er blickte auf die köstlichen Fußteppiche, Spiegel, Bronzen — und schüttelte den Kopf. Er blickte auf die herrlichen Wandgobelins, das goldene Tafelgeschirr, das Tafelkristall — und zuckte die Achseln.

Endlich faßte er die Dienerschaft ins Auge, die in Samt und Seide statuenhaft längs den Wänden stand.

Und jetzt ging er auf einen der Lakien zu und — — spuckte ihm ins Gesicht!!

Befremdet erhob sich der Kardinal und sah fragend auf den Grafen...?

Der sagte, sich entschuldigend:

«Messire — der einzige Ort im Saal, den ich zum Spucken finden konnte!...»

Prosit!

Montrond, der Freund Talleyrands, war mit einigen anderen Franzosen von dem Kapitän eines englischen Schiffes gefangengenommen worden. Die beiden kamen schlecht miteinander aus. Eines Abends, als sich Montrond bei der Tafel erhob, um auf den Trinkspruch eines Genossen zu antworten, wurde er von dem Kapitän brüsk unterbrochen:

«Ich trinke nicht auf das Wohl von Franzosen... Es sind alles Lumpen, ohne Ausnahme.»

«Und ich», rief Montrond, «ich trinke aufs Wohl der Engländer! ... Es sind alles Gentlemen... Aber es gibt Ausnahmen.»

Das Gemurmel

In Palästina gibt es wegen der starken Einwanderung vorläufig noch viele Intellektuelle, die manuelle Arbeit verrichten müssen. Bei Besichtigung der Bauarbeiten in der deutschen Siedlung Nathomya bemerkte ein Reisender eine lange Reihe von Leuten, wo einer dem andern Ziegel reichte, und hörte dabei ein seltsames Gemurmel über dem Ganzen schweben. Im Nähertreten stellte er fest, daß jeder dem andern bei Empfang und Weitergabe der Ziegel sagte: «Bitte Herr Doktor, danke Herr Doktor, bitte Herr Doktor, danke Herr Doktor, bitte Herr Doktor, danke Herr Doktor...»

Märchen

Der berühmte Knigge machte eine Seereise. Das Schiff ging unter. Der Verfasser des «Umganges mit Menschen» sank in die Tiefe. Ein riesiger Haifisch schwamm auf ihn zu.

Der Unglückliche zog ein kleines Federmesser.

Da tat der Haifisch seinen Rachen auf:

«Herr Knigge — gerade *Sie* — Fisch mit dem *Messer*...??»

Zartgefühl

In Glogau ist man weit zartfühlender als in Berlin. Neulich besuchte mich ein Glogauer. Wir fuhren in einem überfüllten Straßenbahnwagen. Wir saßen. Mir fiel es auf, daß mein Freund seine Augen, wie im Schlaf, geschlossen hielt.

«Hast du Kopfschmerzen?» fragte ich.

«Mensch», sagte er, «ich kann's nicht ansehen, wie diese armen Frauen stehen müssen!»...

Ein amerikanischer Radiokomiker wurde neulich in eine vornehme Gesellschaft geladen, um die Herrschaften zu unterhalten. Er hatte sich aber nicht auf deren Wellenlänge eingestellt und regalierte sie mit ziemlich unsauberen Anekdoten. Daß niemand lachte, störte den Komiker nicht im geringsten. Endlich hatte er sein Pensum abgehaspelt und bat den Butler um ein Glas Wasser. Da setzte die Dame des Hauses sanft hinzu: «Und bringen Sie dem Herrn auch noch ein Stück Seife und eine Zahnbürste.»

BERUFSWAHL

Es ist großer Jahrmarkt. Die Frau eines Akrobaten hat einen gesunden Jungen zur Welt gebracht. Der Besitzer der Schießbude nebenan kommt gratulieren und erkundigt sich bei den Eltern:
«Was wollen Sie den kleinen Burschen werden lassen?»
«Mein Gott, wir schwanken noch», sagt die strahlende Mutter. «Wir sind uns noch nicht ganz einig, ob er Riese werden soll — Zwerg — Tiermensch — oder Dame ohne Unterleib ...»

BETTELN

Straßenphoto

Auf einem Pariser Boulevard. Ein Straßenjunge zu einem Passanten:
«'nen kleinen Groschen, mein Herr! ...»
Der Passant vollstreckt die Bitte. Ein zweiter Straßenjunge hat das beobachtet und nähert sich nun seinerseits mit der gleichen Absicht.
Da sagt der erste dem Rivalen, laut und sachlich:
«Zwecklos. Ich hab' den Herrn bereits abgemacht!»

Peter Altenberg und Karl Kraus

Peter Altenberg war ein Genie und zugleich ein närrischer Bettler, denn er hatte dabei Hunderttausend auf der Bank liegen. Karl Kraus, der seinen Freund P. A. herzlich liebte, erzählte folgende Geschichte: «Karl, gib mir zehn Kronen ... Karl, gib mir zehn Kronen ...», hatte Peter immer wieder gejammert. — «Ich hab's nicht, Peter.» Doch P. A. ließ nicht locker: «... Karl, gib mir zehn Kronen,

Karl...» Da sagte Karl Kraus schließlich: «Schau, Peter, ich würde sie dir gerne geben, aber ich hab's *wirklich* nicht.» Darauf P. A., mit selbstverständlicher Bereitschaft: «Ich borg's dir!»

BILDER

Du bist der Mann

An einem Sonnabendvormittag des Oktober 1891 war im Wassili-Ostrow-Stadtteil von Petersburg eine furchtbare Mordtat verübt worden. Im Dachgeschoß eines Hauses der 19. Linie wohnte eine Wäscherin mit ihrer 13jährigen Tochter. Als die Mutter, die Wäsche ausgetragen hatte, etwa um 12 Uhr mittags heimkehrte, fand sie die Wohnungstür halb offen. Eintretend, sah sie ihre Tochter leblos im Blute auf dem Bette liegen.

Dieser Mord erregte ungeheures Aufsehen in der Stadt, zumal die Nachforschungen der Polizei nach dem Täter völlig erfolglos blieben. In den Zeitungen wurden schwere Anklagen gegen die Kriminalpolizei laut.

Etwa fünf Monate nach diesem Fall war im Schaufenster der berühmten Gemäldesammlung Daziaro das mit dem Rom-Preis ausgezeichnete Bild eines bis dahin unbekannten jungen Malers ausgestellt. Es hieß: «Der Mord in der 19. Linie», und gab mit äußerstem Realismus den Dachraum und das auf dem Bett ruhende tote Mädchen wieder. In die halboffene Wohnungstür aber hatte der Künstler die untersetzte Gestalt eines rotblonden Mannes hineinkomponiert, der, im Begriffe fortzuschleichen, noch einen letzten Blick auf das Opfer wirft.

Das Bild hatte starken Zulauf. Vor dem Schaufenster drängte sich ständig eine große Menschenmenge.

Am zweiten Tage dieser Ausstellung hörte der in der Nähe postierte Schutzmann einen gellenden Schrei aus dem Menschengedränge vor dem Schaufenster. Herzutretend, fand er einen untersetzten, rotblonden Mann sich in Krämpfen auf dem Trottoir wälzen. Als der Schutzmann ihn aufhob, bezichtigte sich der Mensch heulend des Mordes an dem Mädchen. Jetzt hatte auch die Menge seine auffallende Ähnlichkeit mit dem Täter auf dem Bilde bemerkt und drohte, ihn zu lynchen. Er wurde in Polizeigewahrsam genommen.

Die Polizei ließ den Maler unter einem Vorwande telegraphisch aus Rom zurückberufen. Auf dem Bahnhof wurde er verhaftet. Vor dem Untersuchungsrichter sagte er aus:

«An jenem Sonnabendvormittag befand ich mich zufällig in der

Nähe der Mordstelle und gelangte zusammen mit der Polizei in den Dachraum. Ich hatte Blei und Papier mit und fertigte sogleich eine genaue Skizze des Tatortes an, die ich zu Hause durch eine Farbenskizze aus dem Gedächtnis vervollständigte. Der Gedanke an das entsetzliche Geschehnis ließ mir keine Ruhe, bis ich mich endlich entschloß, es mir von der Seele zu malen. Lange suchte ich in den Kneipen und Teehäusern von Wassili Ostrow nach einem geeigneten Modell zu dem Mörder. Eines Tages sah ich im ‹Goldenen Anker› in der 6. Linie einen Mann, bei dessen Anblick sich meine nervöse, suchende Unruhe sogleich legte. Ich hatte mein Modell gefunden: so konnte *er* ausgesehen haben. Der Kellner sagte mir, daß der Mann hier öfters Tee trinke. Er sei finster und verschlossen und werde wohl kaum auf das Modellstehen eingehen, wenn er auch ziemlich zerlumpt aussehe... So skizzierte ich ihn mehrmals heimlich, wobei ich mir Mühe gab, seinem Blick nicht zu begegnen. Endlich hatte ich ihn auf dem Papier und begann mein Bild.»

Der Künstler wurde mit dem Mann konfrontiert und erklärte: «Er ist es.» Die materiellen Angaben des geständigen Mörders erwiesen sich bei der Nachprüfung als richtig. Er wurde überführt und verurteilt.

BILDUNG

Die Geschichte mit Macbeth

Der Professor: «Herr Kandidat, wer hat ‹Macbeth› geschrieben?»
Der Kandidat: «Ich nicht, Herr Professor.»

Am Abend speist der Professor bei Bekannten. Er erzählt seiner Nachbarin zur Rechten von dieser Antwort des Kandidaten. Die Nachbarin zur Rechten: «Und er war es also nicht?»

Leise trauernd wendet sich der Professor an seine Nachbarin zur Linken und erzählt ihr die Geschichte und auch die Bemerkung der Nachbarin.

Die Nachbarin zur Linken: «Und er war's dabei *doch*, ja?»

Nach dem Diner wankt der Professor stöhnend zu der Dame des Hauses und berichtet von der Frage samt allen Antworten.

Die Dame des Hauses (träumerisch): «Also wird man es nie herausbekommen, wer's gewesen ist...»

Der arme Professor verläßt erschüttert das Haus. Zugleich mit einem von den Gästen, einem Engländer. Der Professor kann nicht umhin, diesem zu erzählen, daß er auf die Examensfrage «Wer hat Macbeth geschrieben?» die Antwort «Ich nicht» erhalten, daß die eine Nachbarin «Und er war es also nicht?», die andere aber «Und er war's dabei doch, ja?» ausgerufen, und daß endlich die Dame des

Hauses daraufhin entschieden habe: «Also wird man es nie herausbekommen, wer's gewesen ist...»

Der Engländer: «Augenscheinlich.»

BIOGRAPHIE

Die tiefste Biographie

Der Conférencier des russischen Kabaretts «Blauer Vogel» glaubte der deutschen Mentalität am besten dadurch entgegenzukommen, daß er bei Ankündigung einer Programmnummer jedesmal das genaue Geburtsdatum, eine kurze Biographie, sowie das Todesdatum des betreffenden rezitierten Dichters angab.

Zu vorgerückter Stunde begab er sich einmal vor den Vorhang und hub mächtig an:

«Meine serr geärrte Publikum! Der Dichter von diese serr schöne Gedicht ist... (Pause hilflosen Nachgrübelns, sodann neuer mächtiger Anlauf):... *geboren*... (wiederum hilflose Pause; darauf, mit resignierter Handbewegung):... *gestorben!*...»

BRIEFE

Amtsstil

Courteline erhielt einmal von einem Rechtsanwalt folgenden Brief:

Mein Herr!

Ich habe die Ehre, Sie zu benachrichtigen, daß ich von Herrn Tierarzt X... mit der Eintreibung von 5 Francs 60 bevollmächtigt bin, die Sie ihm für Untersuchung eines Hundes schulden. Ich fordere Sie auf, mir die Summe innerhalb 48 Stunden zukommen zu lassen, andernfalls ich mich genötigt sehen würde, gerichtlich vorzugehen.

Hochachtungsvoll

X...

Courteline antwortete umgehend:

Mein Herr!

In Beantwortung des Schreibens, welches Sie, wie Sie ausgezeichnet sagen, die Ehre hatten, mir zu schicken, übersende ich Ihnen hiermit die in Frage kommenden 5 Francs 60. Ich ersuche Sie, mir umgehend eine Empfangsbestätigung dieser Summe zukommen zu lassen, andernfalls ich mich genötigt sehen müßte, gegen Sie eine Klage wegen Betruges zu erheben.

Hochachtungsvoll
G. Courteline.

Der klassische grobe Brief

Aus dem höflichen 18. Jahrhundert. Samuel Johnson weist den vorgeblichen Ossian-Entdecker Macpherson auf folgende Art zurück:

Mr. James Macpherson!

Ich habe Ihren tollen und schamlosen Brief erhalten. Jegliche Gewaltsamkeit gegen mich werde ich zurückstoßen; und was ich nicht von mir aus tun kann, wird das Gesetz für mich leisten. Die Drohungen eines Frechlings werden mich nie davon abhalten, das aufzudecken, was ich für einen Betrug halte.

Was wollen Sie von mir zurückgezogen haben? Ich hielt Ihr Buch für eine Fälschung; ich tue es noch. Die Gründe dafür habe ich dem Publikum bekanntgegeben und fordere Sie auf, diese zu widerlegen. Ihrer Wut spotte ich. Ihre geistigen Fähigkeiten sind schwerlich furchterregend, und was ich von Ihrem sittlichen Charakter höre, bestimmt mich dazu, nicht dem Beachtung zu schenken, was Sie sagen, sondern dem, was Sie beweisen. Sie können dieses drucken, wenn Sie wollen.

Sam. Johnson.

Ein Wort von Aurélien Scholl

In den sechziger Jahren stürzte einmal ein arger Schieber ins Café Tortoni herein. Mit etwas aufdringlicher Wut schwang er einen Brief hin und her.

«Das ist ein anonymer Brief!» brüllte er, «ein Brief, der die Worte enthält: *Sie sind ein Dieb.* – Ah, wenn ich diesen Schuft bloß entdecken könnte...»

Aurélien Scholl nimmt den Brief, klemmt sein Monokel ein, betrachtet das Schreiben äußerst sorgfältig von allen Seiten, und murmelt endlich weltverloren:

«Merkwürdig! Man sollte doch schwören, daß dieses die Handschrift vom Staatsanwalt ist...»

Korrespondenz

«Liebe Kläre!» schrieb der junge Mann. «Verzeihe mir, aber ich fange an, so vergeßlich zu werden. Ich habe Dich gestern um Deine

39

Hand gebeten, doch ich kann mich tatsächlich nicht mehr erinnern, ob Du ‹ja› oder ‹nein› sagtest?»

«Lieber Hans!» erwiderte sie per Rohrpost. «Freue mich sehr, von Dir zu hören. Ich erinnere mich, daß ich gestern jemand ein ‹nein› gegeben habe, doch leider habe ich völlig vergessen, wer das gewesen ist.»

Dein dich liebender Enkel

Die Königin Viktoria von England wurde von einem ihrer kleinen Enkel um ein Pfund Sterling gebeten. Doch statt des guten Geldes bekam er von ihr bloß einen Brief, wo sie ihm eine sehr reife Predigt gegen das Geldausgeben hingeschrieben hatte. Vielleicht ist das Antwortschreiben des kleinen Burschen interessanter:

Liebe Omama — ich habe Deinen Brief erhalten. Bitte denk nicht, daß ich etwa enttäuscht war, weil Du mir kein Geld schicken konntest. Es war sehr lieb von Dir, mir so gute Ratschläge zu erteilen. Ich habe Deinen Brief für 4 Pfund Sterling verkauft. In Erwartung Deiner teuren Antwort

Dein Dich liebender Enkel.

BÜCHER

Literarische Mäuse

Daß Mäuse die größten Büchervertilger sind, ist eine bekannte Tatsache. Eingeweihte Bibliothekare behaupten sogar, daß sie darin selbst den Käsehändlern und Kritikern um ein Bedeutendes überlegen sind. Was man aber noch nicht wußte, ist, daß die Mäuse hierbei eine *Auswahl* treffen — und zwar nicht, wie man meinen sollte, indem sie gutes, saftiges, altes Pergament dem modernen Holzpapier vorziehen, sondern, indem sie mit untrüglicher Witterung geradezu auf den Inhalt, auf die Ideen selber losgehen! Das war die diesjährige «*Sensation auf dem Büchermarkt*», in England wenigstens.

Denn man stelle sich das Erstaunen der ehrwürdigen Verlagsfirma Constable u. Co. vor, als ihr aus allen Enden des britischen Weltreiches Klagen zukamen — Klagen der Buchhändler, der Leser, der Bibliothekare: daß sämtliche Constable-Ausgaben des Jahres 1931 geradezu Mäusedelikatessen geworden seien! Aus Liverpool, aus Glasgow, aus Dublin und Kanada ertönte immer wieder derselbe Ruf — Constable, ein Fressen für Mäuse!

Der Direktor der öffentlichen Bibliothek in Aberdeen teilte mit, daß er in seinem Bücher-Depot seit 1889 keine Maus mehr gehabt habe. Im Jahre 1931 dagegen könne man sich ihrer kaum erwehren, wobei alle Nager, ohne den andern Büchern die geringste Aufmerksamkeit zu schenken, sich mit einer geradzu tierischen Wut auf die Erzeugnisse des Verlages Constable stürzten.

Die Autoren des Verlages senkten die Blicke. Man begann in den Klubs mit Fingern auf sie zu weisen. Man erklärte ihre Ideen für vergänglich. Jedes ihrer Bücher wurde verrissen. Bis endlich der beunruhigte Verlag eine Expertise der erfahrensten Chemiker veranstaltete. Nach einer Reihe von Versuchen mit Mausefalle und dargereichten Büchern ergab sich unwiderleglich folgendes: was die Mäuse zu den Ausgaben von Constable zog, war das Ziegenleder, in das die Rücken gebunden waren!

Die Autoren atmeten auf. Der Verlag seufzte. Denn sämtliche Buchrücken mußten ausgerissen und durch weniger geschmackvolle ersetzt werden.

Hilfreiche Bücher

Der Herausgeber einer Londoner Zeitung veranstaltete eine Rundfrage über das Thema: «Bücher, die mir geholfen haben.» Eine Antwort lautete:

«Das Kochbuch meiner Mutter und das Scheckbuch meines Vaters.»

BÜROKRATIE

Märchen

Als das alte Österreich 1918 zusammenkrachte, waren viele Sektionschefs, Hofräte, Kaiserliche Räte und Konzeptsbeamte plötzlich ohne Stellung und schlichen betrübt auf den Straßen umher. Da traf der alte Hofrat Habietnek seinen alten Kanzlisten Zehetgruber. Der aber sah rosig und blühend aus. «Wieso?» fragte der Hofrat. «Sind Sie nicht auch ohne Arbeit, wie wir alle?»

«Schaun's Exzellenz», sagte der Zehetgruber, «da haben's doch die alten Akten auf Mistwagen fortgefahren, zum Verbrennen — und da hab' ich a paar Zentner büllig erstanden von die alten Akten. Und die arbeit' ich jetzt so für mich zu Hause auf.»

«Wissen's was», sagte der alte Hofrat sinnend, «wenn's wieder a paar Akten aufgearbeit' hab'n — bringen's mir zum Unterschreiben...»

Das brennende Blockhaus

Wir hatten einen Bürolehrling, der las Indianergeschichten. Von halb sechs Uhr an hielt er seinen Blick fest auf die elektrische Wanduhr gerichtet, um den Moment der Erlösung nicht zu versäumen. Als es einmal wieder so weit war, sprach er ekstatisch:

«Kameraden, rief der Siouxhäuptling beim Sturm auf das brennende Blockhaus, Kameraden, Halt! — Jetzt machen wir Feierabend.»

Wahre Geschichte (1926)

Vor einem Schalter des Postamts SW 5000 wartet, wie immer, eine Schlange, die sich in geduldigen Windungen durch das halbe Lokal erstreckt. Als ich nach einer Viertelstunde endlich am Fensterchen anlange, schließt der Beamte Schalter und Dienst und verbittet sich den Einspruch der vergeblich Wartenden.

«Wenn Sie nicht einsehen, daß ich Schluß machen muß, so sind Sie eben ungebildet!»

Die Schlange windet sich vor Schmerz und macht Einwände.

Da fliegt das Fensterchen nochmals auf, und der Beamte verlautbartet amtlich: «Ich habe das Abitur, verstehen Sie! Sie nicht! Darum bin ich gebildeter als Sie!»

Und das Fensterchen fällt wie eine Guillotine, die allen Einsprüchen den Kopf abschlägt.

Ich möchte noch ausdrücklich bemerken, daß die schöne Wortbildung «verlautbartet» — ein ganzer Anschnauzbart steckt darin — nicht von mir stammt.

Vier Streichhölzer

Im französischen Regierungsblatt «Journal Officiel» ist kürzlich folgende Verordnung erschienen:

«Auf Grund der Gesetze vom 2. März 1872, vom 15. März 1873, und von Artikel 6 des Gesetzes vom 29. September 1917, auf Grund der Verordnungen vom 30. Dezember 1889, vom 10. Mai 1894, vom 30. Dezember 1911, vom 27. Januar 1912, vom 1. Oktober 1917, vom 26. Mai 1919, vom 14. Februar 1921, vom 24. August 1921, vom 7. Mai 1923, vom 5. Juni 1925, vom 31. Juli 1925, vom 3. April, 28. April, 9. Mai, 1. Juni, 10. August 1926, vom 4. Januar 1928, vom 29. Juni 1930 und 23. Mai 1931, wird, gestützt auf das Referat des Budget-Ministers, verordnet:

Artikel I. — Die Verwaltung der Staatlichen Unternehmungen ist ermächtigt, die Anzahl der Streichhölzer in den flachen Holzschachteln, welche laut Nomenklatur mit Nummer 103 bezeichnet werden, von 28 auf 24 Stück herabzusetzen.»

— Und bei solch einem sprühenden Humor beklagt man sich noch über die Trockenheit des Amtsstiles!

Der ängstliche Tiger

Die beste Clemenceau-Geschichte bleibt noch zu erzählen. Das war im Jahre 1906, als der Tiger zum Minister des Innern ernannt wurde. Als erstes wollte er sich von der Arbeitsamkeit und dem Eifer seines Beamtenpersonals überzeugen.

Begleitet von seinem treuen Sekretär, tritt Clemenceau in den ersten Saal ein: niemand anwesend. Totenstille. Sie kommen in den zweiten Saal. Er ist ebenfalls leer. Endlich, im dritten Saal, entdecken sie zwischen Stühlen und Schreibtischen einen einzigen Beamten. Der schnarcht, die Ellbogen auf der Tischplatte, süß und friedlich.

Der Sekretär macht einen hastigen Schritt, er will ihn wachschütteln! Aber Clemenceau hält seinen Begleiter zurück und flüstert:

«Um Gottes willen, wecken Sie ihn nicht auf! Sonst geht uns der auch noch fort...»

Amtliche Auskunft

Ein Angestellter der Pariser Gaswerke erscheint in der Wohnung und kontrolliert den Gasmesser.

«Sind Sie sicher», fragt die Mieterin, «daß dieser Zähler auch genau die Gasmenge anzeigt, die wir verbrennen?»

«Oh! liebe Frau», sagt der Gasmann, «das ist ein Detail von nebensächlicher Bedeutung!... In jedem Fall können Sie sicher sein, daß er genau das registriert, was Sie zu zahlen haben!...»

CHARAKTER

Aus der Jugend des Eiffelturmes

Anfangs war es ein beliebter Witz, an einem windigen Tage den Mitpassanten auf der obersten Treppe zuzubrüllen: *La tour tombe...!* Was da für eine Hetze über die Treppen losging, ist schwer zu beschreiben. Heute bemerken wir ihn kaum, doch damals starrte alles immer wieder auf den Turm, diesen «Koloß der Vulgarität». Der englische Dichter William Morris lebte während seines langen Pariser Aufenthaltes fast nur noch in den Restaurants der verschiedenen Eiffelturm-Etagen: er speiste dort, er schrieb dort auch seine Werke. «Der Turm hat auf Sie sicher einen großen Eindruck gemacht», bemerkte ein Freund. — «Eindruck?» rief Morris: «Ich bleib hier oben, weil dies der einzige Ort in Paris ist, wo man das verdammte Ding nicht sehen kann!»

Vor kurzem ist Doktor Axel Munthe, der Verfasser des berühmten Werkes «Das Buch von San Michele», in Stockholm gestorben. Von ihm wird folgende Geschichte erzählt. Im Rauchzimmer eines Ozeandampfers wurde er enthusiastisch von einem Arzt und Kollegen begrüßt: «Welch ein Genius sind Sie!» — so schloß die lange Lobrede.

Munthe lächelte ein wenig und sagte: «Ein Genius, he? Wissen Sie, der Geiger Sarasate wurde einmal in seiner Villa in Biarritz von einem Kritiker ein Genius genannt. Doch Sarasate schaute ihn bloß an und schüttelte den Kopf. ‹Ein Genius!› sagte er. ‹Siebenunddreißig Jahre habe ich jeden Tag vierzehn Stunden geübt; jetzt nennen die mich einen Genius!›»

Der wunderbare Automat

John P. Nußbaum bemerkte jenen wundersamen Automaten, als er auf seinen Vorortszug wartete. «Ihr Gewicht und Ihr Schicksal für 1 Cent», lautete die Aufschrift. «Ach, Unsinn...», murmelte Nußbaum, trat auf die Waage und warf einen Cent in den Schlitz.

Der Apparat rumpelte innerlich und spie eine Karte aus: «Ihr Name ist Nußbaum und Sie wiegen 148 Pfund.» — «Das kann nicht sein», sagte sich Nußbaum, «es ist ein Zufall.» Er versuchte es nochmals. Auf der zweiten Karte stand wiederum: «Ihr Name ist Nußbaum und Sie wiegen 148 Pfund.»

In der Nähe stand ein flachshaariger junger Irländer, den Nußbaum mit dem unheimlichen Automaten bekannt machen wollte. Der Irländer trat auf die Waage, und seine Karte lautete: «Ihr Name ist O'Flaherty, und Sie wiegen 126 Pfund.»

John P. Nußbaum kam nicht darüber hinweg. Noch eine drittes Mal versuchte er es und trat, vor Erregung zitternd auf die Waage. Dieses Mal trug seine Karte einen längeren Text: «Du Trottel», stand zu lesen, «jetzt hat du deinen Zug verpaßt!»

Ein dramatisches Radio-Interview spielte sich in der Werkstatt eines Mannes ab, der eine *feuersichere Schutzfarbe für Weihnachtsbäume* erfunden hatte. Als der Mann gerade auf dem Höhepunkt seiner Beschreibung angelangt war, ertönte plötzlich der Ruf: «Feuer!» Alles stürzte zum Löschen. Außer dem Radioberichterstatter.

Dieser übernahm das Mikrophon und schilderte mit Gusto das völlige Niederbrennen des Werkes, einschließlich der Gesamtvorräte von feuersicherer Farbe.

Post-Feindschaft als Steckenpferd

In London lebt ein gewisser Mr. Bray, dessen Steckenpferd darin besteht, der britischen Post- und Telegraphenverwaltung Unannehmlichkeiten zu machen. In den englischen Postbestimmungen ist es z.B. nicht ausdrücklich erwähnt, daß Briefe aus Papier zu bestehen haben. Infolgedessen versendet Mr. Bray Briefe, die auf Stehkragen, Damenhüten, Pantoffeln, harten Biskuits oder Pappmundstücken geschrieben sind. Im Falle der Nichtzustellung erhebt er sogleich Klage durch seinen Rechtsanwalt. Sein Rekord aber, der in England Sensation erregte, bestand darin, daß er *sich selbst als eingeschriebenes Postpaket aufgab* und von einem Postbeamten in seine eigene Wohnung *«zugestellt»* werden mußte. Zu diesem Zweck hatte er sich an ein Fahrrad festgebunden, da Fahrräder in England Vorzugstarif genießen. Mr. Bray stellte aus einem amtlichen Zirkular fest, daß eine Reihe überlanger oder aus mehreren Worten bestehender *Ortsnamen* als je ein Wort gelten. Sogleich setzte er ein Telegramm auf, das lediglich aus solchen Ortschaftsnamen bestand. Der Telegraphenbeamte mußte eine Stunde nachrechnen, bis er herausgefunden hatte, daß dieses Telegramm von 32 Worten nur für 12 Worte zu bezahlen war. Mr. Brays letzte Attacke war ein Versager: er wollte einen Säugling als Postpaket aufgeben. Die Post lehnte nicht ab, erklärte aber — auf Grund eines Paragraphen über den Versand schnellverderbender Waren —, daß sie jede Verantwortung für den Zustand des Paketes bei Ablieferung ablehne. Seitdem brütet Mr. Bray Rache. Er will jetzt einen Elefanten, mit auf den Stoßzähnen geschriebener Adresse, per Post expedieren. «Wollen wir doch sehen», — sagt er — «ob die Post wagen wird, einem britischen Staatsbürger und Steuerzahler ihre Dienste zu verweigern!»

Jedes Gesetz hat seine Kehrseite ...

Die Coupés der russischen Eisenbahnwagen haben kleine, drehbare Metallschildchen mit der Aufschrift «Raucher» oder «Nichtraucher». Daneben findet sich ein quadratischer Schraubenkopf: der Kondukteur zieht seinen Schlüssel, dreht am Schraubenkopf und stellt das Schildchen auf die gewünschte Bezeichnung ein.

Als ich in ein Nichtraucher-Coupé eintrat, saß dort ein dicker Mann, der rauchte eine Zigarre. Ihm gegenüber aber saß ein magerer Mann, der wies erregt auf das Schild «Nichtraucher»! Der dicke

Mann rauchte weiter. «Ich beschwere mich beim Zugführer!» — rief der Magere und stürzte hinaus, um den Mann zu holen. Derweil zog der Dicke einen Schlüssel aus der Tasche und drehte das «Nichtraucher»-Schild in «Raucher» um.

Nun rückte der Zugführer mit dem Mageren an. «Bitte, Herr Kondukteur, der Herr raucht im Nichtrauchercoupé!» — «Sie scheinen nicht richtig gelesen zu haben», sagte der Kondukteur, wies auf das Schild und ging achselzuckend weg.

Nach einer Weile blies der Dicke einen Rauchkringel und sagte ruhig: «Jedes Gesetz hat seine Kehrseite ...»

DANKBARKEIT

Ein glücklicher Charakter

Man weiß, daß Léon Bloy, nachdem er Sympathie für Huysmans gezeigt hatte, über ihn die wütendsten Artikel schrieb. Das hinderte Bloys Freunde nicht, gelegentlich einer Subskription für Bloys Buch «Der undankbare Bettler» die Liste auch Huysmans zu bringen, welcher ohne Zögern die Feder nahm und 50 Francs zeichnete. Die gesammelte Summe wird mitsamt der Liste Bloy übergeben, der, seiner Gewohnheit gemäß, in eine furchtbare Wut kam. Vor allem schimpfte er auf Huysmans.

«Wie!» sagte man ihm, «Huysmans! Der erste, der gezeichnet hat, und noch dazu der Freigebigste!»

«Dieser Hund!» schrie Bloy: «er hat ein Maximum fixiert!»

Kleine Legende

Eines Tages trafen sich die *Wohltätigkeit* und die *Dankbarkeit* an der Himmelspforte.

St. Peter dachte, daß sie zusammen hergekommen seien und machte ihnen ein Kompliment über die gewaltigen Werke, die sie wohl gemeinsam auf Erden geleistet haben müßten.

Aber die beiden Damen benahmen sich merkwürdig verlegen.

«Nein», sagten sie erstaunt, «— dies ist das erstemal, daß wir uns getroffen haben.»

DEPRESSION

Gereifte Überlegung

In der Mitte der *Brooklynbridge*, hoch über den Wellen und Mastspitzen, steht ein Lebensmüder und trifft Anstalten hinunterzuspringen.

Ein Passant, einer von der optimistischen Sorte — stürzt auf ihn zu, hält ihn am Kragen fest und ruft:

«Halt — bevor Sie etwas Unüberlegtes tun — besprechen wir die Sache erst ein paar Minuten!»

Die beiden gehen zu einer Bank, setzen sich und reden miteinander.

Nach elfdreiviertel Minuten standen sie auf, gingen beide zur Brückenmitte und sprangen Arm in Arm in die Tiefe.

Aus der Krisenzeit

Chicago

Chicago: Stadt
Gebaut auf einer Schraube!
Elektro-dynamo-mechanische Stadt!
Spiralgeformt —
Auf stählerner Scheibe —
Mit jedem Stundenschlag
Kreisend um sich selbst!
Fünftausend Wolkenkratzer —
Granitene Sonnen!
Die Plätze —
Meilenhoch, sie galoppieren gen Himmel,
Wimmelnd von Millionen Menschen,
Geflochten aus Stahltrossen,
Fliegende Broadways ... usw. usw.
— hat die Zahlung der Kommunalgehälter eingestellt.

DIEBE etc.

Die Diamantnadel

Vom letzten englischen Derby erzählt man sich diese kleine Geschichte: Wie ganz London machte sich auch der Schauspieler Holbrook Blinn nach Epsom auf. Im Gedränge hörte er neben sich eine fieberhaft flüsternde Stimme:

«Sagen Sie mal, woll'n Sie nicht 'ne fabelhafte Diamant-Nadel kaufen? Eine ganz große Gelegenheit.»

Blinn schüttelt den Kopf und will gehen. Aber die Stimme flüstert heftig weiter: «Warten Sie doch einen kleinen Moment, das is 'ne Chance, wie sie noch nicht da war! Ehrenwort. Sie werden's nicht bereuen, wenn Sie die Nadel kaufen: wasserheller Stein, geschmackvolle Fassung!... Ihre zwanzig Pfund wert. Also für *Sie* vier Pfund Kasse. Gemacht?...»

Fast gegen seinen Willen sagt Blinn: «Na, also, zeigen Sie mir mal die Nadel.»

«Ich hab' sie eben nicht bei mir. Aber ich kann Sie Ihnen zeigen...»

«Wieso?» fragte der verdutzte Schauspieler.

«Wenden Sie Ihren Kopf ganz, ganz langsam nach links», kommt das Flüstern jetzt völlig gedämpft. «Sehen Sie den dicken roten Kopf dort im grauen Anzug?... (Fast unhörbar leise:)... Die Nadel steckt in dem seine Krawatte drin!»

Entsetzlich peinlich!

Ein wundervoll korrekter Londoner City-Mann hatte eines Tages sein Symbol der Achtbarkeit, seinen Regenschirm, zum Reparieren abgegeben. Als er, wie immer, am nächsten Morgen mit der Untergrund ins Geschäft fuhr, griff er automatisch nach dem Regenschirm eines Mitpassagiers und mußte ihn dem protestierenden Eigentümer unter vielen Entschuldigungen zurückgeben.

Um eine Wiederholung solcher Vorfälle zu vermeiden, kaufte er sich beim Abholen des reparierten gleich einen Reserveschirm und stieg, die beiden in der Hand, abends wieder in die Untergrundbahn.

Auf dem Eckplatz gegenüber saß das protestierende Individuum von heute morgen. Es warf einen langen Blick auf die beiden Regenschirme und bemerkte dann ruhig:

«Immerhin, Sie haben heute doch noch ganz tüchtig geschafft!...»

Der kluge Mann baut vor

Um 2 Uhr nachts. Am Ende einer totenstillen Straße.

«Verzeihung, könnten Sie mir vielleicht sagen, ob hier ein Polizist irgendwo in der Nähe ist?»

«Nein, es ist keiner da.»

«Aber wo könnte man schnell einen finden?»

«Ich weiß es leider nicht.»

«Haben Sie dort auf der Seite keinen gesehen?»

«Nein.»

«Also ist keine Gefahr, daß wir gestört werden. Bitte reichen Sie mir Ihre werte Brieftasche.»

Reife Erfahrung

«Ich lerne jetzt die Taubstummensprache.»
«Wozu?»
«Damit mich das nächste Mal, wenn ich erpresse, nicht wieder so ein dreckiges kleines Diktaphon schnappen kann!»

Ganef heißt Dieb

Ein Witz ist um so tiefer, je entfernter die Kontrastwelten sind, die er zur Deckung bringt. Dieser hier ist ein Genie von einem Witz:

Zu Jom Kippur, am Versöhnungstag, ist die Synagoge überfüllt, und man muß Eintrittsgeld zahlen. Vor der Tür steht der Schammes, der Tempeldiener, und kontrolliert genau, daß keiner ohne Billett hineinkommt.

Da stürzt mit flatterndem Paletot Goldstein auf ihn zu und ruft: «Lassen Sie mich für'n Moment so herein, ich will bloß meinem Freund Weiß was Wichtiges sagen! . . .»

Da schaut ihn der Schammes an, bewegt den Zeigefinger hin und her, und spricht:

«Ganef — du willst beten!»

Als ich diesen Witz Karl Kraus erzählte, bekam er einen Lachanfall und sagte endlich: *«Wahrscheinlich hat er ihm die Absicht vom Gesicht gelesen.»*

Der Mann in der Menge

Ein überfüllter Londoner Autobus will gerade von Charing Cross losfahren.

«Moment!» sagte der Policeman und ruft mit lauter Stimme: «Die Passagiere werden gebeten aufzupassen. Es sind ein paar Taschendiebe im Wagen!»

«Halt, dann steig ich lieber aus. Ich will in solcher Gesellschaft nicht fahren!» sagt ein schwarzgekleideter Herr, in dem man sofort den Geistlichen erkennt.

«Halt, ich steig auch ab», ruft ein solider Geschäftsmann, mit Bauch und Goldbrille. «Ich habe zu große Summen bei mir.»

Und beide verlassen den Autobus.

«Fahr los, Johnnie!» sagte der Policeman: «sie sind beide getürmt.»

Im Gegensatz zu den Schotten-Witzen sind die Neger-Witze bei uns noch nicht durchgedrungen. Daß jeder Schotte sparsam ist, wissen wir bereits und können daher die Geschichten goutieren. Was wir aber noch nicht wissen, ist, daß jeder Neger Hühner klaut — laut einem Anekdoten-Gesetz. Daher kann auch folgende Geschichte kaum auf Anklang hoffen:

Es war eine stockfinstere, totenstille Nacht. Plötzlich wollte es dem Farmer vorkommen, als ob er von draußen ein verdächtiges Geräusch hörte... Er nahm sein Gewehr, schob den Lauf zum Fenster hinaus und rief:

«Wer ist da draußen im Hof?»

(Eine zögernde Baßstimme): «Bloß wir Küken...»

Straßenszene

Ein Außenboulevard in Paris. Totenstill in der Mittagshitze. Zwei bleiche Jünglinge zwischen 15 und 16, halb Straßenjungen, halb Apachen, schlendern an einem Obstladen vorüber. Kein Verkäufer zu sehen. Die Körbe scheinen unbeaufsichtigt. Einer der beiden Burschen — der jüngere — streckt seine Hand aus, um... Aber nein, er hat Angst, er zieht sie zurück; jetzt streckt er sie wieder vor — zuckt wieder zurück — die Versuchung wird immer größer!

«Mensch!» sagte der andere mit verächtlicher Unterlippe... «Warum feilschst du?... Is ja nicht teuer!»

DIENSTBOTEN

Mit den besten Empfehlungen

Eine Londoner Dienstboten-Vermittlung. Die Gnädige wendet sich an ein energisches Geschöpf, das eine Kreuzung zwischen Pomeranze und Asphaltblume vorstellt.

«Lieben Sie Kinder?» erkundigte sich die Gnädige etwas ängstlich.

«Gnä Frau», versetzt die Kreuzung mit grimmigem Lächeln: «— das hängt alles von der Gage ab.»

Er wahrt die Formen

Ich weiß von einer Geschichte, wo ein Diener die Formen dadurch wahrte, daß er sie durchbrach. Die junge Schloßherrschaft hatte einen Diener in die Ehe mitbekommen, der mit der erhabenen Miene eines alten Droschkenpferdes die Speisen auftrug. Die Schloßherr-schaft war sehr jung, und daher bei Tisch in ein ausgelassenes Kampf-spiel geraten, wobei auch mit dem Sodasyphon gespritzt wurde, so daß der alte Diener etwas abbekam.

Er sagte kein Wort.

Nur daß er den nächsten Gang feierlich in einem langen Regen-mantel hereintrug.

Arbeitsteilung

Ein englischer Lord befahl seinem Kutscher, ins Dorf zu gehen und Sahne zu kaufen. Beleidigt erklärte der Kutscher, daß dies die Arbeit der Dienstmädchen sei.

«Ah! welche ist denn Ihre Arbeit?» fragte der Lord.

«Pferde striegeln, anspannen, kutschieren.»

«Dann spannen Sie an, setzen Sie ein Dienstmädchen in den Wa-gen, und möge sie alsdann Sahne kaufen.»

DRUCKFEHLER

Neugierige können noch heute in der Zeitung «Le Constitutionel» von 1843 folgendes nachlesen:

«Seine Majestät hat Herrn Thiers mit der Bildung des neuen Ka-binetts beauftragt. Der große Staatsmann fühlte sich bewegt, dem Könige zu antworten:

«Ich bedaure bloß, daß ich Ihnen nicht wie einem Truthahn den Hals umdrehen kann.»

Und zwei Spalten weiter:

«Die Nachforschungen der Kriminalpolizei wurden mit einem vol-len Erfolge gekrönt. Der Mörder von der Rue Pot-de-Fer ist gestern in einer Spelunke verhaftet worden. Vor dem Untersuchungsrichter hatte der Elende die Frechheit, sich in gröblichen Injurien gegen die-se Amtsperson auszulassen, und zwar in Ausdrücken, die seine ge-meine Gesinnung kennzeichnen:

«Gott und die Menschzeit sind Zeugen, daß ich nie einen andern Ehrgeiz gehegt habe, als Ihrer Person und meinem Lande in Treuen zu dienen!»

DUMMHEIT

Bobby als Flieger. Graf Bobby gehörte im Krieg selbstverständ-lich zu den Fliegern und nahm an einem Bombenangriff auf London teil. Nach dem Angriff landet die Staffel auf dem Flugplatz, nur Graf

Bobby fehlt. Endlich, nach drei Stunden, kehrt er zurück — aber noch mit der ganzen Bombenlast. «So a Pech», berichtet Bobby, «stellt euch vor — z'erst hab' ich mich verflogen, und wie ich dann über London bin und schon abwerfen will, wird dort gerade Endalarm gegeben . . .»

Graf Bobby entnazifiziert! Graf Bobby erschien bei der zuständigen Stelle und erklärte ernst aber gefaßt, es gebe ihm keine Ruhe, er wolle sich entnazifieren lassen. «Nun, hören Sie», sagt man ihm, «Sie kommen erst jetzt 1950 — das ist ja reichlich spät! Warum haben Sie sich nicht schon 1945 gemeldet?» «Neunzehnhundertfünfundvierzig?» sagt Bobby empört: «Aber da bin ich ja noch gar kein Nazi gewesen . . .!»

Wovon lebt die Post?

(Ein Gespräch um Mitternacht)

«Sagen Sie mir, ich bitte Sie, wovon lebt eigentlich die Post? Denken Sie an die vielen Gehälter, die vielen Autos, die großen Postgebäude — wie kommt das wieder herein? Schön, die Post verkauft Millionen Briefmarken, aber das ist doch kein Geschäft: die 10-Pfennig-Marke verkauft sie für 10 Pfennig, die 12-Pfennig-Marke für 12 Pfennig, die 25-Pfennig-Marke für 25 Pfennig — da ist auch nicht der kleinste Aufschlag, nicht der geringste Vorteil, da springt auch kein Pfennig heraus! Ich bitte Sie, wovon lebt die Post?»

«Gewiß, ich gebe zu, am Weiterverkauf der Marken verdient die Post gar nichts. Die muß sie zum selben Preise abgeben. Aber, sehen Sie, alle wirklich guten Geschäfte haben ihren Vorteil an einem verborgenen Punkte, wo es niemand vermutet. So verlangt die Post für einen Brief von 20 Gramm Gewicht 20 Pfennig in Marken. Nun frage ich Sie: *hat* jeder Brief genau 20 Gramm Gewicht? Kaum einer unter Tausenden — das ist doch klar! Der wiegt 12 Gramm, der wiegt 8 Gramm, der wiegt 17 Gramm — und, sehen Sie, von dieser Differenz, von dem Unterschied: *davon* lebt die Post!»

Dummheit, ziffernmäßig

Ein Pariser Journalist befaßte sich kürzlich in einer Reportage mit den Preisen der Gebrauchsartikel und Lebensmittel. Er kam dabei sehr bald zu folgendem Schlußergebnis: Den Begriff der Unendlichkeit vermittelt uns am greifbarsten die menschliche Dummheit!

Dieses Ergebnis illustrierte er unter anderem durch folgende Tatsachen.

Der Direktor eines Lichtspieltheaters an der Peripherie der Stadt setzte die Eintrittspreise von 2 Francs aufwärts an. Es kam wenig Publikum. Man riet ihm: «Erhöhen Sie die Preise.» Er hörte auf den Rat und *verdoppelte* die Preise. Resultat — es verdoppelte sich auch die *Besucherzahl*.

In einem Café kostete ein Glas Kaffee 75 Centimes. Die Gäste beklagten sich: «Das ist kein Kaffee, sondern eine Mischung von Cichorie mit gebrühtem Streusand.» Der Besitzer führt neue Gäste und neue Preise ein. Der Kaffee kostet jetzt 1 Franc 25 Centimes. Die Beschwerden sind gänzlich verstummt.

Ein Laden für Herrenartikel. Das Geschäft geht zum Verzweifeln schlecht. Die Krawatten kosten je 12 Franken. Der Besitzer setzt in Riesenlettern einen *«Ausverkauf»* an: Nie dagewesene Gelegenheit — reinseidene Krawatten zu... 18 Franken das Stück. In drei Tagen war das Lager geräumt.

Ein Apotheker erzählt: «Zu uns kommen oft Leute, um sich über diesen oder jenen Arzt zu erkundigen. Versteht er was, ist er sorgfältig, nimmt er hohe Honorare?... Nun ist Doktor M. meiner Ansicht nach erfahrener als Doktor A. Ich sage das auch stets meinen Klienten. Aber Doktor M. nimmt 30 Franken pro Visite, während Doktor A. — 75 Franken fordert. Stellen Sie sich vor: A. hat die größere Praxis! Was teuer ist, muß auch besser sein, schließen die Kranken.»

Die Dummheit läßt sich aber auch noch ganz anders in Ziffern nachweisen. Z. B. aus einem Lehrbuch der Artithmetik. Ich schlage auf: «Lehrbuch der Arithmetik von W. Wereschtschagin, Petersburg 1912» und entdecke folgende Perle:

Aufgabe Nr. 2127.

Die Breite einer Briefmarke zu 7 Kopeken beträgt

$$\left\{ 4^{37}/_{45} \cdot \frac{{}^{2}/_{3} + {}^{5}/_{8} + {}^{8}/_{9} + {}^{17}/_{18} + {}^{35}/_{36}}{{}^{1}/_{3} + {}^{1}/_{6} + {}^{1}/_{9} + {}^{1}/_{18} + {}^{1}/_{36}} \right\} \text{ ihrer Länge,}$$

welche $^9/_{10}$ Zoll ausmacht. Für welche Summe muß man von diesen Marken kaufen, um mit ihnen eine Zimmerwand tapezieren zu können, deren Länge 5 Meter und deren Höhe $5^6/_7$ Meter beträgt?

EGOISMUS

Es gab solch einen deutschen Schauspieler, Heinrich George. Ein guter Schauspieler: einer von diesen vollblütigen Charakterdarstellern. (Leider ließ er sich nachher mit den Nazis ein, und das war sein Ende.)

Als mächtiger Bühnenmann war George natürlich stets von einer Schar Sykophanten, Ja-Sagern und Speichelleckern umgeben. Eines Abends saß er in einem Biergarten mit einem solchen Gefährten und bekam es mit der Innerlichkeit.

«Ich muß es einmal sagen», sprach George, «daß ich eigentlich ein tief innerlicher, tief religiöser Mensch bin...» Der Ja-Sager: «Auch ich muß gestehen, daß ich in meinem Innersten eine religiöse Natur bin...»

George: «Ober — zahlen! — jetzt wird's banal!!»

EHESTAND

Das Wesen

Ein verheirateter anglikanischer Geistlicher war mit seinem Gärtnerjungen unzufrieden. Der hatte wieder was ausgefressen.

«Mein Junge», sprach er, «du mußt nie vergessen, daß dein Betragen nicht allein mich betrübt, sondern daß es *Ein Wesen* gibt, *Ein Wesen*, weit mächtiger als du und ich, welches alles weiß, was wir tun, und über alles Rechenschaft verlangen wird! ...»

«Jawohl», sagte der Junge, «sie hat mich bereits ausgeschimpft.»

Selbstbeherrschung

«Ich beginne doch unruhig zu werden: meine Frau hat dort, sehen Sie, gebadet — sie ist untergetaucht und nicht wieder heraufgekommen.»

«Mein Gott — wie lange Zeit schon?»

«Na, nicht viel... so ungefähr zwei Stunden.»

Ein Dilettant

Herr Neumann kam bei seiner Frau in Verdacht, Telephonanrufe von einer anderen Frau zu erhalten. Eines Nachts also wird Neumann wieder angerufen. Frau Neumann hebt das Ohr aus den Kissen und hört in die Telephonmuschel sprechen: «Hallo, Fritz... Bist du das, Fritz?... Jawohl, ich komme, Fritz!... Aber gewiß doch, Fritz!... Nein, Fritz. Adieu, Fritz.»

Dann wandte er sich zu seiner Gattin und sagte: «Das war Fritz, mein Liebling.»

Glück zu zweien

Es ist früher Morgen. Gestern haben sie Hochzeit gefeiert. Der junge Gatte schlüpft geräuschlos aus dem Bett, bürstet die Kleider, putzt die Schuhe, geht in die Küche Kaffee kochen, bringt seiner kleinen Frau das nett geordnete Frühstückstablett und weckt sie mit einem zarten Kuß auf.

Sie öffnet die großen Kinderaugen und blickt ihn wundervoll an.

«Oh, wie aufmerksam!» sagt sie. «Du hast dich um alles gekümmert! Ich hörte dich arbeiten... Aber ich war so glücklich, ruhig liegenbleiben zu können. Du hast alles vorbereitet!»

«Nicht wahr?» murmelte der zärtliche Gatte. «Ich habe gebürstet, Stiefel geputzt, Kaffee gekocht, die Zimmer aufgeräumt — und nun, meine Liebe, was ich noch sagen wollte —: das ist das, was du von jetzt ab jeden Morgen zu tun hast!»

Der Einbrecher

Lautlose Nacht. «Kurt!» flüstert plötzlich die entzückende junge Frau, «ich höre ein Geräusch im Vestibül; man hat die Tür geöffnet ... o Gott... ein *Dieb*!»

«Was?» brummt Kurt schläfrig. «Du träumst, meine Liebe.»

«Ich höre es aber ganz genau. Kurt, Kurt, wach doch auf! Ein Mann mit einer Blendlaterne...»

In diesem Augenblick ist Kurt aufgesprungen und hat den Mann mit einem eisernen Griff an der Gurgel gepackt. «Wart, mein Freundchen», stößt Kurt zwischen den Zähnen hervor. «... Liebste, hab' keine Angst, nimm den Revolver aus der rechten Schublade... So, ausgezeichnet... Du hältst diesen Kerl damit fest, bis ich mich angezogen habe!»

Der Elende zittert vor dem Revolver, den die tapfere kleine Frauenhand auf ihn gerichtet hält, und wagt nicht zu fliehen. Kurt hat sich in drei Sekunden angezogen.

«Da... führ' ihn zur Polizei... und daß man ihn gut ein-
schließt!» befiehlt die süße kleine Frau mit vorwurfsvoller Stimme.

Die beiden Männer verlassen das Haus, wobei Kurt den andern
am Kragen hält. Die Tür wird von der tapferen kleinen Frauenhand
mit einem Knall geschlossen und verriegelt. Doch auf der Straße gehen jetzt zwei Freunde, Arm in Arm, und stürmen ins Nachtlokal.

«Ich dank' dir, alter Junge!» ruft Kurt. «Jetzt machen wir einen
famosen Poker! Nicht auszudenken... nach sechs Monaten Ehestand
... Himmel!... der erste Augenblick der Freiheit!»

Der Feinschmecker

«Also Sie geben zu, in jener Felsenhöhle Ihrer Gattin eine Ohrfeige gegeben zu haben.»

«Jawohl, Herr Kommissär, ich gebe es zu.»

«Was haben Sie zu Ihrer Verteidigung anzuführen?»

«Ah! mein Herr — es war dort an der Stelle ein so herrliches
Echo!»

Urlaub

Er kommt aus Karlsbad zurück. Sie fallen sich in die Arme. Die
kleine Frau behält seinen Kopf in den Händen und flüstert: «Hast
du mich betrogen?»

«Nein.»

«Lüg nicht!»

«Nun... ja.»

«Wie oft?»

«Zweimal.»

«Mit wem?»

«Mit deiner Freundin und mit dem Stubenmädel aus dem Hotel...
Aber, meine Liebe, hast *du* mich betrogen?»

«Wie kommst du darauf? Ich denke nicht dran!!...»

«Lüg nicht!»

«Nun... ja.»

«Wie oft?»

«Zweimal.»

«Mit wem?»

«Mit der Jazzband und mit dem Hockeyteam aus Budapest.»

Aus dem Eheleben

Sie sind bereits mehrere Monate verheiratet, und er hat, offen gestanden, zuweilen auch an andere Sachen zu denken.

Sie hingegen... fragt ihn eines Abends:

«Herzel, mein Süßes, ich habe eine entsetzliche Befürchtung: Du liebst mich nicht mehr, oh, du liebst mich gar nicht mehr...!»

«Was spricht das kleine, dumme Frauchen?... Welch eine Idee! ... Ich bete dich an.»

«Warum aber, Herzel, sagst du mir das gar nicht mehr so oft wie in den ersten Wochen — nicht mehr so oft, ach, nicht mehr so zärtlich...?»

«Also hör zu, meine Liebe, mein Herz, mein Teuerstes: Ich liebe dich, liebe dich, liebe dich leidenschaftlich! Und immer leidenschaftlicher! Ich liebe dich bis zum Wahnsinn, ich werde dich immer bis zum Wahnsinn lieben, ich habe keinen anderen Gedanken, als dich ewig bis zum Wahnsinn zu lieben...So...Und jetzt laß mich, bitte, die Zeitung lesen.»

Naheliegend

Zwei alte Bekannte trafen sich wieder einmal.

«Na, wie geht's deiner Hühnerzucht, Johnnie?» fragte der eine.

«Oh», sagte Johnnie, «das Hühnergeschäft hab' ich längst aufgegeben. Ich ziehe jetzt Schweine. Wenn du den besten Wurf Ferkel im Lande sehen willst, so komme mich mal besuchen, alter Junge!»

Zufällig kam Johnnies Freund schon am nächsten Tag in die Gegend und sucht also das Haus auf. Johnnies Frau trat mürrisch in die Tür.

«Guten Tag, Missis», sagte der Besucher. «Ich bin hier, um das Schwein zu sehen.»

«Vor sechs Uhr kommt er nicht nach Hause», war die Antwort.

Chinesisches Sprichwort

Wenn Hund führt Mann, ist Mann blind. Wenn Mann führt Hund, ist Mann verheiratet.

Wahre Geschichte

Der Marquis von Préconville lebte seit Jahren getrennt von seiner Gattin, gegen die er einen unauslöschlichen Haß hegte. Da er ihr eine jährliche Pension von 40 000 Francs zahlen mußte, kam er eines Tages auf den Gedanken, eine Hellseherin zu befragen, wann er denn endlich von seiner besseren Hälfte befreit würde.

Die Hellseherin verfällt in Trance, und der Marquis legt ihr eine Haarlocke in die Hand.

«Sagen Sie mir, wann die Marquise von Préconville, deren Haar Sie soeben berühren, sterben wird!»

«Die Marquise... ich sehe sie... schöne Frau... sitzt vor dem Toilettentisch... Ich bemerke einen jungen Mann im Nebenzimmer...»

«Das erstaunt mich keineswegs... aber wieviel Zeit hat sie noch zu leben?»

«Ich weiß es nicht...»

«Passen Sie auf! Lesen Sie die Zeitungen der Zukunft... Nehmen Sie den ‹Gaulois› vom nächsten Jahre vor... Suchen Sie die Rubrik ‹Todesfälle und Beerdigungen›...»

«Ich suche.»

«Die Marquise von Préconville?»

«Sie ist nicht da.»

«Dann nehmen Sie den ‹Gaulois› vom übernächsten Jahr!»

«Ich habe ihn vor Augen.»

«Suchen Sie noch einmal ‹Todesfälle und Beerdigungen›!»

«Ah! Ich habe es... Sie ist da!»

«Wann? Wann?»

«16. März... 8tes Arrondissement...»

«Stimmt, stimmt. Lesen Sie...»

«Die *verwitwete* Marquise von Préconville.»

Endlich!

Als Mrs. Riendeau im Alter von 79 Jahren um gesetzliche Trennung von ihrem 86jährigen Gatten einkam, fragte der Richter, wie lange sie verheiratet gewesen seien, und die Antwort war «sechzig Jahre».

«Warum wünschen Sie eine Trennung nach all der Zeit?» fragte der Richter.

«Genug ist genug», sagte sie.

Zwei alte Freunde haben sich nach zwanzig Jahren wieder getroffen. «Großartig, dich wiederzusehen!» sagt der eine: «Du bist jetzt wohl auch verheiratet und hast Kinder?» — «Nein», sagt der andere: «Leider hab ich den großen Sprung bisher nicht riskiert» — — «Aber, Mensch, du bist ja nicht bei Trost», sagte der erste: «Du hast dir wohl gar nicht vorgestellt, was es bedeutet, verheiratet zu sein. Nimm zum Beispiel mich. Ich komme jeden Abend nach einem harten Bureautag in eine schöne, warme, gemütliche Wohnung. Meine Frau wartet schon auf mich, um mir die Pantoffeln zu reichen und das Abendblatt. Dann geht sie in die Küche und kocht mir ein köstliches Essen. Dann serviert sie noch mein Lieblingsgetränk, rückt mir den Lehnstuhl vor dem brennenden Kamin zurecht und reicht mir meine Pfeife. Dann wäscht sie das Geschirr ab. Schließlich kommt sie, kuschelt sich an meine Seite und beginnt zu plaudern. Und redet. Und redet, und redet, und redet, und redet...».

Drama im Lift

Als die Jungverheirateten den Hotelaufzug betraten, flüsterte das entzückende Liftgirl: «Hallo, darling!» Die ganze Reise aufwärts vollzog sich in einem eisigen Schweigen. Doch als das Paar seine Etage erreicht hatte, brach die Braut aus: «Wer war dieses Frauenzimmer?»

«Also, bitte, jetzt keinen Krach!» bat der Gatte. «Ich werde morgen genug zu tun haben, um ihr die Sache zu erklären.»

Der fremde Ton

Ein alter Seemann hatte einen leichten Unfall erlitten und mußte ins Hospital. Seine Frau sollte davon benachrichtigt werden, aber da der Mann nicht schreiben konnte, so erbot sich ein Wärter, den Brief nach Diktat abzufassen.

«Was soll ich schreiben?» fragte der Wärter. «Wie soll ich anfangen? Sagen wir mal ‹Meine liebe Frau!› — das geht, nicht wahr?»

Der alte Seebär schien im ersten Moment verdutzt. Dann lächelte er grimmig und nickte mit dem Kopf. «Gut», sagte er, «schreib das hin... das wird sie amüsieren!»

EHRGEIZ

Die verhängnisvolle Vase

Frau Mabel Julupp, Missouri, war außerordentlich geschmackvoll. Sie kaufte sich eine bezaubernde chinesische Vase aus Jade und stellte sie auf ihren Tisch. Aber da sahen plötzlich die ganzen Möbel nach nichts aus. Da verkaufte sie die blöden Möbel und schaffte sich eine wundervolle Stilgarnitur an. Aber da sah plötzlich ihr ganzes Haus nach nichts aus. Da verkaufte sie ihr Haus und zog mit allen Sachen in eine vornehme Stadtwohnung. Aber da sah plötzlich ihr Mann, Mr. Julupp, nach nichts aus. Da ließ sie sich von ihm scheiden und nahm einen hocheleganten Mr. Preston Potter zum Ehegatten. Aber da geschah etwas Entsetzliches, Unwiderrufliches. Denn nun sah plötzlich Frau Mabel Julupp nach nichts aus.

Wenn ich nach *London* komme, geht mein erster Weg immer zur Hydepark-Ecke, dort, wo jeder Engländer sich auf den Stuhl stellen kann, um zu reden, was ihm beliebt: das beste Thermometer für die Stimmung im Lande.

Diesmal stand die Riesenmenge um einen herum, der hatte seinen Stuhl mit blauroten Fähnchen dekoriert — blaurot war seine Krawatte — blaurot war sein Gesicht — und blaurot stürzten die Worte aus seinem Munde:

«Ich bin als *Engländer* geboren», brüllte er, «und ich bin stolz darauf! *England* ist die größte Nation der Welt, und ich will leben und sterben als ein *Engländer!!* . . .»

Kunstpause. Besorgte Stimmen von hinten:

«Mensch, Mensch, hast du denn *gar kein'* Ehrgeiz?»

Ein Blattschuß

Im alten Petersburg gab es einmal einen Literaten, der sich seines niederen Beamtenranges — des «Kollegienregistrator» — sehr schämte und diesen möglichst zu verbergen suchte. Der Satiriker Wojeikoff hatte das bald erschnuppert. Er druckte also in seiner Zeitung eine Anzeige, daß dem *Wirklichen Staatsrat . . .* (folgte der volle Name des Literaten) ein Hund entlaufen sei, und daß der ehrliche Finder usw. usw. — wie es eben in Annoncen üblich ist.

Aber in der nächsten Nummer kam eine *Berichtigung. Es* wäre leider ein bedauerlicher Druckfehler unterlaufen. Herr . . . (folgte wieder voller Name) sei nicht Wirklicher Staatsrat, sondern *Kollegienregistrator.*

Neue Lesart

Als Garrick einst Hamlet in der Provinz spielte, traf es sich, daß der Mann, der den Güldenstern verkörperte, sich einbildete, ein großartiger Musiker zu sein. — «Wollt Ihr auf dieser Flöte spielen?» fragt Hamlet. — «Mein Lord, ich kann es nicht.» — «Ich bitte Euch.» — «Glaubt mir, ich kann es nicht.» — «Ich bitte Euch dringend.» — «Na, wenn Sie's unbedingt wollen, so werde ich es mal versuchen» — und er nahm die Flöte und spielte ‹God save the King›!

Schon gut, schon gut . . .

In Wien hatte ein sehr strebsames Ehepaar nach vielen Bemühungen endlich jene gesellschaftliche Stufe erklettert, wo es glaubte, seine Einladungen nur noch in französischer Sprache abfassen zu können.

Und so erhielt ein witziger Mann, der die Familie noch aus einfacherer Zeit kannte, kürzlich eine pompöse Einladungskarte: «Monsieur et Madame X. se donnent l'honneur...» usw. usw.

Er schrieb zur Antwort mit Bleistift auf dieselbe Karte: «Déjà bien, je viens.»

EHRLICHKEIT

Ehrlichkeit

Ein Monteur kam mit seinem Gehilfen in eine Wohnung, um Reparaturen zu machen. Als sie ins Wohnzimmer traten, hörte er die Dame vom Hause flüstern: «Marie, sehen Sie, daß die Wertsachen verschlossen und in Sicherheit gebracht sind. Man kann nie wissen...»

«Karl», sagte der Monteur laut und zog seine Taschenuhr heraus: «Nimm die Uhr und lauf damit nach Haus. Diese Wohnung ist offenbar nicht ganz sicher. Man kann nie wissen...»

Szene im Tabakladen

Ein Kunde kauft zwei Päckchen Zigaretten, zahlt und geht zur Tür. Die Hand an der Klinke, dreht er sich um:

«Gestern haben Sie mir beim Geldwechseln ein falsches Zweimarkstück gegeben.»

«Ganz ausgeschlossen», versetzt der Besitzer, «ein falsches Geldstück kommt in meine Kasse überhaupt nicht hinein. Nach dreißigjähriger Übung kann ich falsche Münzen von echten durch bloßes Berühren mit dem Finger erkennen. Übrigens werden Sie das falsche Stück ja mit Leichtigkeit wieder los.»

«Schon geschehen! Ich habe es Ihnen ja eben für die zwei Päckchen Zigaretten gegeben!»

Annonce

Junger Mann, im Begriffe zu heiraten, sucht erfahrenen Mann, der ihm dies ausredet.

Wenn schon, denn schon

Zur Zeit des Königs Louis Philippe kam ein Bittsteller nach Paris und suchte dort einen mächtigen Minister auf, über dessen Skrupellosigkeit und Bestechlichkeit man sich allerhand in die Ohren flüsterte.

Der Bittsteller sah sich um, überzeugte sich, daß er mit dem Würdenträger allein war, und sprach mit geheimnisvoller Stimme:

«Herr Minister, wir sind unter uns. Hier sind 10 000 Franken, und kein Mensch wird davon erfahren.»

Der Minister schaute nachdenklich auf die Geldscheine und erhob dann seinen Blick.

«Hören Sie zu», sagte er, «geben Sie mir 25 000 Franken, und erzählen Sie es, wem sie wollen.»

Die Seele deines Kunden

Die Firma Chromatka, Blusen engros, Wien, Datum des Poststempels, ist ungeheuer geschäftstüchtig. Ihr neuester Reklametrick: sie schreibt beim Versand die Faktur auf *zwölf* Blusen aus, legt jedoch *dreizehn* in den Karton. Damit der Käufer eine Freude hat.

Alsbald liefen drei Briefe ein:

Der erste: «Sie haben irrtümlich eine Bluse zuviel geschickt, die wir Ihnen nebstbei retournieren. Wir bitten, die Bestellungen künftig genauer zu erledigen.»

Der zweite: «... haben das bestellte Dutzend vollzählig erhalten und sind wir mit der Ware zufrieden.»

Der dritte: «Das eingesandte Dutzend gefällt uns nicht, weshalb wir es anbei retournieren. Wir bitten eiligst um ein neues Dessin.»

Der rückgesandte Karton enthielt genau zwölf Blusen.

Ein Vorkämpfer der Wahrheit

Bei einer Gala-Cour in Petersburg schritt Kaiserin Katharina die Reihe der Gäste ab und richtete an jeden ein leutseliges Wort.

Unter den Anwesenden befand sich auch ein alter Vizeadmiral.

Dreimal kam die Kaiserin an ihm vorbei, und der Zufall wollte es, daß sie jedesmal an ihn die Worte richtete:

«Nicht wahr, es ist heute ziemlich kalt...»

Worauf der Alte jedesmal mit einem Kopfschütteln antwortete:

«Nein, Mütterchen-Majestät, es ist sogar ziemlich warm!»

Nach dem dritten Male aber flüsterte er seinem Nachbar zu:

«Also, wie die Kaiserin will — aber auf die Wahrheit bin ich ein Teufel!»

Ein Märchen aus uralten Zeiten

Auf Schloß Saint-Quen las Ludwig der Achtzehnte seinem Premierminister Talleyrand den Verfassungsentwurf vor.

«Sire», sagte Talleyrand, «ich bemerke eine Lücke.»

«Welche?»

«Die Besoldung der Abgeordneten der Deputiertenkammer.»

«Aber ich höre doch, daß ihre Tätigkeit unentgeltlich sein soll, um sie ehrenvoller zu gestalten?»

«Jawohl, Sire, gewiß! Aber... unentgeltlich... unentgeltlich... das dürfte denn doch zu viel kosten.»

Hinter den Kulissen

Aus informierten Kreisen wird neuerdings eine Geschichte gemeldet, die mancherlei für sich hat. Ein reicher Engländer starb und hinterließ sein Landgut zu drei gleichen Teilen seinen Erben: Mr. Bull, Mr. O'Murphy und Mr. Hopkins.

Doch da war eine Klausel im Testament. Jeder Erbe hatte die Summe von 5 Pfund im Sarge des Verstorbenen zu deponieren.

Mr. Bull legte 5 Pfund hinein.

Mr. O'Murphy legte 5 Pfund hinein.

Mr. Hopkis nahm die 10 Pfundnoten vorsichtig heraus und deponierte einen guten, vollausgeschriebenen Scheck auf 15 Pfund

Aber die Geschichte ist noch längst nicht zu Ende. Der Scheck wurde auf gespenstische Weise einkassiert!

Der Begräbnisunternehmer war ein Schotte.

Ein reicher Wallstreetmann verliebte sich in eine Schauspielerin, machte ihr mehrere Monate lang den Hof und beschloß endlich, sie zu heiraten. Um jedoch sicher zu gehen, beauftragte er vorher einen Privatdetektiv, das Vorleben der Dame genau unter die Lupe zu nehmen. Der Bericht dieses Agenten lautete: «Miss B. hat einen ausgezeichneten Ruf. Ihre Vergangenheit ist einwandfrei. Das einzige böse Gerücht, welches sich an sie herangewagt hat, ist, daß sie in den letzten Monaten oft in Gesellschaft eines Geschäftsmannes von zweifelhaftem Ruf gesehen wurde.»

EINFÄLLE

Klein Elschens Idee vom Himmel: Himbeermarmelade mit Trompetenbegleitung.

Aus der Preistafel eines Alpenhotels: «Die Aussicht auf den Montblanc ist absolut gratis.»

«Wie jener Mississippi-Steamer, der so schwach war, daß, wenn die Dampfpfeife blies, die Maschine stoppen mußte...»

Eine Dame schreibt in einer Rudersport-Novelle: «Alle Mann im Achter waren großartig. Aber doch hatte keiner einen so wunderbaren schnellen Schlag wie der Mann Nr. 6.»

«Ich weiß nicht, ob Gott ihm seine Sünden verzeihen wird. Er jedenfalls verzeiht Gott auch nicht den geringsten Schnupfen.»

«Warum hat man dieses Bild hier aufgehängt?»
«Vielleicht, weil man den Künstler selber nicht festkriegen konnte...»

Halt ein Auge auf den Mann, der da sagt, daß «Geld alles macht». Es kann sein, daß *er* für Geld alles macht.

Der ehrliche Farmer packte die allerkleinsten Äpfel obenauf in die Tonne und schrieb dann auf den Deckel: «Am andern Ende öffnen.»

Um Taschendiebstähle zu vermeiden, empfiehlt sich's zuweilen, dem andern Manne herzlichst beide Hände zu schütteln!

Die Frau: «Wie hast du bloß noch den Mut, mir ins Gesicht zu sehen?»
Der Mann: «Was willst du — man gewöhnt sich an alles.»

Kleinigkeiten

Sie: «Jedesmal, wenn du ein hübsches Mädchen siehst, vergißt du, daß du verheiratet bist!...»
Er: «Im Gegenteil — gerade dann fällt es mir ein.»

Autobusschaffner (zur herandrängenden Menge): «Besetzt! Besetzt!... Dies ist ein Autobus, kein Fliegenpapier!»

Eine Mutter braucht zwanzig Jahre, um aus ihrem Jungen einen Mann zu machen. Und eine Frau braucht dann zwanzig Minuten, um aus dem Mann einen Narren zu machen.

Definitionen

Das Café: ein Ort, wo man jeden Abend zum letzten Male hingeht.
Der Angler: das einzige Amüsement der Fische.
Das Sprichwort: eine Wahrheit aus Kautschuk.

Der Empfindliche: ein Mensch, der seine Haut für sein Herz hält.

Die Wirklichkeit: eine Täuschung.

Definition des Egoisten, gegeben von einer berühmten Schauspielerin:

«Ein Egoist, das ist ein Mann, der sich nicht mit mir beschäftigt.»

EISENBAHN

Innerlich!

Dieser Zug war nie ein Expreß gewesen, aber heute morgen schlug er doch seinen eigenen Langsamkeitsrekord. Nach dem achten Halt und nach 20 Minuten Wartezeit stieß ein Passagier mit dem roten Kopf aus dem Fenster und brüllte: «Hallo, worauf warten wir hier so lange, zum Teufel!?»

«Die Maschine nimmt Wasser auf», versetzte der Mann auf dem Bahnsteig schläfrig.

«Dann sagen Sie dem Maschinisten, daß er doch 'nen größeren Teelöffel nehmen soll!!...»

Der Maschinenmensch

Der Zug hält auf der Station. Die Passagiere spazieren auf dem Bahnsteig, um sich Bewegung zu machen. Ein alter Mann kommt mit einem langen Hammer und klopft nach der bekannten Methode die Räder ab.

Ein Passagier: «Soso — Sie haben also jedes Rad zu beklopfen, um zu hören, ob es richtig klingt... Wie lange sind Sie schon bei der Eisenbahn?»

Der Mann: «Nächsten Juli werden's fünfzig Jahre.»

Passagier: «Und wie lange haben Sie schon so die Räder beklopft?»

Der Mann: «Fünfzig Jahre, Herr, als Mann und auch schon als Junge... Ich hab' hab' nie keine andere Arbeit gehabt.»

Passagier: «Dann sagen Sie mir, bitte, — was ist eigentlich der Grund, weshalb die Räder so beklopft werden?»

Der Mann (kratzt sich den Kopf): «Ich will verdammt sein, wenn ich's weiß!...»

Eisenbahn-Märchen

Lucien Guitry, der große Schauspieler, ist «auf Tournee». Der Zug hält an einer kleinen Station.

Guitry steigt aus dem Abteil, um sich ein wenig die Füße auszutreten. Von einem Gepäckträger gestoßen, bricht er in wütende, aber nicht ernstgemeinte Injurien aus. Der Träger hört nicht erst lange hin, sondern geht sofort, sich beim Stationsvorsteher zu beschweren. Dieser frühstückt gerade in Hemdsärmeln und springt, so wie er ist, auf den Perron, um von Guitry eine Entschuldigung zu verlangen.

Guitry versetzt in aller Ruhe:

«Sie — Sie wollen Stationsvorsteher sein? Ach, gehen Sie! Ein Stationsvorsteher — so was trägt doch einen Rock mit Tressen an den Ärmeln, und dazu noch eine Dienstmütze mit Gold- oder Silberstickerei!»

«Ach, so?! Na, Sie werden gleich sehen!» versetzt der Stationsvorsteher, läuft ins Haus und kommt gleich darauf in voller Uniform zurück. Doch nur um folgendes zu hören:

«Oh, guten Tag, Herr Stationsvorsteher, meinen ergebensten Gruß! Ich bin hocherfreut, Ihre Bekanntschaft zu machen! Stellen Sie sich vor: gerade eben hat irgendein Idiot sich für Sie ausgeben wollen. Hoffentlich gelingt es Ihrer Nachforschung, diesen Betrüger schnellstens zu entlarven!»

Und da der Zug soeben pfeift, springt Lucien Guitry in seinen Waggon und winkt dem regungslosen Stationsvorsteher noch lange nach...

Der verlorene Schnellzug

Auf der französischen Westbahn hat sich eine ebenso phantastische wie wahre Geschichte zugetragen. Und zwar auf der Magistrale Bordeaux–Lyon. Um 8 Uhr abends dampfte der fahrplanmäßige Schnellzug von der Station Mont de Marsan ab. Das Wetter war kalt und neblig. Der Zug fuhr mit voller Geschwindigkeit. Die schläfrigen Passagiere wurden hin und her gerüttelt. Darauf ging der Zug eine Weile langsamer und blieb endlich auf offenem Felde stehen. Es vergingen 10 Minuten, 20 Minuten. Endlich stiegen die beunruhigten Passagiere aus den Waggons. Was war geschehen? Irgendein Unglück? Ein paar Leute begaben sich zur Lokomotive, um den Maschinisten zu fragen. Zu ihrem grenzenlosen Erstaunen stellte sich heraus — daß überhaupt keine Lokomotive da war.

Unterdessen aber fuhr bei der nächsten Station Macqueau-Banquet stolz und fauchend eine einsame Lokomotive vor. Sie bremste. Der Lokomotivführer sprang mit der Ölkanne heraus und machte sich an den Rädern zu schaffen...

Mit lautem Geschrei lief der Bahnhofsvorsteher heran: «Wo ist der Zug?»

«Was für ein Zug?»

Zu seiner peinlichen Überraschung mußte der Lokomotivführer

feststellen, daß er seinen Zug verloren hatte ... Langsam, und fortwährend tutend, fuhr er rückwärts in den Nebel hinein, um seinen
Zug wiederzufinden. Beim Morgengrauen wurde ein freudiges Wiedersehen gefeiert. Die Passagiere hatten auf freiem Felde übernach-
tet.

Abenteuer des Schottland-Expreß

Der Flying Scotsman, Englands berühmtester Schnellzug, donnerte nordwärts durch die Nacht und fraß gierig Meile um Meile.
Plötzlich knirschten die Bremsen, und die Maschine kam zum Stehen.

Fenster werden herabgelassen, fragende Gesichter tauchen auf.
Der Zugführer läuft mit einer Laterne die Wagen entlang und
fragt, wer die Notleine gezogen habe. Schließlich kommt er zu einem Abteil, in dem eine liebe alte Dame gütig lächelnd dasitzt.

«Oh, ich danke Ihnen», sagt sie, «Sie hätten den Zug nicht an-
zuhalten brauchen. Ich wünsche bloß eine nette heiße Tasse Tee mit
zwei Stück Zucker, bitte.»

Vorschlag zur Güte

Das Bahncoupé war überfüllt. Zwei ältere Damen fochten ein er-
bittertes Duell aus über die Frage, ob das Fenster geöffnet oder geschlossen werden solle — zur unsagbaren Belästigung der friedliche-
ren Reisegenossen.

«Ich werde ersticken, wenn ich nicht ein bißchen frische Luft bekomme» — schrie die eine.

«Ich friere zu Tode bei diesem schrecklichen Luftzug» — schrie
die andere.

Da sah der alte Mann in der Ecke von seiner Zeitung auf und
wandte sich an die übrigen Insassen:

«Meine Herrschaften, ich schlage vor: wir lassen das Fenster erst
zu, bis die eine erstickt, und lassen es dann auf, bis die andere er-
froren ist. Vielleicht haben wir dann endlich Ruhe.»

Bitte, die Fahrkarten!

Ein arbeitsloser amerikanischer Advokat reiste nach dem Fernen
Westen, um sich dort ein Vermögen zu machen. Um die guten Vor-
sätze gleich durchzuführen, bestieg er den Expreß nach Nashville,
ohne sich erst um die Besorgung der Fahrkarte zu kümmern.

«Tickets, please!» ruft der Schaffner.

«Ich habe keine», sagt der Advokat. «Aber», setzt er nachlässig
hinzu, «ich bin von der Redaktion der Daily News in Nashville.»

«Ihre Redaktionskarte? . . .»

«Habe sie nicht bei mir.»

«Dann müssen Sie bezahlen — falls Sie nicht von Ihrem Chefredakteur, der sich gerade im Zuge befindet, ausdrücklich anerkannt werden!»

Zwei Männer trotten diesen endlosen Mittelkorridor der amerikanischen Züge entlang und erscheinen vor dem allmächtigen Chefredakteur. Der Schaffner expliziert den Fall. Der Chefredakteur wirft auf den Advokaten einen Blick und . . . zögert einen Moment.

«Ob ich ihn kenne!» ruft er endlich, «das ist doch Brown Smith, einer unserer besten Reporter! — 'n Tag, Brown!»

Der Advokat atmet tief auf. — Beim Verlassen des Bahnhofs begegnet er wiederum diesem Chefredakteur und dankt ihm herzlich!

«Wofür?»

«Daß Sie mich als Redakteur anerkannt haben.»

«Ja, sind Sie es denn nicht?»

«Leider, nein.»

«Ich bin ja auch nicht der Chefredakteur, alter Junge. Ich habe mir bloß einen Schein auf seinen Namen 'n bißchen nachgemacht — hatte meine blaue Angst, daß Sie Lunte riechen würden!»

Ein mutiger Mann

Das Abteil war voll besetzt. Ein älterer Herr erhob sich von seinem Ecksitz, deponierte seine Handschuhe zum Zeichen, daß der Platz eingenommen sei, und begab sich in den Speisewagen.

Als er zurückkam, sah er, daß sein Sitz, trotz der Proteste der Mitreisenden, von einer pompösen Dame eingenommen war. Die Dame fand, daß die Attacke die beste Verteidigung sei, und zischte mit blitzenden Augen:

«Wissen Sie auch, mein Herr, daß ich eine von den Direktorsfrauen bin?»

«Gnädigste», sagte der Herr fest, «und wenn Sie auch die *einzige* Frau des Direktors wären, ich würde dennoch protestieren!»

Der blinde Passagier

Diese Geschichte passierte dem Schauspieler Ives Mirande. Er war jung und reiste mit zwei lustigen Kameraden ans Meer. Einer von ihnen hatte die drei Fahrkarten in Verwahrung. Plötzlich erklärt der in sichtlicher Bestürzung, daß er eine von den Fahrkarten verloren habe. Man sucht, man schaut unter die Bänke, man durchwühlt die Koffer — alles vergebens. Die drei Reisenden blicken sich an . . . Gleich, sofort, wird der revidierende Schaffner kommen und nach den Karten fragen.

«Ives, du bist der jüngste von uns; es bleibt nichts übrig; du mußt unter die Bank kriechen und dich verstecken.»

Schön. Ives kriecht unter die Bank. Die Zeit vergeht, Mirande wird ungeduldig, aber da hilft alles nichts — denn jedesmal, wenn er wieder hervorkriechen will, flüstern ihm die andern mit bebender Stimme zu, daß man aus dem Nebenkupee schon das Knipsen des Schaffners hört.

Endlich wird die Tür geöffnet, und Mirande hält seinen Atem an.

«Bitte, die Fahrkarten . . .!»

«Hier.»

«Wie, Sie sind *zwei*, und reisen mit *drei* Fahrkarten?»

«Nein, wir sind drei: vielleicht wollen Sie gütigst unter der Bank nachschauen . . .»

Eine Meerschweinchen-Geschichte

Mr. John Huskinson bestellte bei Mr. Randall Hopkins, Zoologische Handlung, Madison Street 167, Chicago, ein Meerschweinchenpaar. Abnahme gegen Erstattung der Frachtkosten auf dem Bahnhof Indianapolis.

Der Bahnhofsvorsteher von Indianapolis benachrichtigt Mr. Huskinson vom Eintreffen der Meerschweinchen und fordert ihn auf, sie abzuholen nach Erlegung von zwei Dollar Frachtgebühr (Tarif für Schweine; Absatz 17). Mr. Huskinson lehnt die Bezahlung ab: Meerschweinchen seien keine Schweine, sondern kleine Haustiere (Tarif-Absatz 136), und daher koste der Transport bloß 45 Cents.

Der Bahnhofsvorsteher sandte Mr. Huskinsons Einspruch an den Inspektor des 2. Distrikts von Chicago, der ihn seinerseits dem Reklamationsbüro überwies.

In dieser Zeit bekam das Weibchen zwölf ganz kleine Meerschweinchen. Mr. Huskinson wurde um Bezahlung der Ernährungskosten ersucht; er lehnte ab und forderte zuerst die Klärung der Tariffrage.

Der Direktor der Central Railway-Gesellschaft schrieb an Professor Mackenzie, Direktor des Museums in Boston, und fragte ihn, zu welcher Spezies Meerschweinchen gehörten?

Dieser war auf einer Studienreise in der Südsee und antwortete erst nach acht Monaten. Im Verlaufe dieser Zeit hatten die sieben Meerschweinweibchen zweiundsechzig Kleine bekommen, und die vierzig Weibchen davon wiederum 400 Meerschwein-Kinder, welche sich alle der besten Gesundheit erfreuten. Der geschätzte Gelehrte bestätigt schriftlich, daß Meerschweinchen kleine Nagetiere seien (folglich Tarif-Absatz 136).

Daher wurde Mr. Huskinson sofort benachrichtigt, daß «sein Einspruch als zu Recht bestehend erkannt worden sei» und daß er nunmehr die Fracht in Empfang nehmen könne gegen Bezahlung von 45 Cents Transportgebühr und 70 Dollar Ernährungskosten für 476 Meerschweinchen beiderlei Geschlechts. Der Brief kam als unbestellbar zurück, da Mr. Huskinson ohne Hinterlassung einer Adresse abgereist war.

Der besorgte Bahnhofsvorsteher von Indianopolis, in seinen Räumlichkeiten mehr und mehr beengt, wandte sich nun in einem Expreßschreiben an den Fracht-Absender, mit der Bitte, 373 Dollar zu zahlen und 1500 Meerschweinchen in Empfang zu nehmen.

Dieser lehnte ab mit der Begründug, daß er «lediglich zwei Meerschweinchen expediert habe und daher nicht willens sei, 1948 weitere in Empfang zu nehmen.»

Nun sandte der verzweifelte Beamte ein dringendes Telegramm an den Direktor der Bahngesellschaft, mit der Frage, was er mit den 7384 Meerschweinchen anfangen solle... usw. usw. ad infinitum.

Interessant, wie viele es heute sein mögen? — — —

EITELKEIT

Geistlicher Trost

Pater Healy war ein guter Mensch. Alle wollten bei Pater Healy beichten. Nachdem er einst das Sündenregister einer jungen Dame abgehört hatte, fragte er sie: «Und nun, meine Tochter, sind das jetzt alle Sünden, die dein Gewissen drücken?»

«Ach, Ehrwürden, ich habe noch die Sünde der Hoffahrt zu beichten!»

«Und wie tritt sie in Erscheinung, meine Tochter?»

«Am Sonntagmorgen», flüsterte die junge Dame errötend, «wenn ich meine besten Kleider anhabe — wenn ich in den Spiegel gucke — dann kann ich nicht anders — dann seh ich, wie wunderschön ich bin!»

«Meine Tochter», sagte Pater Healy gütig, «das ist keine Sünde. Das ist ein Irrtum.»

Ein unbekanntes Märchen von Oskar Wilde

Dieses Märchen hat Wilde einmal in London bei Bekannten improvisiert. Ein Künstler, der mit auf der Gesellschaft gewesen, hat es jetzt zum ersten Male wiedererzählt.

Nach der Vertreibung aus dem Paradiese weinte Eva Tag und Nacht. Adam wußte nicht, was er tun sollte.

An der Möglichkeit eines Trostes verzweifelnd, ging er endlich, sich vom Urheber des Unglücks Rat holen — vom Teufel.

Der Teufel sprach:

«Sie friert. Bau ihr ein Haus.»

Adam baute ein Haus. Doch Eva weinte immer mehr und bat, sie wieder ins Paradies zu führen.

Adam machte sich wieder zum Teufel auf. Der riet ihm:

«Führ sie in fremde Länder. Sie langweilt sich.»

Aber auch das half nichts. Eva weinte.

Und noch viele Male beriet sich Adam mit dem Teufel — doch stets ohne Erfolg. Da rief Adam endlich:

«Wenn du mir nicht helfen kannst, so gehe ich zum lieben Gott und bitte ihn, uns zu verzeihen oder uns zu vernichten! Das Leben ist mir zu schwer geworden.»

Da dachte der Teufel nach. Und gab Adam endlich einen Gegenstand, der war in reines Gold gewickelt.

«Geh und gib das Eva!»

Adam kehrte heim, gab das Geschenk des Teufels ab und fiel in einen Schlaf. Ein fröhliches Lachen weckte ihn auf. Da sah er Eva, wie sie den Gegenstand strahlend betrachtete.

Es war ein Spiegel.

Einseitig

Eine Lady bat ihren Gatten um Erlaubnis, sich Rouge aufzulegen.

«Meine Teure», sagte er, «ich kann dir nur Erlaubnis für *eine* Wange geben.»

ENTFERNUNG

Die kurzsichtigen Amerikaner

Zwei junge amerikanische Automobil-Touristen waren gerade dabei, «Schottland in drei Tagen abzumachen», und hielten mit ihrem Wagen auf einem Bergkamm, von dem sich eine prachtvolle Aussicht eröffnete. In der Nähe bemerkten sie eine Schafherde und einen alten Hirten, der sie ruhig ansah. Da wollte der eine Amerikaner sich mit ihm einen Spaß machen und sagte:

«Ihr könnt von hier 'ne ganze Masse sehen.»

«Das schon», sagte der Hirte, «wir sehen weit hinaus.»

«Ich glaube gar, Ihr könnt Amerika sehen», sagte der andere und begann zu kichern.

«Wir können weiter als Amerika sehen», sagte der Alte.

«Na, so was! — Wie weit könnt Ihr denn sehen?»

«Wir können den Mond sehen», sagte der Alte und zündete sich die Pfeife an. — —

Aus den Tagen Jules Vernes

Ferdinand von Lesseps ist soeben aus Ägypten angekommen und erzählt im Café Anglais von seiner Reise: «Ausgefahren am Soundsovielten, Landung in Alexandrien am Soundsovielten, Eilreise nach Suez, Gespräch von 20 Minuten in Kairo, sofortige Wiederabreise, rapide Überfahrt — endlich Ankunft vor dem Mont Cenis-Tunnel. Der Tunnel ist eingestürzt. Mußte infolgedessen 45 Minuten warten . . .»

«Großartig! Er findet sogar Zeit zu warten!! . . .» ruft einer der Zuhörer hingerissen.

Kollegen

Wie man festgestellt hat, wurde die Stadt Pompeji gerade in dem Augenblick vom Vesuv-Ausbruch heimgesucht, als im Amphitheater die Vorstellung der Tragödie «Die Troerinnen» in vollem Gange war. Aber das ist schon ziemlich lange her — so fast 2000 Jahre.

Im Jahre 1861 wurde dieses alte Theater ausgegraben, und man gab dort wieder Vorstellungen. Das Theaterplakat lautete:

Das Stadttheater von Pompeji beehrt sich, Sie zu seiner ersten Vorstellung unter der neuen Direktion einzuladen. Gespielt wird «Die Regimentstochter».

Die letzte Vorstellung auf unserer Bühne — unter der Direktion des Herrn Quintus Martius — mußte durch einen unglücklichen Zufall abgebrochen werden. Das Theater ist seitdem geschlossen geblieben. Ich bitte das geehrte Publikum, mir das gleiche Wohlwollen wie meinem werten Vorgänger zu beweisen.

Der Direktor
Francesco Pinotti.

Keine Eile

Ein riesiger amerikanischer Achtzylinder summte wie eine Hummel die Landstraße nach Stratford-on-Avon entlang.

Plötzlich stoppte er mit quietschenden Bremsen neben einem biederen Fußgänger.

«Hallo», rief der Mann am Steuer im nasalsten Amerikanisch: «Fahr ich hier richtig zu W. Shakespeares Haus?»

«Yes, Sir», sagte der Fußgänger, «aber Sie brauchen sich nicht zu eilen. Er ist tot!»

ERFINDER

Ein Ausspruch Edisons

Der berühmte Thomas A. Edison wurde zum sechstausendvierhundertfünfzigsten Mal interviewt.

«Und Sie, Sir», rief der Reporter mit gezücktem Waterman, «Sie haben die erste Sprechmaschine gebaut?»

«Nein», sprach der greise Erfinder und betrachtete aufmerksamst seine Nägel, «— nein, junger Mann. Die erste Sprechmaschine ist lange vor meiner Zeit verfertigt worden — aus... hm... aus einer Rippe.»

Der Erfinder

Einer der absonderlichsten Bibliomanen war der verstorbene baltische Baron N. Die Jagdleidenschaft seiner Vorfahren schien bei ihm von Hasen, Wölfen, Rehen auf Bücher übergesprungen zu sein, deren er eine ganze Trophäensammlung auf sein Schloß zusammengetragen hatte, wo er endlich einsiedlerisch, in einer Welt von Bücherstaub und Phantasie, seine Tage beschloß.

Nach seinem Tode machte man in der Schloßbibliothek eine merkwürdige Entdeckung: Baron N. war in seiner Bücherleidenschaft so unersättlich gewesen, daß er sich nicht mit dem Sammeln aller ihm erreichbaren Bücher begnügt hatte, sondern auch — ein Münchhausen der Bücherjagd! — ganze Kataloge von Büchern zusammenstellte, die... nie erschienen waren, die er sich einfach ausgedacht hatte.

Das Amüsante aber ist, daß diese Buchtitel so glaubhaft erfunden waren, wie nur die wenigsten Börsengerüchte. Neben Kuriositäten, wie z. B. «Gemeinverständliche Anleitung zum Gebrauch des englischen Waterklosetts, Leipzig 1824», gab es dort auch einen Buchtitel «Petersburger Nächte, von Edgar A. Poe, Boston 1837». Nun wird jeder Kenner von Edgar Poe und von Petersburg zugeben, daß allein schon die Erfindung dieses Titels ein Gedicht, ein Meistergriff ist, der zwei verschiedene, aber verwandte Dinge kühn und gut vereinigt; ja, man könnte über und unter diesen Titel ein Buch schreiben... Wie erstaunt war ich gestern, in einer englischen Zeitung zu lesen, daß nach den neuesten Forschungsergebnissen Edgar Poe tatsächlich einmal in Petersburg gewesen ist, und zwar gerade in den dreißiger Jahren! Das nenn' ich noch schöpferisch lügen!

ERFOLG

Glück

«Glauben Sie an so etwas wie das Glück?»
«Unbedingt!» sagte Fräulein Blausäure, «wie sollte man sonst den Erfolg von Leuten erklären, die einem unsympathisch sind?»

«Das ist Amerika»

Der Direktor eines großen New Yorker Hotels macht seine Inspektionsrunde. Er bemerkt einen Stiefelputzer, der ein sehr trauriges Gesicht schneidet. Der Direktor klopft ihm auf die Schulter und sagt:
«Nur immer lustig, mein Lieber! Ich selbst habe auch einmal als Stiefelputzer angefangen... und bin jetzt Hoteldirektor! Das ist USA!»
Darauf wird die Miene des anderen noch düsterer.
«Sehen Sie, *ich* habe als Hoteldirektor angefangen... und bin jetzt Stiefelputzer! Das ist USA!»

Berufstragik

Bekanntlich galt Forain als der geistreichste Kopf von Paris. Alle kursierenden Bonmots wurden ihm zugeschrieben. Er konnte keinen Satz sprechen, ohne daß man darin nach einem versteckten Witz fahndete.
Eines Tages wurde Forain beim Spaziergang von einem Platzregen überrascht. Zum Glück sah er einen Bekannten im Auto vorbeifahren. Er winkt ihm, zu halten, öffnet die Wagentür und bittet, ob ihm der Bekannte nicht einen Platz in seinem Wagen geben könne.
Der Bekannte dachte eine Augenblick nach:
«Nein», sagte er endlich, «diesen habe ich nicht verstanden...»
Schlug die Tür vor der Nase zu und befahl dem Chauffeur weiterzufahren.

FAHREN

Ein alter englischer Kutscher

Es regnet in Strömen. Ein Gentleman winkt einen Wagen heran und läßt sich zum Avenue Road fahren. Auf dem Weg bemerkt er, daß er seine Geldtasche vergessen hat. Was tun? Endlich ist man am Avenue Road angelangt. Der Gentleman steigt aus und sagt zum Kutscher:

«Reichen Sie mir ein Streichholz, Kutscher! Ich habe einen Goldsovereign im Wagen fallen lassen...»

Kaum ertönten diese Worte, als der Kutscher mit einem wuchtigen Peitschenhieb sein Pferd zu unerhörter Leistung anfeuerte und rasselnd in der nächsten Querstraße verschwand.

Hilft todsicher!

Pelletier d'Oisy, genannt «Pivolo», ist einer der berühmtesten französischen Autofahrer, sozusagen der französische Carracciola. Er lenkt seinen Wagen mit vollendeter Meisterschaft, aber freilich auch einer Tollkühnheit, die nur der wirklich kapiert, der ihn einmal in seinem Wagen begleitet hat. Man sagt sogar, daß die meisten nach solcher Fahrt ein neues Leben beginnen und inbrünstig schwören, nie mehr mit dem Helden der Fahrt Paris—Tokio in einen Wagen zu steigen.

Neulich schlägt Pivolo einem Bekannten, der hochgestellter Beamter ist, eine kleine Spazierfahrt in der Umgebung von Grenoble vor. Der willigt mit Freuden ein. Man fährt los. Kaum sind sie aus der Stadt heraus und in den Bergen, als Pivolo mit größter Gemütsruhe seine Maschine auf 70 — 80 — 90 — 100 Kilometer bringt — — und das auf einer Straße, wo links und rechts die schaurigsten Abgründe gähnen... Der Bekannte hält sich voll Entsetzen an den Armlehnen des Sitzes fest. Endlich, nach einer furchtbaren Haarnadelkurve, die ohne mindeste Verlangsamung genommen wird, hält er's nicht mehr aus und ruft Pivolo ins Ohr:

«Hallo, mein Lieber, in *dem* Tempo — auf *der* Straße? Wir enden noch im Abgrund!...»

Da wendet sich Pivolo seelenruhig zurück und sagt:

«Wenn Sie Angst haben, machen Sie's doch wie ich: schließen Sie die Augen!»

Die Brücke

Die russischen Landstraßen und Brücken haben einen zweifelhaften Ruf. Am Flußufer angelnd, erlebte ich einmal folgende Szene: Zwei Bauernwagen trotten gemütlich der Brücke zu. Kurz vor der Brücke lenkt der erste Bauer sein Pferdchen behutsam von der Straße weg, das steile Flußufer hinunter und fährt planschend ins Wasser der Furt hinein.

Der zweite Bauer schaut mürrisch vor sich hin, biegt *nicht* ab, sondern fährt geradeswegs auf die Brücke los.

Gespannt beobachtet Bauer Nr. 1 von der Furt aus seinen Kollegen auf der Brücke. Da — ein plötzliches Krachen — ein Geschrei: die Brücke ist unter dem Gefährt zusammengestürzt!

Da zeigt der erste Bauer mißbilligend mit dem Peitschenstock auf das Debakel und ruft mir zu: «So ein Esel —! Er sieht: eine *Brücke* — nein, er muß *doch* fahren!»

Die Verkehrsmisere

Der Autobus Neunzehn ist wieder einmal überfüllt. Eine rundliche Matrone steigt auf und sieht sich vergebens nach einem Platz um.

«Sie haben nichts, um zu sitzen, junge Frau», sagt ein Passagier, der ihr behilflich sein will.

«Ich *habe* was, um zu sitzen», schallt die Antwort, «ich weiß bloß nicht, wo ich's hintun soll.»

Erleuchtung

Es war finstere Nacht. Der Schupo brachte den Lastkraftwagen erst mit dem dritten Anruf zum Stehen:

«Wo ist Ihr Schlußlicht?»

Der Führer stieg ab, beschaute sich die Rückseite des Vehikels, und schien ziemlich verdutzt.

«Mann — machen Sie bloß keine Entschuldigung! Sie haben ja nicht einmal 'nen Leuchtkörper montiert!» schnarrte die Stimme des Gesetzes.

«Ich wollte jar keene Entschuldijungen machen», murmelte der Führer und kratzte sich unter der Ledermütze.

«Also, was — was meinen Sie bloß?»

«Ick meene jar nischt. Ick wundere mir. Ick wundere mir, wo der verdammte Anhänger jeblieben is.»

76

Aufbruch von der Bar. Anbruch des Tages. Die zwei jungen Leute wissen nicht genau wieviel, aber sehr genau, *daß* sie getrunken haben. Übrigens steht draußen ihr netter offener Wagen. Mithin — auf zur Erfrischung in den Tiergarten.

Sie fahren los. Der Wagen geht, offen gesagt, nicht völlig geradeaus, aber dafür immer schneller, immer schneller. Siebzig — achtzig — neunzig Kilometer. Bei sechsundneunzig hält es der, welcher nicht am Steuer sitzt, immerhin für geraten, den anderen zu warnen:

«Paß doch auf», murmelt er. «Wir kommen ja in die Unfallchronik. Fahr nicht so schnell. Hat keinen Zweck, sich den Schädel einzurennen!»

Darauf ein grenzenlos erstaunter Blick des anderen:

«Wie? ... Und ich dachte die ganze Zeit, *du* steuerst! ...»

So vergeht der Ruhm

Eines Tages fuhren der berühmte Schauspieler Lucien Guitry und sein ebenso berühmter Sohn Sascha Guitry mit ihrem Auto in Paris spazieren. Lucien, der Vater, saß vorne neben dem Schofför.

Einer ihrer vielen Bewunderer erkennt die beiden, hebt seine Hand und ruft begeistert: «Die Könige von Paris!»

Knapp eine Viertelstunde darauf gerät ihr Auto in eine Verkehrsstockung, streift einen Lastwagen, und der Kutscher ruft ihnen voll Wut nach :«Verdammte Idioten!»

Da dreht sich Lucien zu seinem Sohne um und sagt schlicht: «Entthront!»

Phantasie

Auf einem englischen Kriegsschiff ist Mannschaftsübung.

«Jeder Mann legt sich jetzt auf den Rücken», kommandiert der Offizier — ,«hebt die Beine in die Höhe und bewegt seine Füße, als ob er Fahrrad trete. — Los! ...»

Nach kurzer Bemühung hält einer der Matrosen inne.

«Warum hast du aufgehört?!» brüllt der Offizier.

«Zu Befehl», sagt Murphy, «ich fahre *grade Freilauf.*»

Der Zauberlehrling

Das war an der französischen Front im August 1914. Eine Gruppe französischer Soldaten liegt an der Chausseeböschung. Damals gab es noch keine Schützengräben. Ginge man auf der Chaussee weiter, so würde man nach 300 Metern auf deutsche Posten stoßen.

Plötzlich kommt von Paris her ein Auto in rasendem Tempo an die Franzosen heran. Die Soldaten springen auf und geben Zeichen, daß es haltmachen soll. Doch der Wagen rast weiter in den Feind hinein.

Am Steuer saß ein Mann vornübergebeugt, mit puterrotem Gesicht und vorquellenden Augen. Als er die Franzosen passierte, hörten sie, wie er ununterbrochen brüllte:

«Wie bremst man ein Auto? — Schnell!... Wie bremst man ein Auto?...»

Man hat ihn nie wieder gesehen.

FAMILIE

Genrebild

Die Familie ist um den Tisch versammelt.

Mama: «Fritzchen, geh und mach die Tür zu. Es zieht.»

Fritzchen (sieben Jahre): «Nein, Mama.»

Mama (erzürnt): «Fritz! du tust, was ich dir sage, hörst du? Gehorche, oder du wirst bestraft.»

Fritzchen: «Ich will nicht die Tür zumachen.»

Mama (versucht es mit dem Appell an das Herz): «Du bist wirklich nicht nett. Deine Mutter wird sich erkälten, durch deine Schuld. Sieh mal, wenn du zu mir sagen würdest ‹Mama, meine Füße frieren, weil es so schrecklich zieht› — dann würde ich sofort aufstehen und die Tür schließen.»

Fritzchen: «Mama, meine Füße frieren, weil es so schrecklich zieht.»

Die schönste Musik

In der Zeit des Goldrausches im alten Californien hatte eine Frau ihr Wickelkind in eine Theatervorstellung mitgenommen. Gerade wie das Orchester zu spielen anfing, begann das Kind zu schreien.

«Hört auf mit dem Gefiedel und laßt das Kind schreien», rief ein Mann im Parterre: «Ich hab' so 'nen Ton zehn Jahr lang nicht gehört!»

Das Publikum applaudierte wie wild, das Orchester mußte einhalten, und das Baby konnte seine Arie unter allgemeinem Entzükken zu Ende vortragen.

Neues von Bobby

Bobby, das ist derselbe kleine Junge, der neulich Tinte ins Goldfischbassin goß, «damit die Fische Nacht haben».

Bobby bei Tisch, das ist jedesmal ein Theater. Seine Naschhaftigkeit bringt die Logik der Ereignisse durcheinander. So ist er imstande, drei Datteln mit einem Griff in den Mund zu stopfen und dann mit vollem Munde zu fragen: «Darf ich Datteln nehmen?» Dabei kann es passieren, daß er plötzlich mit weitgeöffnetem Munde zu brüllen anfängt: «Huuu-u!... mir ist ein Zahn auf die Zunge getreten...»

Neulich bekommt er bei Tisch einen Hustenanfall.

«Hast du dich verschluckt, Bobby?»

«Nein», sagt er stolz, «ich ‹katarrhe›.»

Aber diesmal hat er nicht gehustet. Nein... sondern im Gegenteil... Und wird vom Papa sehr streng angesehen.

«Wie? bei Tisch!...» Aber Bobby ist nicht so leicht aus der Fassung zu bringen. Er sagt, mit einem halben Blick auf die Uhr, die gerade halb eins schlägt:

«Ich geh' ein bißchen vor.»

Stimmungsbild

Elsie: «Willi und ich waren unten im Eßzimmer, Herr Onkel. Wir haben Mann und Frau gespielt.»

Onkel: «Wie habt ihr das gemacht?»

Elsie: «Willi saß am einen Ende vom Tisch und ich am andern; Willi sagte: ‹Dies Gericht ist nicht zu essen!› und ich sagte: ‹Das ist alles, was du bekommst!› Darauf Willi: ‹Verdammt noch einmal!› Ich erhob mich und verließ das Zimmer.»

Ein radikaler Unterschied

Diese Geschichte passierte vor Jahren, aber dafür tatsächlich. Im Londoner Drury Lane-Theater wurde «Antonius und Kleopatra» gegeben. Es kam die Szene, wo Kleopatra die Schreckensnachricht von Mark Antons Niederlage bekommt. Die Königin ersticht den unglücklichen Boten, stürmt, weint, deliriert, beschädigt einen Teil der Kulissen in ihrer Leidenschaft und sinkt schließlich mit einem konvulsivischen Ächzen zusammen!

«Wie anders», sagte eine ältere Dame in der zwölften Reihe, «wie ganz anders als das Familienleben unserer guten Queen Victoria!...»

Herrn und Frau Williams glückliches Eheleben war beinahe in Stücke gegangen, und zwar wegen des dauernden Logierbesuches ihres alten Onkels Ezra. Zwölf lange Jahre hindurch lebte er mit den Williams, stets mißgelaunt, stets anspruchsvoll, stets der erste am Tisch zur Essenszeit. Endlich bekam er die Schwindsucht und starb. Auf dem Heimweg vom Friedhof sagte Herr Williams zu seiner Frau, er habe ihr ein Geständnis zu machen: «Darling», sagte er, «wenn ich dich nicht so lieben würde — ich glaube, ich hätte es nicht ausgehalten, deinen Onkel Ezra die ganze Zeit im Hause zu haben!»

Da staunte ihn seine Frau entgeistert an. «*Mein* Onkel Ezra!?» rief sie. «Und ich dachte, es sei *dein* Onkel Ezra!»

Das Familienleben

Hier stand die junge Dame und dort stand der Bauunternehmer, der ihr ein Haus verkaufen wollte, ein Eigenheim: «Ein Heim?» rief sie, «wozu brauche ich ein Heim? Ich wurde geboren in einem Hospital, erzogen in einem College, geküßt in einem Automobil und verheiratet in einer Kirche. Ich nähre mich von der Delikatessenhandlung und aus Papiertüten. Ich verbringe meinen Vormittag auf dem Golfplatz, meinen Nachmittag am Bridgetisch und meine Abende im Kino. Und wenn ich sterbe, werde ich vom Bestattungsunternehmen eingesargt. Alles, was ich brauche, ist eine Garage.»

FARMER

Eine Farm im amerikanischen Westen muß nicht unbedingt ertragreich sein. Ein Reisender stoppte eines Abends seinen Wagen vor einem einsamen Farmergebäude und wünschte ein Nachtlager. Er kam mit dem Farmer ins Gespräch und fragte endlich: «Wie bringen Sie es fertig, genügend Geld zu machen, daß Sie diesen Platz in Betrieb halten können?»

Der Farmer zeigte auf seinen einzigen Arbeiter, der am andern Ende der Bank saß:

«Schauen Sie den Burschen. Sehen Sie, der arbeitet für mich, und ich kann ihn nicht bezahlen. Nach zwei Jahren hat er soviel, daß er die Farm übernimmt. Dann arbeite ich für ihn, bis ich ihm die Farm wieder abkaufe.»

Die Wiege

Der größte Schnelligkeitsrekord wird von Mr. Kaye Don, London, gehalten.

Den größten Langsamkeitsrekord hält Mahmud Tefwik, Tischler in Smyrna.

Der Lederhändler Abdul bestellte bei ihm eine hübsche kleine Wiege für das kommende Baby. Er zahlte sogar einen Taler an, für die Auslagen.

Das Baby kam. Die Wiege nicht. Nach acht Tagen fragte Abdul an, ob die Wiege fertig sei?

«Noch nicht», sprach Mahmud bedächtig.

Einen Monat später war sie noch immer in Arbeit.

Inzwischen wuchs das Baby heran. Die Jahre vergingen. Das Baby ward ein Jüngling. Der Jüngling nahm ein Weib.

Einige Monate nach der Hochzeit teilte die junge Frau ihrem Mann ein süßes Geheimnis mit. Von ihm erfuhr es Abdul der Vater — und erinnerte sich sogleich der bestellten Wiege!

«Ausgezeichnet», sagte er, «die Wiege kommt uns jetzt wie gerufen!»

Er begab sich zu Mahmud, dem Tischler.

Und erinnerte den Tischler an die Wiege.

«Da!»... rief Mahmud und warf einen Taler auf den Teppich, «nimm ihn zurück, deinen Taler: Ich lasse mich nicht fortwährend antreiben!»

Das Beispiel

Der berühmte Chirurg *Bergmann* war als Schulknabe keineswegs fleißig.

Eines Tages hatte sein Lehrer einen Preis ausgesetzt für den besten Klassenaufsatz über das Thema: «Was ist Faulheit?»

Bergmann lieferte stolz den längsten Aufsatz ab — drei Seiten!

Auf der ersten Seite stand «Das»

Auf der zweiten Seite stand «ist»

Auf der dritten Seite stand «Faulheit».

Er bekam den Preis.

Gerechtigkeit muß sein

In New York kaufte sich ein Mann ein Kistchen Zigarren und ließ es gegen Feuer versichern.

Nachdem er die Kiste ausgeraucht hatte, ging er zu der Versicherungsgesellschaft und verlangte die Summe ausbezahlt. Die Herren weigerten sich. Er brachte die Sache vors Gericht. Das Gericht gab ihm recht.

Doch die Versicherungsgesellschaft verklagte ihn nun ihrerseits. Er habe «an ein versichertes Objekt absichtlich Feuer gelegt». Der Mann wurde zu drei Monaten Gefängnis verurteilt.

Geistesgegenwart

Geistesgegenwart ist eine der größten Tugenden, meine Freunde, sagte Alphonse Allais, eine der größten Tugenden und dazu eine der nützlichsten!

Eines Tages brach in einem ausverkauften Theater *Feuer* aus. Es gab eine entsetzliche Panik. Alles stürzte in wilder Flucht auf die Türen zu.

Da sprang ein Herr in kühner Geistesgegenwart auf seinen Sessel und rief der erschrockenen Menge zu:

«Meine Damen und Herren! Es besteht nicht die geringste Gefahr. Ich bitte Sie, ganz ruhig Ihre Plätze wieder einzunehmen.»

Das machte Eindruck. Die Menschen beruhigten sich und nahmen ihre Plätze wieder ein. Sie verbrannten alle.

Die Überraschung

In paradiesischer Morgenstille liegt das ländliche Postamt da. Da kommt ein Mann an den Schalter und fragt, ob ein Telegramm für ihn eingetroffen sei? Antwort: nein. Der Mann geht ein wenig beunruhigt fort.

Nach einer Stunde fragt er wieder an. Wieder nichts. Der Mann läuft in wachsender Erregung fort.

Noch zweimal wiederholt sich derselbe Vorgang. Der Mann scheint allmählich ganz aus dem Häuschen!

Doch jetzt, endlich, kann ihm der Beamte eine Depesche einhändigen. Hastig, zitternd öffnet sie der Mann.

Dann schreit er auf: «Großer Gott! Mein Haus brennt!»

Die Stimme der Erfahrung

Ein Pessimist gab folgenden Rat:

«Wenn Sie in der Nacht überfallen werden, so schreien Sie nie «Hilfe!», «Mörder!» oder «Räuber!» — deshalb, weil Ihnen niemand zu Hilfe kommen wird ...

Schreien Sie lieber: «Feuer!» — und sofort wird alles zusammenlaufen. Sogar die Polizei wird kommen.»

Dreißig Meter Groteskfilm

Diese Geschichte handelt von einem Klempner und hört sich vielleicht sonderbar an. Der Klempner sitzt, kaut seine Stulle und liest das Zeitungspapier, worin sie eingewickelt war.

«Sie werden gerufen!» schreit der kleine Junge (noch vor der Tür) und stürzt herein.

«Wer wünscht mich?» fragt der Klempner und läßt die Zeitung sinken.

«Nummer 143 — das Haus, von wo Sie eben gekommen sind.»

«Die denken wohl, ich schufte 24 Stunden durch?» brummt der Klempner und nimmt die Lektüre wieder auf.

«Es ist besser, Sie kommen», stammelt der Kleine dringend, «oder es wird zu spät! Mutti hat schon hysterische Anfälle, und Vati ist bereits ganz verrückt, und — —»

«Nun sprich, mein Sohn», sagte der biedere Meister, «was ist denn los?»

«Ich weiß nicht — ich glaube, Sie haben die falschen Röhren verbunden oder so was ... Jedenfalls — der Gaskronleuchter im Salon spritzt wie eine Fontäne, und der Wasserhahn im Badezimmer hat schon alles in Brand gesetzt.»

Sicheres Hilfsmittel bei Theaterbränden

In Paris veranstaltete eine Zeitung folgende Rundfrage: «Welches ist das sicherste Hilfsmittel bei Theaterbränden?»

Die beste Zuschrift stammt von Alphonse *Allais*. Er schrieb:

«Ich kann Ihnen ein praktisches, verblüffend einfaches Mittel vorschlagen, um die Panik bei Theaterbränden völlig gefahrlos zu gestalten. Bekanntlich wirken die Türen und Korridore als Flaschenhälse, in die sich der verstörte Menschenstrom pfropft. Hier geschehen die meisten Unglücksfälle.

Ich schlage vor: An der Rücklehne jedes Sitzes wird, neben dem Opernglas-Behälter eine kleine Schachtel *Vaseline* angebracht. Beim Schrei «Es brennt!» hat sich das Publikum sogleich gänzlich zu entkleiden (— bedenken Sie, es geht ums Leben, und da hat jede Prüderie zu schweigen). Hierauf salbt sich jeder den ganzen Körper mit Vaseline ein. Eine Minute darauf befindet sich das ganze Publikum in vollster Flucht — aber dank der glitschigen Eigenschaften der Vaseline gibt es nicht das geringste Hindernis, nicht die mindeste Karambolage in den Türen; jeder kommt an jedem glatt vorbei und ist gerettet.»

Immerhin möchte ich gegebenenfalls nicht gern im Theater sitzen. Aber vor dem Eingang stehen wäre ganz interessant.

FILM

Sam Goldwyn, der Direktor der Metro-Goldwyn-Filmgesellschaft, kauft sich aus Europa, was gut und teuer ist. So ließ er sich auch einmal den belgischen Dichter und Nobelpreisträger Maurice Maeterlinck kommen, der bekanntlich ein Buch über das Leben der Bienen geschrieben hat. «Ich weiß, Sie beherrschen die Filmtechnik nicht», sagte Goldwyn, «aber das ist auch gar nicht nötig. Setzen Sie sich einfach hin und schreiben Sie Ihr bestes Buch als Szenarium um. Lassen Sie sich ruhig Zeit dazu.»

Nach einigen Wochen erschien Maeterlinck mit dem fertigen Manuskript. «Nun werden wir was Feines haben!» strahlte Goldwyn und lief mit dem Text in sein Privatkabinett. Nach zwei Minuten stürzte er heraus und riß sich an den Haaren. «Mein Gott», schrie er, «der Held ist eine Biene!»

Dumme Angst

Ganz Berlin schwärmt für den Schauspieler X. Mit Recht. Nur mein Bekannter mag ihn nicht. Mit Unrecht.

Neulich drängt es meinen Bekannten mächtig ins Kino. Wir stehen ratlos vor der Litfaßsäule: Überall tritt X auf! Endlich finden wir einen Film «Frauennot und Frauenglück», wo er tatsächlich nicht mitwirkt.

Wir saßen im Kino. Es war sehr schön. Jetzt kam jene beklemmende Stelle mit dem Kaiserschnitt. Alles hält den Atem an. Da packt mich mein Bekannter am Arm und ruft erregt:

«Um Gottes willen, wenn jetzt nur nicht der X zum Vorschein kommt!»

Die Ohrfeige ohne Trick

Vor dem Volksrichter in *Odessa* wurde neulich die Angelegenheit des Filmschauspielers B. verhandelt, der während der Aufnahme den Regisseur G. verprügelt hatte.

B. hatte die Rolle eines Arbeiters zu spielen, der von seinen Kollegen als Lockspitzel entlarvt wird. Bei dieser Entlarvung hatte er, dem Manuskript nach, eine Ohrfeige zu bekommen.

Die Szene wurde gedreht. Bums — B. bekam seine Ohrfeige. «Halt!» sagte der Regisseur. «Das Ganze noch einmal. Und zwar ohne Trick: die Ohrfeige muß ordentlich klingen — wie auf einer Trommel!»

Die Szene wurde wiederholt. B.s Partner geriet in Ekstase und gab B. eine Ohrfeige, die knallend niedersauste. — «Halt!» sagte der Regisseur wiederum mit gelangweilter Stimme. — «Ein schwächlicher Trick. Wiederholen!»

B. hielt jetzt auch die dritte Ohrfeige wie ein antiker Held aus. Seine Wange war aufgeschwollen und zeigte dunkelrote Färbung.

Allein der Regisseur war noch nicht zufrieden und verlangte mit müder Stimme eine weitere Wiederholung.

Hier nun geschah es, daß B., nach seinem eigenen Ausdruck, «Papa und Mama vergaß» und mit einem ungeheuren Fausthieb den Regisseur zu Boden streckte — diesmal zweifellos ohne jeden Trick.

Er wurde vom Volksrichter freigesprochen.

Liebe am laufenden Band

Eine Filmsternin in Hollywood mit Fliegenbein-Wimpern wird tagein, tagaus von Anbetern überlaufen. Diese Leute sind sehr zahlreich und ziemlich hartnäckig.

Infolgedessen hat die Filmgöttin eines der vielen Portale ihres Palastes mit der Aufschrift versehen:

«Eingang für Anbeter.»

Der Anbeter tritt ein, geht eine kleine Marmortreppe hinauf, und sieht sich vor einer zweiten Aufschrift:

«Durchgangskorridor für Anbeter.»

Der Anbeter schwebt errötend durch den Korridor und findet sich klopfenden Herzens vor einer neuen Tür mit der Aufschrift:

«Wartesalon für Anbeter.»

Mit ungeheuren Gefühlen drückt der Anbeter auf die Klinke und findet sich ... wieder auf der Straße.

Der Prophet in seinem Vaterlande

Diese Geschichte ist keine Erfindung. Diese Geschichte ist absolut wahr und uns soeben durch direktes Kabel aus Amerika übermittelt worden, wo man sie in Serienfabrikation herstellt.

Bei Gelegenheit eines grandiosen Ballfestes wurde in Hollywood eine «Dick-und-Dof-Konkurrenz» veranstaltet. Und nun hatten Dick und Dof — nämlich die wahren, die richtigen, die einzigen — plötzlich die Idee, ebenfalls an dieser Konkurrenz teilzunehmen.

Sie kamen inkognito, verkleidet als «Dick und Dof».

Niemand erkannte sie. Sie hatten großen Erfolg. Sie erhielten einen Preis. Den neunten.

FLUGWESEN

Die neue Perspektive

Er ist Luftpilot und sie seine entzückende junge Frau. Die beiden fliegen ihre Hochzeitsreise.

Mehrere Stunden sind sie bereits in ziemlicher Höhe dahingeschwebt. Gerade wie sie jetzt über den Alpen sind, läßt die Frau beim Pudern ihren Handspiegel fallen. Instinktiv beugt sie sich hinaus, um ihn mit den Blicken zu suchen.

«Schau doch, Lieber!» ruft sie strahlend. «Schau doch mal nach unten: ich seh ihn dort ganz deutlich — den kleinen Taschenspiegel —, er ist mir soeben hinuntergefallen!» ...

Der Pilot wirft einen Blick nach unten. Dann sagt er langsam: «Kleines Frauchen irrt sich. Das ist der Genfer See.»

Die armen Flieger

In England erzählt man sich viele Geschichten von dem witzigen Luftpiloten Thornton Dyke. Eines Tages war Dyke in Croydon gelandet und zeigte einer sehr wißbegierigen alten Dame seine Maschine.

Nachdem er ihr alles genau erklärt hatte, schien sie doch noch eine Frage auf dem Herzen zu haben.

«Sagen Sie, Mr. Dyke», fragte die alte Dame plötzlich, «was passiert eigentlich, wenn das Benzin auf einmal ausgeht?»

Dyke wurde sehr ernst. «Glauben Sie mir, Madam», sagte er langsam, «Tausende armer Burschen, denen das passierte, sind da oben» — hier wies er auf den Himmel — «tatsächlich dem Hungertode nah — und können nicht herunterkommen.»

Der zerstreute Diktator

Vor dem Kriege regierte in Griechenland der Diktator General Metaxas. Während der Inspizierung eines Lufthafens an der Küste wurde er eingeladen, ein neues Flugboot auszuprobieren. Metaxas steuerte es eigenhändig, und alles ging sehr schön, bis der Flugbootkommandant, welcher als Begleiter mitgekommen war, gewahr wurde, daß Metaxas Anstalten machte, auf dem Aerodrom zu landen. «Verzeihung, General», meinte der Begleiter, «wäre es nicht ratsam, auf dem Wasser niederzugehen — dies ist ein Flugboot.» — «Aber natürlich, Kommandant — woran ich wieder gedacht habe?» sagte der Diktator, riß sich zusammen und vollführte eine tadellose Landung auf dem Wasser. Dann erhob er sich vom Lenkrad und sagte: «Kommandant, ich beglückwünsche Sie zu dem Takt, mit dem Sie mich vor dem ungeheuerlichen Schnitzer bewahrt haben!» Mit diesen Worten öffnete er die Tür und schritt ins Meer hinein.

Angenehme Empfindung

Beim Einfliegen einer neuen Maschine stürzte der englische Flieger Thornton Dyke aus der Höhe von 50 Metern ab. Wie durch ein Wunder blieb er am Leben.

Als er das Bewußtsein wiedererlangte, fand er sich in einem weiß lackierten Bett liegen und hörte die Stimme eines Interviewers ganz sanft fragen:

«Sagen Sie, Mr. Dyke, welcher Gedanke beherrschte Sie, als Sie durch den ungeheuren Raum herunterstürzten?»

«Den größten Eindruck machte mir der Gedanke, *daß ich so ungefähr die einzige Sache war, die nicht hochging!*»

Moderne Präzision

Das war eine spiritistische Séance in Kansas City — eine richtige Séance mit allem Drum und Dran: schwarzverhängtes Zimmer, Tischklopfen, gespenstisches Gitarrespiel und so weiter. Jetzt erhob sich der Gatte des Mediums (der sozusagen als Manager fungierte) und fragte, ob einer der Anwesenden vielleicht mit einem teuren Verstorbenen zu sprechen wünsche? — Ein Sportsjüngling im Pullover erklärte, daß er gern seinen Vater sehen wolle.

Alles wartet angespannt in der Finsternis. Plötzlich werden schwache Geräusche hörbar, und es spricht eine hohle Stimme aus dem Dunkel:

«Hast du irgendwelche Fragen über meinen gegenwärtigen Zustand zu stellen?» ruft der Geist (der anscheinend über Routine verfügte).

Der Jüngling dachte einen Moment nach.

«Wo bist du jetzt, Pa?» fragte er glatt und direkt.

«Im Himmel, mein Sohn.»

«Bist du ein Engel, Pa?»

«O yes, mein Sohn.»

«Ein richtiger Engel, mit Flügel, Harfe und allem?»

Die Antwort kam ein wenig dumpf und gemurmelt, aber sichtlich im bejahenden Sinne.

Der Jüngling dachte wieder nach.

«Sag mal, Pa», fragte er neugierig — «wieviel Meter Spannweite?»

FRAUEN

Frauen-Neugier

Ein Mann saß abends an seinem Fenster und rief zu seiner Gattin hinüber: «Dort geht diese Frau, in die Bill Jones so wahnsinnig verliebt ist.»

Seine Gattin, die in der Küche war, ließ eine Porzellantasse fallen, stürzte durch die Tür, stieß das Goldfischbassin um und reckte ihren Hals aus dem Fenster.

«Wo?» rief sie.

«Dort», zeigte er, «die Frau an der Ecke mit dem Regenmantel.»

«Du Idiot», zischte sie, «das ist doch seine Frau!»

«Na ja, natürlich ...» sagte er sanft.

Milieustudie

Nachbarin I: «Woher hat sich Ihr unartiger kleiner Bengel weh getan?»

Nachbarin II: «Weil Ihr artiger kleiner Junge ihn mit einem Ziegelstein auf den Kopf gehauen hat.»

Knifflige Frage

Frau X., so reizend im Trotteur, hinreißend im Abendkleid, sinnbetörend im Badekostüm, betrügt ihren Gatten.

Ich, du, sie, wir wissen es, aber er wußte es nicht.

Wenn man's nicht weiß, ist es nichts. Weiß man es, so ist es nichts *gewesen.*

Und Herr X. findet die Sache nicht nach seinem Geschmack. Mit rollenden Augen stellt er die Gattin zur Rede:

«Elende!» schreit er — «ich weiß alles!!»

«Prahlhans», erwiderte sie kaltblütig — «wann war die Schlacht bei Sempach?»

Entzückender Gedanke!

Von der großen Schauspielerin Augustine Brohan erzählt man folgende Geschichte.

Sie ist eine angehende Mutter, sie erwartet bald ein Kind. Da trifft ihr Hausarzt sie in den Bogengängen des Palais Royal.

«Welche Unvernunft!» ruft er aus, «ich habe Ihnen doch jegliches Ausgehen streng verboten.»

«Schelten Sie mich nicht, Doktor», antwortet sie, «ich gehe zu Séraphin, um diesem Kind eine Freude zu machen.»

Séraphin war ein bekanntes Marionettentheater.

Aber die schönste Geschichte von ihr muß ich noch erzählen. Anderthalb Jahre nach dem Tode ihrer Mutter wird sie von jemand besucht, der sie lange nicht gesehen hat. Er findet sie in Schwarz.

«Wie? Sie sind noch immer in Trauer?»

«Aber ja ... ich habe meine Mutter verloren.»

«Vor so langer Zeit! Warum tragen Sie noch immer Schwarz?»

«Deshalb, weil sie noch immer tot ist.»

Wahlgeschichte

Bei den letzten amerikanischen Wahlen unterbrach eine Frau den Kandidaten von Kansas und rief: «Wenn Sie mein Mann wären, so würde ich Ihnen Gift geben!»

«Madame», versetzte der Kandidat mit ausgesuchter Höflichkeit, «wenn Sie meine Frau wären, so würde ich es mit größtem Vergnügen nehmen!»

Ecce femina

George Selwyn behauptete einmal, daß noch keine Frau jemals einen Brief ohne Postskriptum geschrieben habe. — «Mein nächster Brief wird Sie Lügen strafen!» rief Lady G. Tags darauf erhielt Selwyn einen Brief von Ihrer Ladyship. Hinter der Unterschrift stand: *«P. S. Wer hatte nun recht, Sie oder ich?»*

FRECHHEIT

Immer das Gedränge in der Garderobe

Das Stück ist glücklicherweise bis zur Mitte des letzten Aktes gediehen. Ein Herr im Parterre steht kaltblütig auf und wandert langsam auf den Hühneraugen der dritten Sesselreihe dem Ausgange zu. Einer der Betroffenen protestiert: «Das ist doch unerhört! Eine

Rücksichtslosigkeit ... Warum gehen Sie denn schon? Das Stück ist noch nicht ganz zu Ende!»

Der Wanderer (vertraulich): «Gerade darum geh ich ja.»

Frechheit!

Hook ging eines Tages mit einem Bekannten und bemerkte einen pompösen Gentleman, der die Straße entlang stolzierte, als ob sie ihm allein gehöre.

Sogleich ließ Hook seinen Begleiter stehen, trat zu dem Fremden und sagte:

— «Verzeihung, Sir, aber dürfte ich vielleicht fragen — *sind Sie irgendwer im besonderen?*»

Und bevor der verdutzte Magnifico sich zu einer Erwiderung gesammelt hatte, zog Hook höflich seinen Hut und war schon weg.

Der Sprung

Wenn man in der höheren Mathematik die Kurve einer trigonometrischen Gleichung abtastet, so kann ein Moment kommen, wo die Kurve einen atemberaubenden Sprung von Plus-Unendlichkeit auf Minus-Unendlichkeit macht. Den echten Mathematiker, den Mathematiker mit Phantasie, wird hierbei ein leichtes metaphysisches Frösteln ankommen ...

Kurz nach dem Kriege war die Grenzsperre zwischen Österreich und der Tschechoslowakei sehr streng. Leute, die oft Lundenberg passieren mußten, erzählten, daß sich dabei regelmäßig folgender Vorgang abspielte.

Der Beamte reißt die Tür vom Abteil heftig auf und schreit mit blutunterlaufenen Augen:

«*Ham's Butter?!!*»

«O nein ... nein ... gewiß nicht ...»

Darauf der Beamte, flüsternd:

«*Wollen's* Butter ...»

Warnung für Radfahrer

Der Pariser Schriftsteller Alphonse Allais hatte einen abwegigen, fast wahnwitzigen Humor. Eines Tages ging er mit seinem Freunde, dem Lustspieldichter Capus auf der Landstraße spazieren. Das war in jenen heroischen Zeiten, wo die Zweiräder noch keine Gummischläuche hatten. Drei Radfahrer tauchen auf und treten in wilder Fahrt den Abhang herunter, um dadurch Schwung für die nächste Steigung zu bekommen.

Allais stellt sich mitten auf die Straße, macht große ausladende Zeichen mit den Armen — kurz, er macht die drei auf eine furchtbare Gefahr aufmerksam! Diese ducken sich auf ihren Maschinen, bremsen mit aller Kraft, allen Muskeln, und bleiben atemlos stehen:

Um Gottes willen, was ist los?

Darauf Allais, mit erhobenem Zeigefinger: «Vorsicht, meine Herren, es kommt eine Steigung!»

Capus konnte ihn nur mit dem Regenschirm von der Rotte loseisen.

Kühne Ideenverknüpfung

Der berühmte Zeichner F. besuchte eines Abends das Eldorado, ein populäres Konzert-Varieté von minderer Sorte.

Die Amiati trat auf. Die große Sängerin befand sich offensichtlich in einem Zustande bester Hoffnung. Sie sang herrlich, doch bereitete ihr das Publikum (wohl durch jenen Umstand irritiert) nicht die sonst übliche Ovation.

F. hatte sie noch nie gehört, fand sie außerordentlich, und machte sich durch frenetisches Applaudieren bemerkbar.

So sehr bemerkbar, daß plötzlich eine schrille Stimme von der Galerie zu ihm hinunterrief:

«Is wohl von dir, das Balg?» ...

Gemeinheit

Es gibt so schrecklich viel Gelegenheit, Gemeinheiten zu begehen. Zum Beispiel folgende:

Bevor Sie aus der Straßenbahn steigen, sagen Sie dem Schaffner:

«Ich hab's eilig; ich muß sogleich absteigen. Haben Sie die Güte, diesen Zettel der jungen Dame dort — ganz hinten der zweite Sitzplatz — abzugeben!»

Dann steigen Sie hastig ab, und sehen durchs Fenster, wie die Dame, verdutzt und entgeistert, liest:

«Ich liebe Sie.   Der Schaffner.»

FREUNDLICHKEIT

Saltomortale

Während des Zwischenaktes drängt sich ein Theaternarr in die Garderobe des berühmten Pariser Schauspielers Lucien Guitry und bestürmt diesen, ihn doch morgen zum Frühstück zu besuchen.

«Also gut», sagt Guitry, um ihn nur loszuwerden, «ich komme.»

Der andere dankt, verabschiedet sich und steuert auf die Tür zu.

Guitry, der vor dem Schminktisch sitzt und ihm den Rücken zuwendet, glaubt, daß der Bewunderer bereits hinausgegangen ist, und wendet sich mit donnernder Stimme an seinen Sekretär:

«Alfred, Sie schreiben sofort an diesen klebrigen Kerl, daß ich morgen zum Frühstück leider nicht kommen kann...» (Hier hält Guitry plötzlich inne, denn er hat im Spiegel bemerkt, daß der erwähnte klebrige Kerl noch immer in der Garderobe ist...) Mit einner graziösen Handbewegung weist Guitry auf den erstarrten Besucher und sagt lächelnd:

«— deshalb, weil ich mit *diesem Herrn* frühstücken werde!...»

Ein offenes Wort

Vor vielen Jahren diente beim Großfürsten Konstantin in Polen ein gewisser Gallitzin — ein Mann mit allerhand Humoren, der sich (aber auch andere) lächerlich machte. So sagte er eines Tages zum Großfürsten:

«Sehen Sie, kaiserliche Hoheit, Sie haben sich, scheint es, an mich gewöhnt, Sie beschenken mich, Sie ehren mich durch Ihr gütiges Wohlwollen — aber im Grunde ist darauf doch kein Verlaß! Wenn der Kaiser Ihnen zum Beispiel plötzlich sagen täte: ‹Heute möchte ich Gallitzin aufessen› —, so würden Sie ja doch bloß fragen: ‹Und *mit welcher Sauce wünschen Majestät ihn zubereitet?*›»

Wien, Mariahilferstraße

Ein Bürger der Stadt Wien geht mit schaukelnder Uhrkette und gutziehender Virginia auf der Mariahilferstraße. Plötzlich wird er von einem Tonfall gestellt:

«Sie, Männeken, sahren Sie mal, wie komm ich hier direktemang zum Stephansturm?»

(Der Bürger der Stadt Wien): «Schaun's, lieber Freind... könnten's des net a bißl höflicher sagn?»

«Nee. Da loof ick lieba!»

FUSSGÄNGER

«Pappi, was ist ein Engel?»
«Ein Fußgänger, der zu spät zur Seite gesprungen ist.»

Der schwarze Tag

Dieser populäre Fußballheld hatte heute seinen schwarzen Tag. Alles mißlang ihm. Die Zuschauer zeigten ihm ihre Unzufriedenheit, die Spielgenossen schauten ihn schief an...

Er ertrug alles mit stoischer Gelassenheit.

Doch das Niederschmetterndste kam, als er nach Spielschluß vom Felde ging.

Ein winziger Bursche, der um die Eingangstür gelungert hatte, sprang auf ihn zu und drückte ihm ein Stück Papier in die Hand.

«Hier», sagte der Zwerg böse —, «hier ham Se Ihr Autogramm zurück!»

Fußball-Geschichte

Im Stadion: das spannende Fußballmatch Padua—Neu-Strelitz. Fünfzigtausend Zuschauer fächeln sich mit dem Sonntagsblatt Kühlung zu. Im Theater zur gleichen Zeit: Generalprobe. Im verdunkelten, dicht gefüllten Zuschauerraum ein Lichtblick — der Tisch des Regisseurs. Darauf ruht eine hell beleuchtete Portion Bockwurst mit Salat.

Auf der Bühne rollt das Stück unaufhaltsam ab. Plötzlich ein Zögern, ein fast hörbarer Knacks — und das Stück steht still. Drei Sekunden peinlichen Wartens.

Wutgebrüll des Regisseurs: «Inspizient!! Warum geht das Stück nicht weiter?»

Ein schlotternder Privatmann tritt aus der Kulisse: «Herr G. kann nicht auftreten.»

«Warum nicht?»

«Er hatte sich schon geschminkt — und ist dann plötzlich zum Fußballmatch gefahren!»

Wutgebrüll Nr. 2. Jemand springt in ein Auto, rast zum Stadion, angelt den G. aus 50 000 Menschen heraus, saust zurück, und zerrt G. — einen wandelnden, verdutzten Fleischberg — auf die Bühne.

G. wird vom Wutgebrüll Nr. 3 empfangen. Direktor F. steht auf und sagt schneidend:

«Herr G., Sie gehen sofort auf Ihre Garderobe. Ich habe dort mit Ihnen zu sprechen!»

G. sitzt in seiner Garderobe, ganz starr unter seiner Sündenlast. Da kommt der Direktor mit bleicherregtem Gesicht, schließt die Garderobentür hastig hinter sich zu und sagt flüsternd:

— «Also, wer hat gewonnen...?»

Der Fußballplatz war die Straße, die Tore markiert durch Sardinenbüchsen, und die Mannschaften je sechs zerlumpte Bengel. Ein Junge tat sich besonders hervor.

Der Herr in der Melone, der das Ganze beobachtet hatte, ging auf ihn zu, lobte ihn und bot ihm Bonbons oder 50 Pfennig an.

«Sagen wir Bonbons», sprach der junge Held, «vorläufig will ich noch kein Profi werden.»

Erbittertes Fußballmatch

Einer der erbittersten Fußballkämpfe dieses Jahrzehnts spielte sich neulich, laut dem «News of the World», im englischen Städtchen Brickham ab. Das Hauptquartier der einen Mannschaft war das uralte Gasthaus «Zum scheckigen Kater». Der Wirt dieses Gasthauses wollte seine Mannschaft zum stärksten Siegeswillen ermuntern und versprach ihr für jedes gewonnene Tor ein Tönnchen Bier.

Kaum hörte das der Wirt vom «Grünen Drachen», dem Hauptquartier der anderen Mannschaft, als er es mit dem Ehrgeiz bekam und dem seinigen Team ebenfalls ein Tönnchen Bier für jedes gewonnene Tor versprach.

Noch vor der Halbzeit brachen beide Gastwirte, heftig gestikulierend, in das Feld ein und forderten das sofortige Abstoppen des Spiels! — — —

Vielleicht interessiert die flüchtige Bemerkung, daß das Score in diesem Augenblick 24 : 23 Tore stand.

GÄSTE

Gespräch auf einer Abendgesellschaft

Erster Fremder: «'n bißchen langweilig, nicht?»
Zweiter Fremder: «Ja ... sehr!»
Erster Fremder: «Gehn wir weg.»
Zweiter Fremder: «Ich kann nicht. Bin der Gastgeber.»

Feiner Wink

Der alte Herr v. O. hatte eine brillante Methode erfunden, um Gäste, die zu lange dablieben, aus dem Hause zu befördern.

Wenn es spät und immer später wurde, und doch keiner Miene zum Aufbruch machte, pflegte der alte Herr v. O. sich gegenüber seiner Kandelaber-Uhr zu setzen und ihr schalkhaft mit dem Finger zu drohen:

«O du böse, böse Uhr!» sagte er leise, aber deutlich, «vertreibst mir meine liebsten Gäste!» ...

Mister Smith macht Visiten

Im «Mineapolis Star» wird folgende Geschichte berichtet. Eine Hausfrau öffnet auf das Klingeln die Tür und findet ein fünfjähriges Mädchen mit ihrem jüngeren Bruder, der noch neu auf den Füßen zu sein scheint. Das Mädchen trägt eine ausrangierte Besuchsjacke von Mama und einen Primadonnenhut, der Bruder einen wackelnden Zylinder und nachschleifenden Frack. «Ich bin Frau Smith», sagt die Besucherin sehr formell, «und hier ist mein Gatte, Mister Smith. Wir kommen zur Visite.»

Die Hausfrau geht darauf ein, und lädt «Herrn und Frau Smith» zum Tee. Feierlich schreiten die Beiden ins Wohnzimmer und nehmen Platz, während die Hausfrau schnell in die Küche geht, um ein paar Kuchen und Milch zu holen. Wie sie zurückkommt, sind die Besucher bereits im Eilschritt zur Haustüre begriffen. «Aber müssen Sie schon gehen?» fragt die Hausfrau: «Ich hoffte, Sie würden zum Tee bleiben?»

Das kleine Mädchen schickte ein noch formelleres Lächeln zurück. «Leider nicht möglich; vielen Dank! Mister Smith hat sich soeben naß gemacht.»

Ein reizender Einfall

Die junge Frau Müller hatte Neumanns zum Essen eingeladen. Sie wartete nur noch auf ihren Gatten, um mit der Mahlzeit zu beginnen.

Da kam Frau Neumann auf einen reizenden Gedanken: «Charlie und ich werden uns hinterm Vorhang verstecken, und wenn dein Mann auftaucht, so sagst du ihm, daß wir nicht gekommen sind. Dann, später, zeigen wir uns plötzlich und überraschen ihn!»

Bald darauf kam Herr Müller müde vom Büro. Er sieht die leeren Stühle, die Kuverts davor und richtet einen fragenden Blick auf seine Gattin.

«Die Neumanns konnten leider nicht kommen», sagte sie.

«Hurra!» brüllte der Gatte und nahm stürmisch Platz.

Kinderbesuch

Der achtjährige Karli kommt pfeifend und sehr zufrieden nach Hause. «Aber Karli, wo bist du wieder gewesen?» fragt die Mama, «wir haben dich gesucht.»

«Ich war bei Meiers zu Besuch; fein war es», sagte Karli.

«Doch du mußt ihnen ja lästig fallen mit deinen häufigen Besuchen! Sie haben jetzt Gäste im Haus.» — «Lästig? Kann nicht stimmen. Du glaubst nicht, wie beliebt ich dort bin. Als ich hereinkam, rief die ganze Familie: ‹Du hast uns gerade noch gefehlt!›»

GEISTESGESTÖRTHEIT

Das Theaterstück

Der Patient eines Nervensanatoriums in St. Louis holte sich jeden Morgen drei dicke Bücher aus der Bibliothek und brachte sie jeden Nachmittag bereits durchgelesen zurück. Schließlich stellte ihn der Bibliothekar auf die Probe: er händigte ihm das riesige *Telephonbuch* der Stadt als Lektüre ein. Und richtig, nach drei Stunden brachte der Mann das Buch wiederum fertig gelesen zurück!

«Sie werden mir doch nicht erzählen, daß Sie das Buch bereits durchgelesen haben!?» sagte der Bibliothekar.

«Aber gewiß hab ich's durchgelesen», entgegnete der Mann. «Die dramatische Handlung ist nicht der Rede wert — aber, Junge, Junge, was für eine Besetzung!»

Wo sind sie?

Man zeigte dem Besucher die fabelhaft eingerichtete moderne Nervenheilanstalt. Der Gast schaute sich alles voll Bewunderung an. Endlich gelangte man in einen großen Saal mit zwanzig Betten, aber der Raum schien leer zu sein.

«Dies ist der Saal, wo die irrsinnigen Chauffeure wohnen», flüsterte der begleitende Arzt.

«Aha!» rief der Besucher, «aber wo sind sie denn?»

«Sie sind alle unter den Betten und untersuchen die Sprungfedern.»

Geld

Man sprach wieder einmal über das alte Thema — daß Geld zwar nicht das Glück mache, aber doch in vielem dazu beitrage.

«Das Geld macht alles!» konstatiert ein Finanzmann, der glücklich in Franken spekuliert hat.

«Das ist wahr», erwidert ein Skeptiker, «— aber, was das Geld für uns auch täte — es wird immer noch viel weniger sein als das, was wir für's Geld tun!...»

Der Mensch und das Geld

Bei Tiefsee-Expeditionen werden manchmal Stahlbehälter auf den Meeresgrund versenkt, um dort Wasserproben zu entnehmen. Da fördert man oft die absonderlichsten Dinge zutage. Hier ein paar Proben aus den Tiefen der menschlichen Seele. Alle drei sind dokumentarisch echt.

Während eines Maskenfestes im Nizzaer «Palais de Mediterranée» trat eine Amerikanerin, Miss Fowler aus Boston, ans Fenster und warf ein Paket Banknoten im Werte von 70 000 Franken auf die Straße. Nach einer kurzen Prügelei hatte die Volksmenge das Geld unter sich verteilt.

Miss Fowler erklärte, das Geld im Baccarat gewonnen zu haben. Sie sagte: «— Ich habe zum erstenmal im Leben gespielt und wollte keinen Hasard-Gewinn behalten.»

Die Bewohner des Hauses Nr. 12 der Rue Vigilance in Lyon hörten aus der Wohnung des Gastwirts Coffier unheimliche Töne dringen, die wie Röcheln und Stöhnen klangen. Man brach endlich die Tür auf. Coffier war tot.

Er hatte Veronal genommen. Bevor aber das Gift noch zur Wirkung kam, begann er (wie die Untersuchung nachher feststellte) in großer Hast eine Menge Tausendfrankenscheine, alle seine Ersparnisse, zu kauen und herunterzuschlucken. Nach den großen Scheinen kamen Hundertfrankenbilletts an die Reihe und endlich die kleinsten Fünffrankennoten... Das letzte Papier war ihm in der Kehle steckengeblieben. Der Tod trat durch Erstickung ein.

Während des Geld-Sortierens bemerkte ein Kassierer der Nationalbank von Oklahoma einen Ein-Dollarschein, welcher in geschriebenen Druckbuchstaben folgende Aufschrift trug:

«Diesen letzten Dollar meines Vermögens von einer Million gab ich für Wein, Weib, Gesang aus.»

Freie Bahn ... !

Die Londoner «News of the World» berichten von einer großartigen Szene, die sich neulich in San Franzisko abgespielt hat. Dort kam ein Chinese in das Büro eines berühmten Kriminalverteidigers.

«Was is dein Geld», sagte der Chinese, «für freikriegen einen Mörder?»

«Mein Honorar für solche Fälle beträgt 5000 Dollar cash down.»

Der Chinese knöpft seine Weste auf und zahlt aus einem Seidenbeutelchen das Geld bar auf den Tisch.

«Jetzt gib Quittung», sagte er.

Die Quittung wird ihm eingehändigt, worauf der Chinese im Fortgehen bemerkt:

«Jetzt ich geh killen den Mann.»

Der Spiegel

Eines Tages kam ein reicher und geiziger Mann zu einem weisen Rabbi. Der Rabbi führte ihn ans Fenster. «Schau hinaus», sagte er, «und erzähle mir, was du siehst.»

«Menschen», antwortete der reiche Mann.

Darauf führte ihn der Rabbi zu einem Spiegel. «Was siehst du nun?» fragte der Rabbi.

«Ich sehe mich selbst», sagte der Reiche.

Da sprach der Rabbi: «Merke auf — das Fenster ist aus Glas und der Spiegel ist aus Glas. Aber das Glas des Spiegels ist mit ein wenig Silber belegt: denn kaum kommt ein wenig Silber dazu, so hörst du auf, andere Menschen zu sehen, und siehst nur noch dich selbst.»

Franz Joseph und das Geld

Der alte Kaiser Franz Joseph hat bis an sein Lebensende keinen rechten Begriff vom Wert des Geldes gehabt. Er wußte um diese seine Bildungslücke und suchte sie durch eine Art Sparsamkeit zu verdecken. So hatte seine Freundin, die Hofschauspielerin Katharina *Schratt*, oft geradezu mit Not zu kämpfen — was um so bedauerlicher war, als sie eine großartige Wohltätigkeit entfaltete und ihren Einfluß beim Kaiser in edelster Weise ausnützte.

Eines Tages hatte sie sich aber doch einen Ring gekauft. D. h. sie hatte ihn noch nicht bezahlt, weil sie das vom Kaiser erhoffte.

Als Franz Joseph sie am Nachmittag besuchen kam, zeigte sie ihm den Ring. Der Ring trug einen riesengroßen Brillanten.

Sie steuert also vorsichtig auf ihr Ziel los, und fragt den Kaiser zuerst einmal, wie ihm dieser Ring gefalle?

«Sehr nett, sehr nett...», sagt Franz Joseph.

Drauf fragt sie den Kaiser, was er wohl glaube, daß der Ring koste?

Franz Joseph schaut ihn prüfend an und sagt: «Zwanzig Gulden.»

«Aber nein», sagt die Schratt. «Er kostet natürlich viel mehr. Rat noch einmal!»

Franz Joseph schaut ihn noch prüfender an und sagt:

«Vierzig Gulden.»

«Vierzig Gulden?... *Achttausend Gulden kostet er!*»

Langsam dreht Franz Joseph den Ring in der Hand hin und her. «Achttausend Gulden?... *is aa net teuer.*»

Was mir Jimmie erzählte

Im *Pinenut-Distrikt von Newada* wurden vor dem Kriege goldführende Adern entdeckt. Es gab einen riesigen Rush aus den benachbarten Minenstädtchen — um Pinenut drehte sich plötzlich die Erdachse... Leider wurde das Goldvorkommen bald unergiebig. Ein paar Fanatiker hielten immer noch aus — in der Hoffnung, daß eine scharfe Steinhacke jeden Moment eine Goldkonda öffnen könnte. Nun hatte einer von diesen Überbleibseln den schlechten Geschmack gehabt, zu sterben. In solchen Mining-Camps war es üblich, daß der Distriktsregistrator den Mann zur Ruhe geleitete. Ganz gleich, ob der Selige mit oder ohne Stiefel an den Füßen dalag — die Zeremonie war für beide Sorten dieselbe... Das Begräbnis hier fand in einem trockenen Flußbett, einem «Creek» statt.

Eine Grube — 6 mal 3 Fuß — war aus dem Grund ausgehoben worden. Der Verblichene ruhte in einem rohen Holzsarg.

Der Registrator hatte die Brille auf und las den Text:

«Nichts brachtest du in die Welt mit und nichts wirst du aus ihr hinaustragen.»

«Erde zur Erde!» sprach der Registrator feierlich, griff eine Handvoll Lehm und Sand und ließ sie dumpf auf den Holzdeckel prasseln...

«Asche zur Asche!» fuhr er ergriffen fort. Aber statt der Asche blinkte plötzlich der Glanz eines Goldnugget vom Sargdeckel auf. Da lag es — auferstanden von der Ewigkeit.

Hier nun ließ der Registrator sein Gebetbuch fallen, sprang mit einem Satz in das Grab, hob den Sarg mit einem Schwung hinaus und rief mit lauter Stimme:

«Ich beanspruche 750 Fuß nach Norden und Süden, 600 Fuß nach Osten und Westen. Alle Mann — marsch fort vom Grundstück.»

Zur Überredung hielt er zwei riesige Six-Shooter auf uns gerichtet. Nachdem das Areal von Menschen gesäubert war, rammte er unverzüglich die Grundstückspfosten in die Erde.

Die Beerdigung fand am selben Tage in einem Gemüsegarten statt.

GLÜCK

Der berühmte Reisende Hilaire Belloc erzählt von einem alten Neger, den er in einem Dock von New York beobachtete. Dieser Neger benahm sich sehr merkwürdig: er hatte Holzkisten zuzunageln und schlug sich etwa bei jedem dritten Nagel mit dem Hammer kräftig auf die Finger, so daß er immer wieder sein Gesicht vor Schmerz verzog.

Nachdem Belloc dieses eine Weile angesehen hatte, trat er zu dem Neger und fragte ihn, warum er sich denn immer wieder auf die Finger haue?

«Well, Massa», sagte der Neger grinsend, «ich gebe zu, es schmerzt jedesmal. Aber dafür fühl ich mich in der Zwischenzeit immer so angenehm...!»

HAARE

Mit vorzüglicher Hochachtung

Professor L. war seinerzeit ein berühmter Spezialist für Haarhygiene. Er stand sozusagen im Scheinwerferlicht aller Glatzen des Kontinents.

Aber nicht jeder hatte das Geld, persönlich die Reise zum Professor zu machen. Daher ordinierte L. zuweilen auch brieflich.

Eines Tages erhielt er einen Brief, dessen Absender über leichten Haarausfall klagte und genau die Symptome beschrieb.

Professor L. verordnete ihm eine Medizin, ermutigte den Patienten und bat ihn, zwecks Überwachung der Kur jeden Monat ein Haar einzusenden. In einem Briefkuvert.

Drei Monate lang trafen die Kuverts mit dem Haar pünktlich ein.

Im vierten Monat enthielt das Kuvert dazu auch noch folgendes Schreiben:

«Hochverehrter Herr Professor,
indem ich dieses Haar beilege, halte ich es für meine Pflicht, Sie darauf aufmerksam zu machen, daß ich leider genötigt bin, meine Sendungen künftig einzustellen. Beiliegendes Haar ist mein letztes.

Mit vorzüglicher Hochachtung
...»

Der Beweis

In einem der luxuriösesten Rasier-Salons von New York verlangt ein Kunde ein Haarwuchsmittel.

Der Besitzer offeriert ihm strahlend eine Flasche zu 25 Dollar.

«By Jove! Das ist ein bißchen teuer... Können Sie mir den Erfolg garantieren?»

Der Besitzer, gegen dessen Haarmähne Absalom eine Billardkugel ist, weist auf seine Locken und sagt schlicht:

«Bitte, sehen Sie! Ich bediene mich ausschließlich dieser Haartinktur.»

Doch um den Kunden endgültig zu überzeugen, setzt er hinzu:

«Und so sah ich vor dem Gebrauch aus!»

Und er lüftete seine Perücke.

Slawisches Sprichwort

«Besser einmal im Jahr gebären, als sich Tag für Tag den Bart rasieren.»

HÄUSER

Die Universität von Chikago wollte ein neues Gebäude errichten. Ein Architekt schlug vor, es in gotischem Stil zu bauen. Es entstand eine lebhafte Diskussion. «Wollen wir doch die Leute in Oxford fragen, was sie dazu zu sagen haben», riet ein Komiteemitglied. Alsbald traf die Antwort aus Oxford ein: «Wir bedauern, Ihnen mitteilen zu müssen, daß man an dieser Universität seit sechshundert Jahren nichts Gotisches mehr gebaut hat.»

Nur ordentlich festbinden ...

Ein Geistlicher ermahnte ein verheiratetes Paar, bei dem der Streit und Zank nimmer aufhörte. Er wies auf einen kleinen Hund und eine kleine Katze hin, die gleich vor dem Hause friedlich nebeneinander lagen:

«Nun, Peter, seht Euch doch diese beiden kleinen Tiere an. Was für ein Beispiel köstlicher Eintracht! Wie friedlich und freundlich sie sind!»

«O ja Ehrwürden, das ist alles sehr schön. Aber binden Sie die mal zusammen, und sehen Sie dann, was herauskommt.»

Die Stimme der Natur

Jemand hielt um die Hand einer schönen naiven jungen Dame an. Und zwar telegraphisch. Mit bezahlter Rückantwort. Sie ging sofort aufs Telegraphenamt und fragte, wieviel Worte sie absenden dürfe. Der Beamte sagte ihr: zehn. Sie telegraphierte: Ja, ja, ja, ja, ja, ja, ja, ja, ja, ja.

Dreizehn zu eins

Ein Prediger in Missouri wurde kurz vor dem Gottesdienst in die Sakristei gerufen — von einem jungen Paar, das sogleich getraut werden wollte. Der Pastor erklärte, daß er jetzt eben keine Zeit dazu habe. «Doch will ich», sagte er, «Euch gegen Ende der Predigt Gelegenheit geben, vor den Altar zu treten, und sodann die Zeremonie vollziehen.»

Das Paar war einverstanden. Im verabredeten Augenblick rief der Geistliche feierlich:

«Jene, die in den heiligen Stand der Ehe treten wollen, bitte ich nun, vor den Altar zu kommen.»

Dreizehn Frauen und ein Mann traten vor.

Das Problem in Sprichwörtern

Warum so rot? — Ich will heiraten — Warum so bleich? — Ich habe geheiratet.

Der Junggeselle — ein halber Mensch.

Ein Mädchen-Nein ist keine Absage. Ein Mädchen-Nein ist kostbarer als ein Ja.

Weibesmitgift bleibt quer in der Kehle stecken.

Rühm dich der Ehe nicht am dritten Tage, sondern im dritten Jahr!

Die Familie wütet, der Einsame brütet.

In des anderen Weib tut der Teufel einen Löffel Honig.

Nicht vom Schönsein lieb, sondern vom Liebsein schön.

Alle Mädchen sind gut — wo kommen bloß die bösen Frauen her?

Zärtlichkeit der Frau — Stille des Meeres.

Von unserer Rippe ist nichts Gutes zu hoffen.

Eine Antwort Ia

Eine junge und eine ältere Frau warten auf den Autobus Ia. Das Ungeheuer braust heran.

«Besetzt!» ruft der Schaffner, nachdem die Jüngere eingestiegen ist, «alles besetzt, meine Dame!»

«Aber Sie werden doch nicht eine Tochter von ihrer Mutter trennen!» protestiert die ältere Frau.

«Da hab'n Sie recht!» ruft der Schaffner und gibt das Abfahrtszeichen. «Einmal im Leben hab' ich das Ding riskiert — und bereue es noch heute.»

Der schwarze Donnerstag

Nach der Trauungszeremonie stapfte der Bräutigam Kid Jumbo, schwarz wie die beste Pittsburg-Steinkohle, langsam auf den Geistlichen zu und zog seinen Geldbeutel: «Was hab' ich für die Geschichte anzulegen?»

«Ich überlasse das gewöhnlich dem Bräutigam», war die Antwort. «Manche zahlen fünf Dollar, manche Zehn, manche weniger.»

«Fünf Dollar sind 'ne mächtige Stange Geld», meinte Kid Jumbo. «Ich geb' Ihnen Zwei Dollar. Und wenn ich in einem Monat seh', daß ich hier ein gutes Geschäft gemacht habe, dann werd' ich Ihnen noch mehr geben.»

Und richtig — nach einem Monat taucht Kid Jumbo auf der Bildfläche auf.

«Reverend», sagt er, «das Geschäft hier ist 'ne Art Spekulation. Ich fürchte, daß Sie diesmal nicht günstig abschneiden. Nach meiner

Berechnung schulden Sie mir annähernd einen Dollar und fünfundsiebzig Cents.»

HEUCHELEI

Ein russischer Bauer erzählte mir in der Fastenzeit folgende Geschichte:

Ein Mönch hatte einmal während der Fasten den schrecklichsten
Appetit auf Hühnereier bekommen und sich ein solches endlich ver-
schafft. Niemand sah zu; er war allein in der Zelle. Da legte er das
Ei auf seinen Eisenlöffel und hielt diesen solange über das Lämpchen vom Muttergotteslicht, bis das Ei gar war.

Schon fing der Mönch gierig zu essen an, als plötzlich der Archi-
mandrit hereinkam!

Der sündige Mönch wurde sogleich vor den Klosterkonvent zi-
tiert. Er war aber verstockt und redete sich damit aus, daß der Teufel selber ihm das eingeflüstert habe. Also zitierte man auch den Teufel vor den Konvent und hielt diesem scheltend die Sache vor.

Der Teufel aber kratzte sich verblüfft hinterm Ohr und sagte, er
wüßte von nichts, die Sache mit dem Lämpchen sei ihm selber neu,
er wär' von alleine, bei Gott, nicht auf die Idee gekommen!

HOCHZEIT

Frauen untereinander

Das ist eine große Hochzeit. Die Madeleine-Kirche verschwindet
fast unter den Stoffdraperien. Und vor dem Eingang steht dicht ge-
drängt die übliche Zuschauermenge: Verkäuferinnen, kleine Angestellte, Straßenjungen. Jetzt kommt der Hochzeitszug aus der Kirche. Er, der Bräutigam, ist würdevoll, ernst, steif und ... in den
besten, allerbesten Jahren. Offenbar muß er sehr reich sein. Sie dagegen ist eine entzückende Brünette, pikant, mit vollen Lippen —
welch ein schönes Mädchen! Ein kurzer Aufenthalt: es wird photo-
graphiert. Wie der Zug sich wieder in Bewegung setzen will, löst sich
ein Blumenstrauß vom Brautkleide und fällt auf den Teppichläufer.
Eine kleine Verkäuferin in der ersten Zuschauerreihe hat den Unfall
bemerkt, bückt sich geschickt nach den Blumen, überreicht sie der
Braut, und flüstert ihr dabei auf echt pariserisch zu:

«Na, wissen Sie, ich hab' kein so großes Theater gemacht an dem
Tage, wo ich ...»

Die hübsche Brünette wirft ihr einen kostbaren Blick zu und flüstert zurück:

«Ich auch nicht.»

Leichtathletik

Bei einer eleganten Hochzeitsfeierlichkeit in San Franzisko wandte sich ein Fremder an einen fabelhaft gekleideten jungen Mann, den er für den Bräutigam hielt:

«Sie sind der glückliche Gatte, nicht wahr?»

«Nein, mein Herr», versetzte der junge Sportsmann — «ich bin bereits in den Vorläufen ausgeschieden.»

Aphorismus

Ein Schriftsteller sagt: «Eine Heirat mißrät selten, wenn Mann und Frau etwas haben, worüber sie gemeinsam lachen können.»

Da gibt's zum Beispiel immer die Hochzeitsphotographie.

HOTELS

Der Genießer

Ein distinguiert-schäbiger Reisender betritt die durchaus vergoldete, vermarmorte und verspiegelte Hotelhalle. Er läßt feierlich seinen Namen eintragen.

«Ein Zimmer gefällig?»

«Nein.»

«Wünscht der Herr zu speisen?»

«N-nein... Ich möchte bloß... ankommen. Es ist 'ne gute Zeit her, daß ich in einem Hotel war... und, wenn Sie nichts dagegen haben, will ich also einfach bloß ‹ankommen›. Adieu!»

Die Menschennatur

«Wie kommt es», fragte der neugierige Gast, «daß arme Leute gewöhnlich größere Trinkgelder geben als reiche?»

«Well, Sir», sagte der Kellner philosophisch: «Ich taxiere, daß ein armer Mann nicht wünscht, daß jemand herausbekommt, daß er arm ist.

Und der Reiche wünscht nicht, daß jemand herausbekommt, daß er reich ist.»

John Preskott, Bob Jones und Sandy Wheeler fuhren nach New York, um die Großstadt zu genießen. Sie stiegen in einem Wolkenkratzerhotel ab und nahmen sich ein Appartement im 100. Stock.

Als sie am ersten Abend in ihr Hotel taumelten, war gerade der große Liftstreik ausgebrochen. Der Portier erklärte bedauernd aber fest, daß sie zu Fuß nach ihrem Zimmer wandern müßten...

Um sich für die Kletterpartie zu stärken, tranken sie einen Whisky, händigten ihre Mäntel dem Portier ein und machten folgendes aus:

Vom ersten bis zum 33. Stockwerk sollte John Preskott zur Unterhaltung der Gesellschaft jodeln;

Vom 33. Stock bis zum 66. sollte Bob Jones schottische Gebirgsweisen ertönen lassen;

und vom 66. bis zum 100. Stock sollte Sandy Wheeler Schauergeschichten erzählen. Das würde sie auf ihrer Wanderung frisch halten.

Mit vielen Abschiedsgrüßen machten sie sich auf den Weg. John Preskott jodelte mit ganzen Alpenzügen in der Kehle. Es war sehr schön. Sie stiegen und stiegen. Von Stock 33 an begann Bob Jones hinreißend zu singen. Es war noch schöner. Sie stiegen und stiegen und stiegen. Endlich war der 66. Stock erreicht.

Da räusperte sich Sandy und sagte: «Jetzt will ich euch eine Schauergeschichte erzählen. Und das beste ist, daß sie *wahr* ist: — *Jungens — ich merk eben — ich hab' unsern Zimmerschlüssel unten im Paletot gelassen!*»

HUNDE

Interessante Überlegung

Ein Reisender stand auf dem Bahnsteig und wartete auf den Lokalzug, als ein Expreßzug plötzlich vorbeiraste. Im selben Moment stürzte der Hund des Stationsvorstehers aus dem Warteraum und rannte dem Expreßzug mit wütendem Gekläff nach.

«Macht er das immer?» fragte der Reisende.

«Jeden Tag.»

«Was denkt er sich dabei?»

«Keine Ahnung. Ich frage mich bloß immer, was er mit dem Ding anfangen wird, wenn er's einmal festkriegt.»

Eine zweifelhafte Hundegeschichte

Neumann trifft seinen Bekannten Niemann auf der Straße. Niemann wird von einem Hunde begleitet, dessen Rasse schwer zu definieren ist. Ein äußerst fragwürdiger Fall. Man begrüßt sich.

«Hallo, Niemann, wie geht's? Was hast du da für ein Monstrum von einem Hund? Von welcher Rasse?»

Niemann wird verlegen, zögert einen Moment und entschließt sich hastig, detaillierte Nachrichten über die eigene Gattin und die Kinder zu geben.

«Schon gut!» ruft Neumann weiter, «aber ich spreche von deinem Hund — was ist das für ein Tier?»

Neue Verlegenheit. Wiederum lenkt Niemann das Gespräch rasch auf ein anderes Gebiet ab.

Jetzt will ihn Neumann ungeduldig unterbrechen, als auf der anderen Straßenseite eine Spitzhündin auftaucht, eine Spitzhündin in Begleitung der dazugehörigen alten Dame. Worauf der fragwürdige Fall seinen Herrn stehenläßt und galant hinüberläuft.

Da wendet sich Niemann mit einem tiefen Seufzer zu seinem Bekannten und sagt leise:

«Ich wollt' es dir bloß nicht laut sagen, hier vor seinen Ohren. Es würde ihn kränken. Die Sache ist nämlich die... *er glaubt, er sei ein Foxterrier!*»

JAGD

Eine wirklich wahre Jagdgeschichte

Diese Jagdgeschichte ist wahr und wahrhaftig passiert, und zwar in den vierziger Jahren in Frankreich:

Damals hatte sich eine kleine Jagdgesellschaft auf einem Schloß in der Nähe von Bourges versammelt. Unter den Jägern befand sich auch ein Pariser — ein echter Pariser, der zum erstenmal auf dem Lande war und noch nie eine Flinte in der Hand gehabt hatte.

Eines Tages, als der Pariser wegen einer heftigen Migräne das Zimmer hüten mußte, begab sich die ganze lustige Gesellschaft in das benachbarte Städtchen, wo Jahrmarkt war, mit Seiltänzern, Schaubuden und allem anderen — darunter auch sogenannten «Wundern der Dressur». In einer Schaubude sah die staunende Gesellschaft einen gelehrten Hasen, der eine Pistole abfeuerte und sich auch «hübsch tot» niederlegen konnte. Dieses gab ihnen eine Idee. Man traf allerhand Abmachungen mit dem Besitzer des Hasens, man kehrte wieder in das Schloß zurück — und nun beginnt die Geschichte. Zwei Tage lang unterhielt man sich in Gegenwart des Parisers etwa in der folgenden Weise:

«Ach, geh! Laß mich doch mit deinen Märchen zufrieden!...»

«Aber ich sag ja nicht, daß ich es gesehen habe, ich behaupte bloß, daß die Tatsache von glaubwürdigen Zeugen bestätigt worden ist.»

«Meine Herrschaften», wendet sich der erste wiederum an die Gesellschaft, «ich glaube, daß man ihn einsperren muß! Er will mir einreden, daß man hier in der Gegend *schwerbewaffneten* Hasen getroffen hat!»

Alles beginnt zu lachen.

«Meine Herren», sagt jetzt einer der Jäger sehr ernsthaft, «auch ich habe genau so wie Sie gelacht, aber da wir schon davon sprechen ... Ich weiß nicht, wie ich es Ihnen erzählen soll. — Ja, Sie werden mich für verrückt halten... Also gut, ich schwöre Ihnen, daß ich vorigen Sonnabend in der Tannenschonung von einem Hasen angegriffen worden bin.»

Man will wieder lachen, aber man besinnt sich dieses Mal anders und beginnt bereits im Flüsterton über den besorgniserregenden Geisteszustand des armen Jägers zu sprechen... Man will an seine Familie schreiben; sodann beschließt man, um ihn nicht unnütz aufzuregen, dieses Gesprächsthema um jeden Preis zu vermeiden. — Was den Pariser anbetrifft, so hatte der alles angehört; er war verblüfft, und hütete sich, irgendeine eigne Meinung zu äußern.

Nach dieser Vorbereitung beschloß man eine Jagdpartie für den nächsten Morgen. Dieses Mal hatte der Pariser keine Migräne und fühlte die größte Begierde, zum erstenmal im Leben einen Schuß abzufeuern. — Nach einem halbstündigen Fußmarsch bemerkt man in einer Entfernung einen Hasen, der still am Grabenrande vor sich hin mümmelt... — «Ah, das ist eine brillante Gelegenheit für einen Anfänger!» flüstert man von allen Seiten.

Und man drückt dem Pariser ein leichtes kleines Damengewehr in die Hand. — «Entsichern Sie... legen Sie an! Sehr gut...Schießen Sie!...»

Der Schuß knallt, und der Hase rollt in den Graben.

«Er ist tot!... Ich habe ihn geschossen!» ruft der Pariser begeistert.

«Sehr gut. Jetzt gehen Sie ihn holen.»

Der Pariser läuft zum Graben hin; aber in dem Augenblick, wo er schon die Beute ergreifen will, geschieht etwas Entsetzliches; der

Hase hüpft plötzlich auf und schießt gegen den Pariser eine kleine Pistole aus nächster Nähe ab!

Bleich und am ganzen Körper zitternd, stolpert der Ärmste zu den Jägern zurück.

«Nun?... Wo ist der Hase?»

«Oh, meine Herren», flüsterte er mit erlöschender Stimme, «oh, das ist kein Scherz, das ist *furchtbare Wahrheit*: Die Hasen — verteidigen sich wirklich! Ich bin soeben um ein Haar ermordet worden...»

Und er nimmt seine letzte Kraft zusammen und fällt in Ohnmacht.

Ein Mann aus Hollywood wollte gern einen Grizzlybär erlegen, fuhr nach Norden, wurde auf eine Spur gesetzt, und ward für drei Tage nicht mehr gesehen. Endlich kam er wieder zum Vorschein, aber ohne Bär. «Du hast wohl die Spur verloren?» fragte ein Kamerad. «Nee, ich hab sie alleweil weiter verfolgt.» «Also, was ist denn passiert?» — «Die Spuren wurden plötzlich immer frischer — und da zog ich los.»

Ein Treffer

Ein Jäger wollte nicht mit leeren Händen heimkommen und kaufte deshalb auf dem Markt einen wunderbaren Hasen. Nur daß der Hase schon ein wenig Wildgeruch hatte.

«Mein Lieber», sagte die Gattin und betrachtete den Hasen mit vibrierenden Nasenflügeln, «das ist gut, daß du ihn heute geschossen hast: es war die höchste Zeit.»

INSEKTEN

Phantastisches Erlebnis

Der Dramatiker Courteline kommt in ein Provinzhotel und verlangt ein Zimmer. Man zeigt ihm eines, und es gefällt ihm. Eben will er seine Namen in das Gästebuch eintragen, als er zu seinem Entsetzen eine Wanze die Seite entlangkriechen sieht! Schnell greift er nach Hut und Koffer und steuert auf den Ausgang zu. An der Tür verstellt ihm der Besitzer den Weg:

«Sie verlassen das Hotel? — Warum? —»

«Mein Herr, keine Macht der Erde wird mich zwingen, in diesem Hotel zu übernachten — in einem Hotel, wo die Wanzen sich persönlich darüber informieren, in welchen Zimmer ich schlafe!»

Nächstenliebe

Ein freeborn american citizen von elf Jahren fängt eine Fliege an der Fensterscheibe. Er hält sie zwischen den Fingern und fragt:
«Little fly, bist du ein guter Christ?»
«Yes.»
«Little fly, liebst du auch den lieben Gott?»
«Yes.»
«Little fly, möchtest du gern in den Himmel kommen?»
«Yes.»
«All right! Geh!»
Und er zerdrückt sie.

Schottische Geschichte

Ein Schotte hatte eine kleine Schuld zu bezahlen und öffnete langsam, zögernd sein Portemonnaie — —
... Eine Motte flog heraus.

Das Insekt

Ein Schauspieler, der soeben den Julius Caesar gemimt hatte, nahm, noch jeder Zoll ein Herrscher, zum Abschminken vor dem Spiegel Platz.
Da sah er, wie eine Fliege sich ihm auf die Nase setzte.
«Wohl wahnsinnig geworden...!» sagte er und scheuchte sie mit der Hand weg.

JUWELEN

Ein Perlenhalsband erzählt

Ein stocksteifer Amerikaner kommt zu mir und verlangt eine Riesenperle, von einer sehr seltenen orientalischen Art. Mit vielen Mühen gelingt es mir, endlich ein Exemplar aufzutreiben. Nach längerem Feilschen zahlt der Amerikaner 150 Tausender glatt auf den Tisch.

Sechs Monate darauf erhalte ich von ihm einen Brief aus New York: «Ich will meiner Frau das schönste Ohrgehänge der Welt schenken. Beschaffen Sie mir eine zweite, ganz ähnliche Perle als Pendant.»

Immer wieder dringende Telegramme aus New York, immer neue Nachforschungen — aber ohne Erfolg: das gewünschte Pendant läßt sich nicht auftreiben! Schon gab ich die Hoffnung auf, als mir ein Händler von einer Dame erzählt, die freilich in der Provinz ihren

Lebensabend beschließt und dabei im Besitz einer völlig ähnlichen Perle ist. Ich fahre sogleich hin und finde in der Tat ein verblüffend ähnliches Exemplar.

Doch die Dame wollte das teure Andenken nicht hergeben. Um den Verkauf unmöglich zu machen, nannte sie einen Phantasiepreis: 500 000 Francs. Ich kabelte sofort nach New York. Es kam umgehende Antwort:

«Bietet 400 000. Geld folgt.»

Ich hatte unendliche Schwierigkeiten, um die Dame für den Preisnachlaß umzustimmen. Mehrmals war ich nahe daran, die Sache aufzugeben. Schließlich aber gelang es mir, ihr ein zögerndes «Ja» zu entlocken. Aus Furcht vor einem Widerruf ergriff ich schnell die kostbare Perle und stellte der Dame sogleich einen Scheck auf 400 000 Francs aus. Die alte Dame ist dann gleich nach Abhebung des Schecks weggefahren.

Auf den Amerikaner und sein Geld warte ich noch heute.

Die Perle aber war der ersten so ähnlich ... daß sie dieselbe Perle war.

KAMPF

Schwarz-Weisheit

Das war im amerikanischen Sezessionskriege. Ein junger Offizier der Nordstaaten spazierte auf der Straße von Richmond und begegnete einem alten Neger. Sie kamen ins Gespräch.

«Onkel!» sagte der Offizier, «du hast doch wohl 'ne gelinde Ahnung davon, daß dieser Krieg zwischen uns und den Südstaaten sich hauptsächlich um euch Nigger dreht?»

«Yes, Sir, so sagen die Leute.»

«Schön. Du willst doch deine Freiheit, nicht wahr?»

«Ich denke, ja.»

«Warum bist du dann nicht selber in unserem Heer?»

Hier kratzte der Neger ausgiebig seinen Wollkopf.

«Boß», sagte er endlich, «habt Ihr jemals zwei Hunde um einen Knochen kämpfen gesehen?»

«Oft.»

«Well ... hat der Knochen gekämpft?»

Diese Geschichte ist in Frankreich wirklich passiert. Allerdings bereits im 16. Jahrhundert, doch wirkt sie immer wieder neu.

Es herrschte ein wütender Haß damals zwischen zwei Städtchen: Villefranche und Montpazier. Jede hatte vor der anderen Angst; jede beschloß im geheimen, die andere zu vernichten.

In einer dunklen Nacht machten sich die von Villefranche nach Montpazier auf. Aber das Schicksal wollte es, daß in der gleichen Nacht sich die von Montpazier nach Villefranche aufmachten.

Die beiden Heereszüge gingen verschiedene Wege, so daß sie einander nicht begegneten.

Die von Villefranche fanden die Mauern von Montpazier unbewacht, brachen ein, plünderten, mordeten und verbrannten alles bis auf den Grund.

Die von Montpazier fanden Villefranche unbewacht, brachen ein, raubten, schlachteten und verbrannten alles bis auf den Grund.

Beide Truppen triumphierten und zogen jubelnd nach Hause. Aber als sie im Morgengrauen heimgelangten, da dämmerte ihnen die Wahrheit auf ...

Und es blieb ihnen nichts übrig, als ihre Städte friedlich und mühselig wieder aufzubauen.

Irisches Pathos

Ein Irländer kam eines Abends später heim als gewöhnlich. Er hatte ein blaugeschlagenes Auge, eine geschwollene Lippe, blutunterlaufene Wangen und eine Beule auf der Stirn. Seine Frau blickte ihn sprachlos an. Endlich rief sie: «Pat Murphy, wer hat dich so zugerichtet? War es der höllische Feind oder jemand anderes?»

«Micky Doolan war's», murmelte der verletzte Mann.

«Was», rief sie, «Micky Doolan, dieser rothaarige Rotzjunge, diese freche Schnauze — er also? So soll ihn doch — —»

«Still, Mary!» unterbrach der Gatte: «— Von den Toten soll man nicht schlecht sprechen.»

KANNIBALEN

Polynesische Anekdote

Der verschollene Rudolf Johannes Schmied, Dichter des wunderschönen Kinderbuches «Carlos und Nicolas», erzählte uns einmal folgende Geschichte, wobei er schwor, daß sie Wort für Wort wahr sei:

Er hatte sich, von Santiago de Chile aus, mit seinem Bruder zusammen in die Südsee aufgemacht, um dort unbekannte Inseln zu entdecken. Und tatsächlich, nach zwei Wochen bereits setzte er seinen Fuß auf eine grüne Insel, die noch nie ein Weißer betreten hatte. Mit unbeschreiblichem Eroberergefühl spazierte er durch das hohe Gras — als plötzlich, dicht vor seiner Nase, sieben pechschwarze Gestalten aus dem Gras wachsen und ihm sieben Sperre stumm entgegenhalten.

Schmied hatte nicht die geringste Waffe bei sich. Er fühlte, daß er die Situation wenden müsse, da sonst für ihn nicht viel Aussicht auf Fortleben bestand. So streckte er denn, einer blitzartigen Eingebung folgend, seine beiden Arme segnend gegen die Wilden aus und sprach mit tiefer, langgezogener Stimme:

«Ge — duuu — ld!»

Die Schwarzen duckten sich ein wenig, wie vor einem Zauberspruch. Schmied faßte sich ein Herz, streckte die Arme noch feierlicher aus und sprach mit noch tieferer Stimme ein zweites Mal:

«Ge — duuu — ld!»

Jetzt waren die Schwarzen davon so erschüttert, daß sie betend in die Knie sanken, die Arme ebenfalls ausstreckten und verehrungsvoll im Echo röchelten:

«... e — duuu — l...»

Schmied blickte triumphierend auf die gekrümmten Ebenholzrücken. Er fühlte, daß er mit ihnen jetzt machen könne, was er wolle.

Und mit einer Keckheit sondergleichen breitete er seine Arme nochmals aus, und sagte laut und deutlich:

«Franz Blei!»

Allein, es erwies sich, daß er den Kannibalen zuviel zugemutet hatte. Schmied berichtet, daß dieses Wort auf sie irgendwie entzaubernd wirkte: mit unwilligen Kehllauten griffen sie nach ihren Speeren und schritten wütend auf den Fremdling los.

Schmied wußte: jetzt ging es um's Leben — — er sprang zur Seite und lief wie ein Wiesel zum Boot zurück. Ein Speer pfiff ihm am linken Ohr vorbei.

Als er keuchend von Land stieß, wußte er, daß er dieses Eiland nie wieder betreten durfte.

Wollen Sie Feuer?

Kürzlich hörte ich eine seltsame Geschichte, die einem Mitglied des böhmischen Landadels passiert ist. Der Graf N. hatte sich auf eine große Weltreise gemacht und kam nach dem wildesten Feuerland — unten, gleich links, hinter Punta Arenas. Der Dampfer legte an einer wüst-romantischen Stelle an, wo eine Reihe von Indianern, jeder mit einem Maultier, auf die Passagiere warteten. Graf N. nähert sich dem für ihn bestimmten Reittier und sucht mit dem Indianer ein Gespräch anzuknüpfen. Er versucht es erst mit Englisch, dann mit den wenigen Brocken Spanisch, die er kennt — kein Erfolg, der wild aussehende Eingeborene blickt ihn verständnislos an. Um irgendeinen Punkt der Anknüpfung zu finden, greift der Graf N. nach seinem Zigarettenetui und bietet dem Indianer höflich eine Zigarette an.

Aber dieser schüttelt seinen Federschmuck und sagt kurz und deutlich:

«Nekuraci, Kistihond!»

(Das ist nämlich Tschechisch: «Nichtraucher, küß die Hand!»)

Graf N. wäre fast vom Maultier gefallen — wenn er es schon bestiegen gehabt hätte. Das war unausdenkbar... ein Patagonier! ... am Ende der Welt! Graf N. begann sofort eine fieberhafte Conan-Doyle-Untersuchung: woher, um Gottes willen, sagt ein Patagonier plötzlich «Nekuraci, Kistihond»??

Es stellte sich heraus, daß die einzige Kneipe im Umkreise von 500 Kilometer von einem Tschechen gehalten wurde.

KAUF UND VERKAUF

Diesen Herbst gab es in New York wieder einen unvorstellbaren Ansturm auf die Buchläden. Der Manager der größten Buchhandlung (Scribner's) wurde gefragt, wie er mit dem Andrang fertig werde? «Ganz einfach», sagte er: «Wir öffnen morgens um 9 Uhr und springen dann schnell zur Seite.»

Der Verkäufer

Zu Müller von Müller u. Co. kommt ein großer, magerer, energischer Bursche und spricht:

«Ich suche eine Stellung. Ich will's Ihnen nur gleich sagen, daß ich der beste Verkaufsreisende der ganzen Welt bin!»

«Gut», sagt Müller. «Einen Monat auf Probe.»

Der Monat vergeht bezaubernd friedlich, nicht eine Geschäftsorder läuft ein. Am Ersten steht der junge Mann wieder vor Müller.

«Ah, Sie sind da?...»

«Jawohl. Ich muß eine Erklärung abgeben. Ich habe gesagt, ich sei der beste Verkäufer auf der Welt. Ich muß Ihnen jetzt mitteilen, daß ich der zweitbeste Verkäufer auf der Welt bin. Der beste Verkäufer auf der Welt, das ist der Bursche, der Ihnen dieses Kehricht-

bündel hier angehängt hat, womit Sie mich zum Verkauf hinaus-
schickten.»

Der Zauberer

Ein Mann stand an der Straßenecke und verkaufte Kartenkunst-
stücke. Eins war immer fabelhafter als das andere. Jetzt holte er mit
großem Redeschwall zu seinem besten Kartentrick aus:

«Meine Herrschaften», sagte er, «sehen Sie sich hier die Karten
an — ein ganz normales, unverdächtiges Spiel — also ich sage Ihnen,
jetzt kommt ein Trick — manchmal staun' ick noch selber darüber!...»

Der sparsame Schotte

In London gibt es «Four pence»-Warenhäuser, ähnlich unseren
Zweimark-Basaren. Der bekannte sparsame Schotte, über den so
viele gute Witze kursieren, tritt eines Tages in ein solches Geschäft
und wendet sich an einen Kommis:

«Ach bitte, wo ist hier die Automobil-Abteilung?»

Ein echter Schotte

Ein Schotte schlendert durch die Straßen von Newcastle und findet in einem Ladenfenster die Aufschrift: «Hier wird alles nach der
Elle verkauft.» Sogleich tritt der Schotte in den Laden und sagt bedächtig:

«Ich möchte drei Ellen Whisky kaufen.»

Der Besitzer schaut ihn einen Moment mit zugekniffenem Auge
an, holt dann eine Flasche Whisky herunter, gießt ein wenig davon
in ein Glas, taucht den Zeigefinger hinein und zieht einen langen
nassen Strich über die Theke:

«Bitte schön. Hier sind Ihre drei Ellen Whisky.»

«Wieviel macht das?» fragt der Schotte feierlich.

«Oh, nur drei Pence, weil Sie es sind... Billig, nicht wahr, für
drei Ellen Whisky?»

«Ausgezeichnet», sagt der Schotte. «Wickeln Sie's bloß noch ein,
damit ich's mitnehmen kann.»

Inventur

Erster Käufer (mit dem Fuß auftretend): «Dieser Schuh drückt
ein wenig...»

Der Verkäufer (strahlend): «Oh, seien Sie ganz unbesorgt, das
Leder weitet sich nachher beim Gehen immer etwas aus!»

Anderthalb Sekunden später.

Zweiter Käufer (macht einige Schritte): «Dieser Schuh scheint mir etwas zu groß ...»

Der Verkäufer (strahlend): «Glauben Sie mir, das zieht sich nachher immer etwas zusammen, besonders wenn das Leder feucht wird!»

Anderthalb Sekunden später.

Dritter Käufer: «Ich glaube, dieser Schuh paßt mir gerade ...»

Der Verkäufer (strahlend): «und vor allem, wir garantieren Ihnen, daß die Schuhe in Form und Größe völlig unverändert bleiben!»

Plakat am Ausgang:

> Inventurware ist vom Umtausch
> ausgeschlossen

Das erinnert mich an einen alten böhmischen Schuster.

Waren die Schuhe zu eng, sagte er mit einem ausweitenden Seufzer:

«Ledder dääähnt sick.»

Waren sie aber zu groß, so sagte er gepreßt:

«Ledder ziegt sick z'samm!»

Die Geschichte mit Weary Williams

Weary Williams schlurfte hinein in die Pfandleihe. «Was geben Sie mir für diesen Mantel?» fragte er und brachte ein eingeblichenes, aber noch ganz gutes Kleidungsstück zutage.

Der Mann mit der Brille besah den Mantel. Kritisch, von allen Seiten. «4 Schilling», sagte er endlich, aufblickend.

«Wieso!» schrie Weary Williams: «Dieser Mantel ist zehn Eier wert, allemal!»

Der Brillenmann lächelte geringschätzig. «Ich würde nicht einmal 8 Schilling für zwei solche Mäntel geben», sagte er. «Vier Schilling oder gar nichts.»

«Sind Sie sicher, daß das alles ist?» fragte Weary Williams.

«Vier Schilling», wiederholte der Brillenmann.

«Well — hier sind Ihre vier Schilling», sagte Weary Williams, und warf das Geld auf den Tisch: «Dieser Mantel hing draußen vor Ihrem Laden, und ich wollte gern wissen, was er eigentlich wert ist.»

Ein Kaufmann in St. Louis steht zigarrerauchend vor der Tür seines Ladens. Da kommt ein Yankee Pedlar (ein Hausierer) vorbei und begrüßt ihn mit einem lässigen «How do you do?»

Der Kaufmann antwortet mit einem verächtlichen Schweigen. Der Hausierer fährt fort:

«Mir scheint, mit Ihnen ist heute kein Geschäft zu machen?»

«Ich taxiere: nein», versetzt der Kaufmann lakonisch und mustert ihn von Kopf bis zu Füßen.

«Sehr bedauerlich für Sie», sagt der Yankee, «denn ich habe hier ausgezeichnete Rasiermesser, die besten in ganz USA. Ich will Ihnen das halbe Dutzend für drei Dollar ablassen...»

«Ich brauche sie nicht.»

«Da will ich doch drei Dollar wetten», sagte der Yankee hitzig, «daß Sie mir ein annehmbares Gebot auf meine sechs Rasiermesser machen werden!»

«Topp!» ruft der Kaufmann siegesgewiß, «ich nehme die Wette an.»

Ein neugieriger Nachbar tritt herzu. Man übergibt ihm drei Dollar von der einen und drei Dollar von der anderen Seite.

«Gut», fährt der Hausierer fort, «diese Rasiermesser haben immerhin einen Wert: machen Sie Ihr Angebot!»

«My boy, ich biete dir zwei Cent für die sechs Rasiermesser», sagt der Kaufmann gravitätisch.

«Gemacht!» ruft der Yankee, «hier sind die Messer, geben Sie Ihre zwei Cent, und Sie, Herr Nachbar, die sechs Dollar!»

Der Kaufmann nimmt verdutzt die neuerworbenen Rasiermesser, zahlt zwei Cent und brummt irgend etwas wütend durch die Zähne.

«Mir scheint», sagt der Yankee äußerst höflich, «mir scheint, daß Sie den Kauf bedauern. Wenn ja, so bin ich bereit, ihn rückgängig zu machen!»

«My boy, ich sehe, daß du im Grunde ein netter Kerl bist. Also gut: hier hast du deine Rasiermesser zurück.»

«Und hier sind Ihre zwei Cent, Mister», sagt der andere und steckt die Rasiermesser kaltblütig ein.

«Oho! Halt! — und meine drei Dollar?»

Da wendet sich der Yankee erstaunt zurück:

«Sie haben», sagte er, «einen *Kauf* und eine *Wette* abgeschlossen. Das sind zwei ganz verschiedene Dinge. Der Kauf wurde annulliert. Die *Wette* aber haben Sie verloren. Kein Mensch hat davon gesprochen, daß auch die Wette annulliert würde! Hätten *Sie* die Wette gewonnen, so besäßen Sie jetzt meine drei Dollar. Da *ich* sie gewann, so besitze ich die Ihren. — Hoffentlich sehen wir uns bald wieder!...»

KINDER

Die Geschichte von Jacqueline

Jacqueline lebt wirklich und ist viereinhalb Jahre alt. Sie ging ganz allein im Garten spazieren und hat sich — trotz des strengen Verbots — nicht enthalten können, in einen am Boden liegende Apfel hineinzubeißen.

Einige Tage darauf erzählt ihr die Mutter die Geschichte von Adam und der unartigen Eva, die den Apfel gegessen hat.

Und das ist nun der Moment, wo Jacqueline rot wird, ganz rot...

Dann aber wirft sie sich, in einem großartigen Anfall von Wahrhaftigkeit, bitterlich weinend auf Mamas Schoß:

«Das war nicht Eva, die den Apfel gegessen hat!... Das war Jacqueline!»

Geschichten von Nelly

Nelly ist eine entzückende kleine Dame von sechs Jahren.

Nelly schläft neben ihrer Mutter. Nelly wird bereits bei Tagesanbruch munter.

Die Mutter sagt: «Schlaf wieder ein, Kindchen. Es ist noch nicht hell genug, um zu sprechen.»

Nelly (ganz leise): «Mammi, ist es hell genug, um zu flüstern?»

Nelly ist schrecklich eigensinnig. Beim Buddeln gab es einmal eine dramatische Szene: Nelly schrie, wälzte sich auf dem Sande, strampelte mit den Füßen. Das ging so eine Viertelstunde. Ich bat das Kindermädchen um Aufklärung.

«Nein, sie ist nicht zu beruhigen», sagte das Mädchen. «Sie will etwas haben, was ich ihr nicht geben kann...»

«Was will sie denn haben?»

«Sie hat ein großes Loch in den Sand gegraben und will es durchaus mit nach Hause nehmen.»

Nelly spielt mit dem schwarzen Hauskater. Er heißt «Nigger», hat Bernsteinaugen und ist sehr jung und weise. Nelly nimmt jede seiner Pfoten in die Hand, betrachtet sorgfältig die rosigen Ballen auf der Rückseite und sagt sorgenvoll (als ob sie eine Brille auf der Nase hätte): «Mammi, Nigger ist furchtbar unordentlich — jetzt hat er Löcher in allen seinen Socken!»

Vor dem Zubettgehen spricht Nelly ihr Gebet. Mama bleibt bei ihr, bis das Amen gesagt ist. Dann ist die kleine Fracht im Traumboot verpackt.

Gestern betet Nelly besonders feierlich. Mama hört staunend: «Lieber Gott, mach mich rein; ganz rein, lieber Gott, so rein wie garantiert reiner Malzextrakt...»

«Mutti, ich möchte eine Puppe haben», bittet Nelly.
«Aber du hast ja schon eine!»
«Eine andere... eine neue...»
«Aber deine Puppe ist ja noch gar nicht abgenutzt!»
«Sieh, Mutti, ich bin doch auch gar nicht abgenutzt, und doch hast du ein neues Baby bekommen!»

«Mutti, warum willst du nicht mit mir spielen?» fragt Nelly.
«Weil ich keine Zeit habe.»
«Warum hast du keine Zeit?»
«Weil ich arbeite.»
«Warum arbeitest du?»
«Um Geld zu verdienen.»
«Warum verdienst du Geld?»
«Um dir Essen zu geben.»
Kleine Pause:
«Ich hab' keinen Hunger!»

Kindermund

«Kleiner, wenn du mir versprichst, nicht mehr dieses häßliche Wort zu brauchen, dann gebe ich dir zwanzig Pfennig.»
«Sie, aber ich kenn noch ein anderes Wort, das ist mindestens seine achtzig Pfennige wert!»

Aus der englischen Presse:

In Swansea gibt's einen so sonnigen kleinen Boy, daß seine Mama ihn nur durch ein angerauchtes Glas ansehen kann.

Mein Neffe Fritz

Fritz (7 Jahre) ist ein phantastisch unartiger Junge. So hat er eines Tages die ganze Tinte ins Aquarium gegossen, damit die Goldfische glauben sollten, daß es Nacht sei. In der letzten Zeit befolgt er die Schrei-Taktik, so daß man schon des Lärmens wegen nachgibt.

Neulich wacht er in der Nacht auf und schreit, daß er den Mond sehen will!

Dabei war der Himmel bedeckt. Fritz läßt nicht locker. Mit schwacher Hoffnung schleppen ihn die Eltern auf den Balkon — vielleicht zeigt sich der Mond doch noch!

Und richtig, nach 42 Minuten kommt er rund und silbern aus den Wolken.

«Bist du nun zufrieden?» fragt Papa.

«Nein!» kläfft Fritz leise.

«Aber da siehst du doch den Mond», wendet Mama begütigend ein. Und Fritz brüllt los:

«Aber ich will ihn ja von der anderen Seite sehen!»

Meine Nichte

Meine Nichte stellt sich auf die äußersten Zehenspitzen und läßt den Brief mit Mühe und Not in den Briefkasten gleiten.

Dann wartet sie zwei Sekunden.

«Glaubst du», fragt sie endlich, «daß der Brief jetzt schon ein wenig weiter ist?»

Sie ist so naschhaft, daß sie sich mit dem Kuchen sogleich vor den Spiegel stellt.

«Auf die Art», sagte sie, «auf die Art eß ich *zwei* Kuchen!»

Im Zoologischen Garten rief sie vor den Höckern des Kamels: «Oh!... wo hat es sich so abgeschlagen?»

Kleine Menschen

Lisa hat ihren vierten Geburtstag. Infolgedessen hat sie eine Riesenserviette umgebunden bekommen und sitzt, mit einem Mohnhörnchen in der Hand, vor einer dampfenden Tasse Schokolade.

Sie ist eifrig damit beschäftigt, das Hörnchen hineinzutippen. Plötzlich fängt Lisa zu schluchzen an.

«Aber was hast du denn, Lisa?»

Sie schluchzt noch heftiger:

«Siehst du denn nicht — wie das Hörnchen — mir die ganze — Schokolade austrinkt?»

Ihr Bruder Peter ist neulich bestraft worden, weil er sehr unartig gewesen ist. Kurz nach diesem peinlichen Moment kommt eine Freundin von Mama zu Besuch. Sie hat dem Peter Bonbons mitgebracht, küßt ihn und fragt endlich:

«Sag mal, hast du deine Mutter lieb, Peterle?»
Aber er grollt noch, Mutti ist so streng gewesen!
Und so sagt er ganz langsam:
«Ja... manchmal!»

Das kleine Fritzchen

Fritzchen ist mit seinen acht Jahren bereits ungeheuer aufgeweckt. Er hört atemlos von den sechzigstöckigen Wolkenkratzern in Amerika. «Mensch», sagt er nach einer ganzen Weile, «da kann man ja tagelang am Geländer 'runterrutschen!»

Dagegen fuhr er mit einem gewissen Mißtrauen aufs Land hinaus, weil er gehört hatte, daß es dort — Dreschmaschinen gebe!

Dann aber schaute Fritzchen sich seinen Ferien-Wohnsitz begeistert an — denn auf der Hühnerfarm seines Onkels gab es allerhand zu sehen. So beobachtete er neulich, wie ein Küken sich energisch den Weg ins Freie durch die Eierschale brach. «Onkel», sagte er, «wie ein Küken aus der Eierschale kommt, das ist mir jetzt klar! Aber eins kann ich nicht verstehen: — wie ist es eigentlich da hineingekommen?»

Elegante Lösung

Anni (5 Jahre) ist im Kinderzimmer allein geblieben. Ihr kleiner Bruder Tommy dreht heftig an der Klinke und will hinein.
«Du darfst nicht 'reinkommen, Tommy.»
«Warum darf ich nicht?» fragt Tommy weinerlich.
«Weil ich im Hemd bin, und weil Mutti gesagt, daß kleine Jungen kleine Mädchen im Hemd nicht sehen dürfen.»
Folgt eine kurze Pause, während welcher Tommy fieberhaft an der Klinke arbeitet. Plötzlich ruft Anni triumphierend:
«Kannst jetzt 'reinkommen, Tommy: ich hab's ausgezogen!»

Das Wichtige

Fritzchen (8 Jahre), redet ernst mit Papa:
«Papa, ich wollte dich schon längst nach zwei wichtigen Dingen fragen...»
«Nun, mein Junge?»
«Papa, es ist doch klar, daß ich an solche Märchen wie den Storch nicht mehr glauben kann. Kein Mensch tut das heutzutage. Woher kommen die Kinder, Papa?»
Der Vater erklärt es ihm, so gut er kann: «Sieh, mein Junge, die

Pflanzen, die Tiere... usw. usw.»; bis das große Mysterium endlich entschleiert ist.

«Ja», sagt Fritzchen hingerissen, «ja! — und dann noch etwas Wichtiges: Warum sind die gestempelten Briefmarken teurer als die ungestempelten?»

Die zwei Übel

In Südeuropa gab es ein Erdbeben, das die Einwohner einer gewissen Stadt furchtbar erschreckte. Ein Ehepaar schickte deshalb seinen kleinen Jungen in einen anderen Distrikt, zu einem Onkel, in Sicherheit.

Ein paar Tage später erhielten die Eltern folgendes Telegramm: «Schicke Jungen zurück. Sendet Erdbeben.»

Gedicht in Prosa I

Und es sagte der einsame kleine Junge: «Ich wollte, ich wäre zwei kleine Hunde, dann könnte ich zusammen spielen...»

Gedicht in Prosa II

Lilli sieht ihrer Mutter zu, wie sie im Garten arbeitet. «Mammi, ich weiß, warum die Blumen wachsen: sie wollen aus dem Schmutz heraus.»

Paradiesische Zustände

Der Peter hat seiner noch kleineren Schwester Anni eine glatte Ohrfeige gegeben. Infolgedessen stößt Anni gellende Schreie aus. Die Mama stürzt in das Kinderzimmer und interpelliert:

«Schämst du dich nicht, deine kleine Schwester zu schlagen?»

Peter: «Warum betrügt sie beim Spiel?»

«— Was habt ihr denn gespielt?»

Peter: «Adam und Eva... Statt mich zu verführen mit'm Apfel, hat sie ihn schnell ganz allein gegessen!»

Der verlorene Vater

Zwölf Uhr mittags. Die Straße ist zum Platzen angefüllt von Menschen, Autos und Benzinrauch. Ein sechsjähriges Knäbchen schreitet auf den Schupo zu und zupft ihn am Ärmel.

«Herr Schupo, haben Sie nicht einen Papa ohne einen kleinen Jungen gesehen?»

Darauf, in Tränen ausbrechend:

«Der kleine Junge, das bin ich!»

Pflichtbewußtsein

Klein-Elschen heulte energisch. Da rief Mama, um sie abzulenken:

«Komm her, Elschen — komm her und sieh den schönen Aeroplan!»

Und richtig, Klein-Elschen rennt, was die Beinchen hergeben, zum Fenster und drückt sich die Nase an der Scheibe platt, bis der Aeroplan endgültig verschwunden ist.

Dann zieht sie ihr kleines, ganz nasses Taschentuch heulbereit wieder hervor und fragt langsam: «Mutti — worüber hab' ich doch geweint...?»

Außer das

«Henry», sagte die Mutter des kleinen Jungen, «geh leise nach oben und sieh nach, ob Papa schläft.»

Henry kam sehr bald auf den Zehenspitzen zurück und flüsterte: «Ja, Mama, er schläft ganz und gar, außer seiner Nase.»

Der Wolf in der Fabel

Mimi ist fünf Jahre alt. Zitternd, schluchzend läuft sie herein und stürzt sich in die Arme von Mutti.

«Ja, was ist denn mit dir, mein Kindchen? Wovor hast du Angst?»

«Oh», stammelte Mimi mit einem Tränenschauer: «Mutti — hör doch: ich hab' mich so gelangweilt, und da hab' ich mir zum Spaß eine Geschichte erzählt, und da drin kamen Wölfe vor, und da hab' ich solche Angst bekommen...»

Der berühmte Filmregisseur Cecil de Mille hat eine kleine Tochter, die gern dem Radio lauscht. Trotzdem muß sie abends zeitig ins Bett und vorher ihr Nachtgebet sprechen. Eines Abends hört ihr Vater aus dem Nebenzimmer, wie sie artig ihr Gebet sagt und dann schließt: «Hier spricht Cecilia de Mille aus Hollywood und wünscht gute Nacht.»

Kindermund

Karlchen ist wieder entsetzlich laut, der achtjährige Bengel. Er kreischt durch alle Räume und will endlich auch ins Schlafzimmer von Mama eindringen! Aber das wird ihm verboten. «Was is'n los?» fragt Karlchen. «Verhalte dich ruhig, Kindchen», flüstert die Tante. «Deine Mutti muß sehr leiden, sie ist vom Storch gebissen worden»...

«Schrecklich —!» sagt Karlchen und wird auf einmal ganz still: «Die arme, arme Mama — erst die schwere Entbindung und dann noch vom Storch gebissen!! — —»

KIRCHE

Ursprungsbestimmung

Ein englischer Geistlicher pflegte in seinen Predigten zahlreiche Anleihen aus berühmten Predigtsammlungen unterzubringen. Eines Sonntags nimmt ein würdiger Greis nahe seiner Kanzel Platz. Kaum ist die Predigt beim dritten Satze angelangt, als der Fremde recht laut und für die Nachbarn hörbar murmelt:

«Das ist von Tillotson!»

Der Prediger runzelt die Brauen, fährt aber fort. Drei Augenblicke später murmelt der fremde Peiniger:

«Das ist von Goldsmith!»

Der Prediger beißt sich auf die Lippen, macht eine Pause, fährt aber dann doch fort. Sehr bald wird er wieder unterbrochen:

«Das ist von Blair!»

Das war zuviel! Die Geduld des Geistlichen war jetzt zu Ende. Er beugte sich über den Kanzelrand und schrie dem Fremden zu:

«Wenn Sie Ihren Mund nicht halten, laß ich Sie vor die Tür setzen, verstehen Sie!!»

Auf diese Anrede hob der Greis das Haupt, blickte dem Geistlichen voll ins Gesicht und sagte:

«Das ist von Ihnen!»

Meinungsverschiedenheit

Ein Offizier und ein Pfarrer saßen in der Postkutsche. «Hätte ich das Unglück», sagte der Offizier, «einen dummen Sohn zu haben, so würde ich ihn unbedingt zu einem Pfarrer machen.» —

Sie denken anders als Ihr Vater», bemerkte der Pfarrer und nahm eine Prise.

Der berühmte Schleiermacher wurde einst gefragt, aus was für Leuten das Publikum seiner Vorlesungen bestehe. Er sagte: «Mein Publikum besteht hauptsächlich aus Studenten, jungen Damen und Militärs. Die Studenten kommen, weil ich zur Examenskommission gehöre. Die jungen Damen kommen wegen der Studenten. Und die Militärs kommen wegen der jungen Damen.»

Die Kleingläubigen

In diesem Sommer gab es in Louisiana, USA, eine lange Trockenheit. Ein Negergeistlicher lud darum seine Gemeinde zu einem gemeinschaftlichen Bittgebet um Regen ein. Alle Schäflein waren in der Kirche versammelt.

Der Geistliche tritt auf und schaut sich seine Gemeinde schweigend an. Schweigend, aber mit rollenden Augen. Endlich bricht er los:

«Dieser Unglaube von euch Niggern ist eine Sünde und Skandal. Jungens, ich zittere für eure Seelen! Hier sind wir gekommen, Gott zu bitten, daß er die Trockenheit abstoppt und Regen schickt — nicht wahr? Und nicht einer von euch Niggers, nicht einer, sage ich, hat Glauben genug gehabt, einen Regenschirm für'n Nachhauseweg mitzunehmen!»

Das Urteil

Ein Geistlicher wurde gefragt, welches die peinlichste Erfahrung sei, die er während des Predigens gemacht habe?

«Das war so», erzählte er. «Gerade als ich begonnen hatte, kam eine ältere Dame mit strenger Miene und setzte sich dicht vor die Kanzel. Sie öffnete ihren Handbeutel, schraubte die Teile eines Hörrohres zusammen und hielt es nun an ihr Ohr. Nach genau zehn Minuten meiner Predigt nahm sie plötzlich ihr Hörrohr ab, schraubte die Teile auseinander, legte sie säuberlich beiseite und blieb die ganze übrige Predigt lang still sitzen.»

Miniatur

Alte Dame (nach der Predigt vom Zöllner und Pharisäer): «Lieber Gott, ich danke dir, daß ich nicht so bin wie der Pharisäer!»

KLATSCH

Bei Frau Lehmann wird geklatscht, ganz bösartig geklatscht.

«Was hat denn die reizende, kindliche Frau Niedlich in den letzten Tagen, sie sieht ja geradezu verzweifelt aus?»

«Nichts. Vorübergehend. Bloß eine Wolke. Sie fürchtet, daß ihr Mann sie nicht mehr so heiß liebt wie in den heroischen Zeiten der Flitterwochen.»

«Ooooh ... hat sie irgendeinen Grund dazu?»

«Nein ... ja ... das heißt: sie hat einen Brief an den Weihnachtsmann geschrieben, wo sie sich einen Sealmantel wünscht, und hat

ihren Mann gebeten, den Brief in den Postkasten zu werfen...»
«Und?»
«Er hat ihn eingeworfen.»

KLEIDUNG

Das Elefanten-Maß

Missis Brown wiegt über 250 Pfund. Neulich ging sie in ein Warenhaus, um eine Weste zu kaufen. Nachdem sie der Verkäuferin gesagt hatte, was sie wünsche, sah sie, wie diese sich über ein Sprachrohr beugte. Zu Missis Browns Ärger war folgendes zu hören:
«Hallo, Masie, schick einen Jumbo herunter!»

Selbstanbetung

Die russische Kaiserin Jelisaweta war eine Vorgängerin der großen Katharina. Sie hörte einmal bei der Kirchenmusik eine helle klare Stimme sich besonders hervortun und wünschte den Chorsänger kennenzulernen. Ein junger schöner Kosak namens Rasumoffski wurde ihr vorgestellt und bald darauf zu ihrem Günstling befördert. Der einfache Bauernbursche sah sich plötzlich als mächtigen Mann in Rußland.

Als erstes ließ er seine alte Mutter, die irgendwo in der Ukraine in einem verfallenen Hüttchen lebte, nach Petersburg abholen. Fast entsetzt ließ sich das alte Weibchen in die Prunkkarosse packen und war auch in Petersburg, als man sie heraushob, noch nicht wieder ganz zu sich gekommen.

Sie wurde sofort von Zofen umringt, bekam eine pompöse Atlas-Robronde angezogen, wurde geschminkt, gepudert, mit Schönheitspflästerchen beklebt, und konnte zuletzt vor Staunen gerade noch ihre dicken Hände von sich strecken. Man brachte sie sogleich in das kaiserliche Palais und schärfte ihr unterwegs ein, daß sie vor der Kaiserin in die Knie fallen und mit der Stirn den Boden berühren müsse. Man kann sich denken, daß die alte Dame aufgeregt war. Mit Mühe und Not schubste man sie in das erste, leere Zimmer des Palastes. Dort hingen lauter venezianische Spiegel — etwas, was die Bäuerin noch nie gesehen hatte. Und daher sah sie die Spiegel auch jetzt nicht, sondern nur eine herrlich gepuderte, geschminkte, in eine Atlas-Robronde gekleidete fremde Frau, die mit einem starren Blick ihr genau gegenüberstand. Da dachte sie, daß das die Kaiserin sei, fiel vor sich selber mit einem Ergebenheitsschrei auf die Knie und berührte mit der Stirn den Fußboden.

Der fremde Mensch

Ein Glanzpunkt der heurigen Inventursaison war entschieden der Einkauf meines Freundes Hans.

Hans ist kurzsichtig, ein wenig weltfremd, und dabei ein großer Athlet.

Er probiert einen neuen Anzug an und wird vom Schneider vor den Spiegel geführt. Ein großartiger, ein blendender Spiegel: dreigeteilt, mit allen Schikanen.

Im Nu sind sechs Hänse von allen Seiten zu sehen...

Aber wer weiß schon, wie er von rechts hinten aussieht?...

Jedenfalls stößt mein Freund den Schneider an, weist blinzelnd auf einen der gespiegelten Hänse, und spricht mit unsäglichem Ekel: *«Sagen Sie bitte, wer ist das eigentlich?!...»*

Das Urteil

Die Mama geht auf ein Frühlings-Kostümfest, das sicher sehr lustig werden wird. Es ist ein «Jagdfest», und sie hat sich flott als Jäger kostümiert: braune Höschen, grüner Rock, schiefes Jägerhütl, und ein Jagdhorn aus Messing an der Seite... Kurz, was man fesch nennt.

Aber zuvor muß sie noch ihrem fünfjährigen Kinde gute Nacht sagen.

Das Kind ist sprachlos vor Erstaunen. Endlich sagt es:

«Mutti, wenn du wieder gesund bist, dann schenk mir bitte die Trompete!»

Zwei Frauen und ein Hut

Eine sehr elegante Dame, die von Sachverständigen als «die bestgekleidete Frau in den Vereinigten Staaten» bezeichnet wurde, hatte sich bei einer Pariser Modistin einen neuen Hut gekauft. Das Kunstwerk kostete eine erschütternde Summe, doch dafür war es ein einziges Modell, das nicht wiederholt wurde.

Noch am Abend ihrer Ankunft in New York tanzte die Dame im berühmten Stork Club und mußte zu ihrer nicht minderen Erschütterung feststellen, daß eine andere Frau mit genau demselben Hut auftauchte. Die elegante Dame war für einen Augenblick wütend, doch sagte sie sich dann, daß ihre Rivalin wohl genau ebenso beschwindelt worden sei wie sie selber. Als sie aneinander vorübergingen, deutete sie zuerst auf den eigenen Hut, dann auf den Hut der anderen, und lächelte... Doch die andere Dame behandelte sie wie Luft und verzog keine Miene. Sie machte einen zweiten Versuch, aber sie wurde völlig geschnitten. Das verschnupfte sie denn doch, und in solchem Falle geht man am besten in den Ankleideraum. Dort warf sie einen Blick in den Spiegel. Sie trug an diesem Abend einen völlig anderen Hut.

Rezept für ein Paar Schuhe

Der Schauspieler G. gastiert in Lyon. Der Schauspieler G. benötigt dringend ein Paar Schuhe. Zugleich aber hat der Schauspieler merkwürdigerweise kein Geld. Infolgedessen begibt er sich zum ersten Schuhmacher der Stadt.

«Ich möchte», sagte er, «ein schönes Paar Schuhe haben... elegant und solide, etwas wirklich Gutes, wissen Sie! Ich zahle bei Annahme; der Preis spielt keine Rolle. Schicken Sie das Paar an diese Adresse hier, deshalb, weil ich Sonntag bereits abreise.»

«Sie können bestimmt darauf rechnen, mein Herr», sagt der Besitzer mit einer Verbeugung.

Nach Verlassen des Ladens begibt sich G. eilenden Fußes zum zweiten ersten Schuhmacher der Stadt und bestellt dort genau das gleiche Paar Schuhe:... elegant und solide... etwas wirklich Gutes, wissen Sie... ich bezahle bei Annahme.

Am Donnerstag begibt sich G. (der zwei prachtvolle Paar Schuhe erhalten hat) in den Laden Nr. 1. Er bringt einen linken Schuh zurück und sagt:

«Dieser hier muß noch umgearbeitet werden... er drückt entsetzlich... Schicken Sie ihn bestimmt morgen abend — und vergessen Sie die Rechnung nicht!»

Zehn Minuten später erklärt er im Schuhladen Nr. 2.

«Hier ist der rechte Schuh... er drückt entsetzlich... Bringen Sie das in Ordnung und schicken Sie ihn mir morgen abend, mit der Rechnung. Vergessen Sie die Rechnung nicht!»

Am Donnerstag nachmittag reiste ein elegant gestiefelter Mann von Lyon ab. Seine Seele war ruhig und seine Füße befanden sich wohl.

Die Schönste auf der Abendgesellschaft wurde von zwei Geschlechtsgenossinnen kritisiert.

«Und wie gefällt Ihnen ihr Kleid?» fragte die eine.

«Es zeigt alles, außer guten Geschmack!» schnappte die andere zu.

Hösinnen

Vielleicht war es Kurzsichtigkeit, vielleicht auch Rückständigkeit — jedenfalls erregte ein jugendliches Wesen, das auf der Straße spazierte, seine Neugierde. War es ein Jüngling? War es ein Mädchen?

Um sicher zu gehen, fragte er jemand, der neben ihm stand: «Excuse — könnten Sie mir vielleicht sagen, ob diese Person dort, die mit den langen Hosen, ein Jüngling oder ein Mädchen ist?»

«Ein Mädchen», war die Antwort. «Es ist meine Tochter.»

«Ach so. Ein Zusammentreffen. Ich hatte keine Ahnung, daß Sie ihr Vater seien.»

«Bin ich auch nicht. Ich bin ihre Mutter.»

KOCHEN

Richter John Lowell in Boston sitzt morgens am Frühstückstisch hinter seiner Zeitung. Ein erschrockenes Dienstmädchen naht auf den Zehenspitzen und flüstert Frau Lowell etwas ins Ohr. Frau Lowell sagt mutig: «John, die Köchin hat das Porridge angebrannt, und es ist kein anderes im Haus. Ich fürchte, du wirst diesen Morgen zum erstenmal seit siebzehn Jahren ohne dein Porridge weggehen müssen.» Darauf John Lowell, hinter seiner Zeitung: «Macht nichts, meine Liebe. Offen gestanden, ich habe es nie recht leiden mögen.»

KONKURRENZ

Die Forschungsabteilung einer Rüstungsfabrik in Newburgh, Staat New York, hatte mit Stacheldraht experimentiert, indem sie ihn sehr fein auszog. Endlich war es gelungen, einen Draht von solcher Feinheit herzustellen, daß er praktisch fast unsichtbar blieb. Natürlich waren die Ingenieure recht stolz darauf — in der Tat so stolz, daß sie ein Stück dieses Wunderdrahtes einer Konkurrenzfirma zuschickten. Im Begleitschreiben hieß es: «Nur um euch zu zeigen, was wir hier in Newburgh machen.»

Einige Wochen vergingen. Dann langte ein Paket in Newburgh an. Die Ingenieure öffneten es mit aller Behutsamkeit. Es war ein polierter Stahlblock, auf dem sich zwei Stahlsäulen erhoben — und zwischen diese Säulen war dasselbe Stück Wunderdraht gespannt. Und daneben war auf dem Block ein kleines Mikroskop montiert, welches ganz dicht auf eine bestimmte Stelle des Drahtes gerichtet war.

Schweigend setzte der Chefingenieur sein Auge an das Mikroskop und blickte hinein. Dann fuhr er auf.

«Was ist da zu sehen?» fragten die andern.

«Die Schurken haben durch unsern Draht ein Loch gebohrt!»

KOMPLIMENTE

Einzige Möglichkeit

Alter Gent: «Auf mein Wort, gnädige Frau, aber ich hätte Sie kaum erkannt, so sehr haben Sie sich verändert!»

Dame: «Zum Besseren oder zum Schlechteren?»

Alter Gent: «Ah, Gnädigste, Sie können sich doch bloß zum Besseren verändern!»

Das Kompliment

Die «Normandie», das war vor zehn Jahren das schönste und größte Schiff der Welt. Heute ist es verschrottet. Auf der Jungfernfahrt nach New York wurde einem Franzosen ein Tisch angewiesen, wo bereits ein Fremder mit buschigen Brauen beim Diner saß. Der Franzose machte eine Verbeugung und sagte «Bon appetit!» Darauf machte der Fremde ebenfalls eine Verbeugung und sagte: «Ginsberg». Genau die gleiche Szene spielte sich vier Abende nacheinander ab. Doch am letzten Abend der Reise saß der Franzose früher am Tisch. Der Fremde mit den buschigen Brauen trat heran und sagte: «Bon appetit!» Da erhob sich der Franzose, machte eine Verbeugung und sagte: «Ginsberg».

Talleyrand sagte von einer berühmten Pariser Dame: «Sie ist unausstehlich!» Dann setzte er sanft hinzu: «aber das ist ihr einziger Fehler.»

KRANKHEIT

Zum Weitererzählen

Man war bei Kaffee und Likör angelangt und unterhielt sich demgemäß über die Wissenschaft.

Irgend jemand erinnerte an die berühmte Geschichte von Pascal, daß er als Kind seine Kopfschmerzen durch das Erfinden geometrischer Probleme bekämpft habe. — «Als ich ein Kind war», sagte der Zeichner Forain und strich seinen Bart, «als ich ein Kind war, da bekämpfte ich die Geometrie durch das Erfinden von Kopfschmerzen ...»

Das Geheimnis des Königs

Bernadotte war 1793, in der Zeit des Terrors, Soldat der französischen Revolutionsarmee.

Später wurde er König von Schweden. Eines Tages fühlte er sich so krank, daß den Ärzten ein Aderlaß notwendig schien. Der König wollte aber unter keinen Umständen einwilligen.

Da sich das Übel verschlimmerte, drang der Leibarzt, dem die Weigerung sonderbar vorkam, gleichwohl auf schnellsten Vollzug der Operation.

«Nun, es sei!» sagte Bernadotte endlich. «Sie müssen mir aber schwören, *keinem Menschen zu verraten, was Sie gesehen haben.*»

Der Arzt schwur einen Eid. Als er jetzt die Lanzette in die Hand nahm und den Ärmel des Kranken hochstreifte, bemerkte er auf dem königlichen Oberarm eine Tätowierung: eine scharlachrote phrygische Mütze und darunter die Inschrift:

Tod den Königen!

KÜHE

Die Narren aus Frisco

Ein Reisender im kalifornischen Gebirgsgebiet bemerkte eine Viehherde, wo jedes Tier das Wort «кин» in großen weißen Buchstaben auf beiden Flanken angemalt trug. Er fragte einen dabeistehenden Farmer, was das zu bedeuten habe?

«Diese Stadtleute aus San Francisco kommen hier jedes Jahr Rotwild schießen und können dabei keine Hinde von einer Kuh unterscheiden», brummte er. «Sie haben bereits mehrere Kühe in der Nachbarschaft abgeschossen. Dabei gehen sie zur Schule, bis sie Zwanzig sind.»

Tüchtig ist gar kein Wort ...

Da oben in Minnesota, USA, hatte ein Eisenbahnzug die Kuh eines schwedischen Farmers überfahren. Die Bahngesellschaft schickte zu dem Mann einen Agenten, um die Frage der Entschädigung zu regeln.

«Mr. Swanson», sprach der Agent mit gewinnendem Lächeln, «— meine Gesellschaft will sich mit Ihnen auf vollkommen fairer Basis einigen. Wir bedauern tief, daß ihre Kuh auf unseren Schienen den Tod gefunden hat. Andrerseits werden Sie zugeben, daß auch wir einiges für uns anzuführen haben: Erstens hatte die Kuh nichts auf den Schienen zu suchen und Sie, als ihr Eigentümer, hätten es ihr nicht erlauben dürfen. Zweitens hätte der Unfall ein Entgleisen der Lokomotive herbeiführen und ein ernstes Bahnunglück, sogar mit Verlust von Menschenleben, nach sich ziehen können.

Drittens war die Kuh zweifellos im unbefugten Überschreiten unseres Grund und Bodens begriffen.

Alles dies in Betracht gezogen — was meinen Sie, Mr. Swanson, wäre also die gerechte Basis für eine Einigung zwischen Ihnen und der Bahngesellschaft?»

Mr. Swanson senkte den Blondkopf. Dann sagte er leise, jedes Wort sorgfältig abwiegend:

«Ich bin arme schwedische Farmer... Ich geb Ihnen zwei Dollar.»

KUNST UND KÜNSTLER

Die große Frage

Whistler und der berühmte Akademie-Maler Leighton trafen sich eines Tages in Piccadilly und gerieten, weiterspazierend, in eine Kunstdebatte.

«Aber mein lieber Whistler», sagte Leighton, «Sie lassen Ihre Bilder so roh, so skizzenhaft! Warum beendigen Sie niemals?»

Whistler klemmte sein Glas ins Auge und gab ein herzloses Gelächter zum besten.

«Mein lieber Leighton», sagte er, «— und warum fangen Sie jemals an?»

Kunsthistorie

Ein Kunsthistoriker war gern und oft betrunken. Er trank vom Morgen bis zum Abend und ganz besonders vom Abend bis zum Morgen. Eines Tages ist er in London auf der Durchreise und geht ins Britische Museum, um dort Material für einen Aufsatz über einige neue Bilder zu sammeln.

Natürlich hatte er wieder mal einen Schwips, wie die Damen sagen, d. h. er war voll wie eine Strandkanone. Und darum war er kaum über die Türschwelle des Museums gestolpert, als er auch schon vor einem goldgerahmten *Spiegel* haltmachte und hineinstarrte. Der hervorragende Kritiker blieb lange in Betrachtung versunken. Dann zog er seinen Notizblock aus der Tasche und notierte folgendes:

«*Eintrittshalle.* — Kopf eines Trunkenboldes. (Nicht signiert). Außerordentlich charakteristisch. Die blaurote Nase von packendem Realismus, ebenso die übrige Physiognomie. Offenbar ein Porträt nach der Natur, da ich diesem Gesichtstypus bereits öfters begegnet bin.»

In Pariser Künstlerkreisen macht gegenwärtig eine Geschichte die Runde, von der geschworen wird, daß sie keine Anekdote, sondern «echt» sei. Man nennt sogar den Namen.

Ein reich gewordener Industrieller hielt sich plötzlich — ganz unerwartet — für einen Kenner in der Malerei und sammelte sich in zwei Jahren eine Riesenkollektion moderner Bilder zusammen.

Manet, Monet, Cézanne, van Gogh, Gauguin, Picasso, Matisse, Bracque... Stolz über all diese Schätze, lud Monsieur Raffké einen der berühmtesten Pariser Kunstexperten zu sich ein.

Lange wanderte dieser von einem Bild zum andern. Schweigend folgte ihm der Hausherr. Endlich war die Front abgeschritten.

«Nun, was sagen Sie, mein Verehrter?»

«Was ich sage?» gab der Expert bedächtig zurück. «Ich kann nur sagen: *Sie sind hier das einzige Original.*»

Wahre Geschichte

Für den Münchner ist der Ort *Feldmoching* der Inbegriff eines Nestes und als solcher sprichwörtlich geworden. Nun war in den Achtzigerjahren einmal ein berühmter Wiener Maler nach München gekommen und saß mit *Lenbach* im Hofbräuhaus. Der Wiener sprach von oben herab, eben wie ein Weltstädtler zu einem Provinzler, und meinte gewichtig:

«Mir in *Wien* halten net so vüll von dem Rembrandt...»

Lenbach nickte beistimmend:

«Mir in *Feldmoching* aa net...!»

Abraham Lincoln wurde das Gemälde eines sehr kläglichen Malers gezeigt, und um seine Meinung gebeten. «Nun», sagte Lincoln, «dies ist ein sehr guter Maler, der eifrig Gottes Gebote befolgt.» — «Wie ist das zu verstehen, Mr. Lincoln»? — «Ich meine, daß er sich kein Bildnis noch irgendein Gleichnis gemacht hat, weder deß, das oben im Himmel, noch deß, das unten auf Erden, noch deß, das im Wasser unter der Erde ist.»

Aus dem Kunsthandel

Ein Kunstliebhaber reiste in Italien. Bei einem Bilderhändler in Venedig entdeckte er einen Perugino, datiert mit dem Jahre 1520, den er für ein Butterbrot — für 6500 Lire — erstand. Aber ein italienisches Gesetz verbietet die Ausfuhr von Bildern alter Meister. Was tun? Denn die Zollbeamten sind mitleidlos und unbarmherzig.

So ließ er denn dieses alte Gemälde mit einem Porträt Viktor Emanuels des Dritten übermalen. Die Zollbeamten ließen das Porträt ihres Königs glatt passieren.

In Paris wurde die Übermalung sofort mit Essenzen abgewaschen: Die Züge des Monarchen verschwanden und die Sache schien gewonnen...

Aber nicht ganz, denn zugleich mit der frischen Übermalung verschwand auch die alte Malerei von Perugino, 1520, und ließ darunter ein Porträt von *Garibaldi* in völliger Frische erscheinen.

Bericht vom Kunstmarkt

Ein Antiquitätenhändler hatte im Schaufenster fünf alte Holzstatuetten stehen. Daneben hing ein Pappschildchen:

«Die fünf Sinne.»

Eine wurde gekauft. Die übrigen blieben im Fenster. Mit einem neuen Pappschildchen:

«Die vier Elemente.»

Nun fand eine zweite ihren Liebhaber. Der Rest erhielt die Etikette:

«Die drei Grazien.»

Schließlich blieben bloß zwei nach. Die Bezeichnung lautete jetzt schlicht:

«Adam und Eva.»

Als nur noch eine Statuette übrigblieb, dachte der Antiquar lange nach. Dann setzte er ein neues Schildchen ins Fenster. Darauf stand geschrieben:

«Einsamkeit.»

KÜSSE

Als die große Schauspielerin Eleonora Duse eine Gastspiel-Tournee durch Kalifornien antrat, wurde ihr Sam Davis, Redakteur vom «Carson Appeal», als Presse-Mann beigegeben. Er schrieb auch für den «Examiner» in San Franzisko.

Davis war ein entzückender Mensch. Die geniale Diva fand ihn so sympathisch, daß sie sich während der ganzen Tournee von niemand anderem interviewen lassen wollte. Alle Mitteilungen an die Presse besorgte er.

Es kam der Tag, wo der Salonwagen die große Frau wieder nach New York zurückbringen sollte. Als die Lokomotive das Zeichen gab, legte sie ihre Arme um Davis' Schultern, küßte ihn auf jede Wange und dann noch auf den Mund und sagte dabei:

«Die rechte Wange für den ‹Carson-Appeal›, die linke für den ‹Examiner› und den Mund, mein Freund, für Sie selbst!»

«Madame», sagte Davis mit sichtlicher Ergriffenheit: «Ich vertrete auch noch die ‹Associated Preß›, welche 380 Zeitungen westlich von Kansas bedient.»

LEIBESÜBUNG

«Sieh mal zu, Papa», sagte das hübsche Mädchen, «Körperkultur ist etwas Ungeheures. Um die Armmuskeln zu entwickeln, nehme ich hier diesen Stock an einem Ende und bewege ihn jetzt langsam — so — von rechts nach links...»

«Wunderbar!» rief der Vater, «wie weit die Wissenschaft doch gekommen ist! Wenn dieser Stock jetzt am anderen Ende noch einen Besen hätte, dann würdest du tatsächlich sogar das Zimmer fegen.»

LIEBE

Ein Regenwurm begann nach dem Gewitter herauszukriechen und bemerkte ganz in der Nähe einen zweiten Wurm, der dasselbe tat.

«Du bist bezaubernd schön», sagte er, «und ich möchte dich gerne heiraten!»

«Ach, Quatsch!» entgegnete dieser, «ich bin doch dein anderes Ende!»

Der Zug des Herzens

Es war gegen Ende des Honigmondes, aber die beiden erfanden immer noch neue Kosenamen füreinander. Eines Abends saßen sie wieder im neu eingerichteten Salon, als er zu ihr sagte:

«Sitzt meine kleine Bachstelze auch bequem im Sessel?»

«Jaaa, mein Schnucki.»

«Und zieht es auch nicht meinem süßen Zuckerschnäuzchen?»

«Nein, du mein Alles!...»

«Dann woll'n wir mal die Plätze wechseln.»

«Mit fünf Mädchen zugleich verlobt! Wie können Sie dieses schamlose Betragen rechtfertigen?»

«Ich weiß nicht. Cupido muß mich mit einem Maschinengewehr beschossen haben.»

Aus einem Waisenhaus

Dieser Fall trug sich in einem Waisenhaus in Pennsylvanien zu. Dort gab es ein achtjähriges, peinlich unsympathisches Mädchen — so affektiert und geheimtuerisch, daß sie von den übrigen Kindern gemieden wurde. Auch die Lehrerinnen hegten gegen sie einen direkten Widerwillen. Die Leiterin des Hauses wartete nur auf eine stichhaltige Ausrede, um sie in eine Besserungsanstalt zu senden oder irgendwie sonst loszuwerden.

Eines Nachmittags sah es so aus, als ob die Gelegenheit gekommen sei. Die sehr unfreiwillige Stubenkameradin des Mädchens berichtete, daß dieses gräßliche Wesen nun auch eine Geheimkorrespondenz mit irgend jemand außerhalb des Hauses unterhalte. «Eine ganze Woche schon schreibt sie jeden Tag ihre Zettel», meldete sie: «Jetzt eben erst hat sie einen genommen und im Baum an der Ziegelmauer versteckt.»

Die Leiterin des Hauses und ihre Gehilfin konnten ihre Befriedigung kaum verhehlen. «Na — wir werden der Sache bald auf den Grund kommen», meinten sie, einander zunickend: «Zeig uns, wo sie den Zettel hingelegt hat.»

Und richtig, sie fanden den Zettel in den Zweigen des Baumes. Die Leiterin stürzte sich auf das Papier. Dann ließ sie den Kopf sinken und reichte den Zettel schweigend ihrer Gehilfin.

Dort stand: «Wer du dies auch finden mögest: ich liebe dich.»

LÜGEN

Gut gelogen

Es gibt Lügner, die eigentlich eine Art von verhinderten Dichtern sind und oft mehr Phantasie haben als so manche akkreditierten Schriftsteller. So z. B. der berühmte Fürst Zizianoff. Während eines Platzregens erscheint er mit völlig trockenen Kleidern bei einem Freunde.

«Hast du deinen Wagen mit?» wird er gefragt.

«Nein, ich bin zu Fuß gekommen.»

«Aber du hast ja auch keinen Schirm! Wie bist du denn völlig trocken geblieben?»

«Oh», antwortete Z., «ich verstehe mich äußerst geschickt zwischen den Regentropfen durchzuschlängeln!»

«Aber ihr sollt euch doch nicht streiten, liebe Kinder», sprach der Lehrer, als er eine Gruppe wild durcheinander brüllender Buben traf. «Worum handelt es sich denn?»

«Die Sache ist die», rief der älteste, «wir wollen diesen kleinen Hund dem schenken, der die größte Lüge sagen kann. Und jeder von den Jungens meint, daß seine Lüge die größte ist — aber meine ist es!»

«Aber Kinder, Kinder!» sagte der Lehrer kopfschüttelnd, «als ich in eurem Alter war, da wußte ich nicht einmal, was eine Lüge ist.»

«Hier, bitte schön!» rief die Bande einstimmig: «Der kleine Hund gehört Ihnen.»

Ein Wort des Lord Palmerston

Palmerston pflegte zu sagen: Es gibt drei Formen der Lüge — die gewöhnliche Lüge, den Meineid und die Statistik.

MÄDCHEN

Das Idyll

Dieses hat mir ein Freund erzählt, der das alles aus einem Versteck mit ansah. Ort der Handlung: eine blaue Meeresbucht und ein menschenleerer Strand mit einer Sanddüne. Jetzt kommen zwei junge Mädchen, ziehen sich aus und legen sich hinter die Sanddüne zum Sonnenbad. Nun erscheint ein würdiger Geistlicher mit einer Kamera, glaubt sich völlig allein, wirft seine Kleider ab und schwimmt weit hinaus — um das nächste Vorgebirge herum. Darauf huschen die beiden Mädchen hinter ihrer Sanddüne hervor, ergreifen die Kamera des Geistlichen, worauf jede von der anderen ein Bild knipst. Dann legen sie die Kamera mit den beiden Paradiesporträts sorglich wieder zurück und schleichen sich hinter ihre Düne.

Hoffentlich hat der würdige Herr die Filmrolle nicht seinem Photohändler zum Entwickeln gegeben . . .

Sie war verheiratet, und zwar mit einer männlichen Vollkommenheit. Dieses Wunder hatte noch nie eine Sekunde mit seiner Verehrung ausgesetzt, noch nie die Selbstkontrolle verloren und auch niemals gebrummt.

Sie dagegen besaß ein Temperament wie Schießpulver.

«Sag mir, Liebste», fragte er leise, nach ihrer letzten Explosion, «wie kommt es, daß ich diese kleine Schwäche an dir während der Verlobungszeit nie bemerkt habe? Wie hast du dich so gut beherrschen können, Muckeli?»

Das arme Frauchen zögerte mit der Antwort. Dann schluchzte sie auf, lehnte ihr Engelshaupt an seine Schulter und flüsterte:

«Ich lief dann immer hinauf ... und hab' dann immer Stücke aus dem Eichenholz-Schrank herausgebissen.»

Idylle

Sie saßen eng aneinandergeschmiegt vor dem Feuer des (elektrischen) Kamins, denn sie hatten eine Verlobung, mit Ehe als Endziel, gestartet. Ihr Köpfchen drückte seine Schulter, und er fühlte den seelischen Aufschwung.

«Ich hab ein Buch gelesen, Lieb», flüsterte er enthusiastisch. «Und es wurde mir zum Erlebnis. Es spricht von Liebe, so geistig, so wundervoll erhebend, so rein ...»

Sie blickte auf mit weitoffenen Märchenaugen. Sie schien jedes seiner Worte in sich einzutrinken. Er war entzückt.

«George», sagte sie plötzlich mit seltsamem Augenfeuer, «George — ich habe eine Idee für meinen neuen Hut!»

Sie feiern Feste des Nichtwiedererkennens

Der frühere Liebhaber eines Mädchens läutet an der Tür, da er mit ihrem Vater eine geschäftliche Unterredung hat. Der Zufall will es, daß sie ihm öffnet.

«Verzeihung», sagt der junge Mann mit äußerster Beherrschung seiner Nerven, «Fräulein Müller, wenn ich nicht irre? Ist Ihr Herr Vater zu Hause?»

«Nein, leider nicht. Wünschen Sie ihn persönlich zu sprechen?» fragt das junge Mädchen, ohne die leiseste Erkennung in den Augen.

«Jawohl. Besten Dank. Ich komme dann in diesen Tagen wieder. Adieu.»

Aber das war denn doch zuviel. Als er auf der dritten Treppenstufe war, rief ihm das junge Mädchen nach:

«Entschuldigen Sie: welchen Namen darf ich meinem Vater melden, wenn er zurückkommt? ...»

Das arme Mädchen

Ein Marineoffizier hatte ein armes Mädchen geheiratet, welches er halbverhungert, halbnackt, von ihrem Geliebten schnöde verlassen, auf einem unwirtlichen Felseneiland des Ozeans aufgefunden. Sie war von einer unglaublich zarten Schönheit, aber zugleich taubstumm.

Der Schiffsarzt, ein Freund des Offiziers, meinte, daß eine Heilung möglich sei. Er versicherte, daß dieses Taubstummsein lediglich von dem entsetzlichen Schreck herrühre, den das arme Wesen auf dem Felsen im Ozean durchgemacht habe. Man müsse ihr einen neuen, furchtbaren Schreck einjagen — das würde ihr die Sprache wiedergeben.

Der Offizier ist einverstanden. Eine ganze Kinoszene wird vorbereitet.

Der Arzt ruft die junge Frau heran, zieht vor ihren Augen einen Browning aus der Tasche und schießt mitten in das Gesicht des Offiziers (bloß mit Platzpatrone natürlich)!

Ein Wunder! Die süße Frau spricht wirklich. Sie stürzt sich auf den Arzt und schluchzt:

«Idiot! Du hast vorbeigeschossen!»

Ein Freund von mir bekam von einem Bekannten eine Postkarte aus der Südsee. Die Karte zeigte eine schöne Eingeborene in der Volkstracht: nichts, mit einer Rose gerafft. Darunter hatte der Absender geschrieben: «Hübsche Augen — was?»

MARK TWAIN

Vor seiner ersten Vorlesung hatte Mark Twain große Angst. Er hatte im Publikum Freunde placiert, und sie angewiesen, recht ansteckend zu lachen. Doch dieses Arrangement erwies sich als überflüssig, denn schon mit dem ersten Satz begeisterte Twain sein Publikum. Dieser berühmte erste Satz lautete:

«Julius Cäsar ist tot, Shakespeare ist tot, Napoleon ist tot, Abraham Lincoln ist tot, und auch ich fühle mich nicht ganz gesund.»

Die unglückliche Dame

Auf einer seiner Touren durch Amerika bestieg Mark Twain, todmüde von seinem Arbeitstage, den Pullmanwagen, um endlich zu schlafen. Doch gerade beim Einschlummern hörte er die krächzende Stimme einer alten Dame wieder und wieder klagen: «Ach, ich bin so durstig. Ach, ich bin so durstig...» Das ging immer so weiter bis Mark Twain es nicht länger aushielt, aufstand und der alten Dame ein Glas Wasser brachte. Sie dankte ihm vielmals, und er kehrte in Erwartung süßen Schlafes zu seinem Bett zurück. Schon sank er aufs Kissen, als er plötzlich steil auffuhr und mit Entsetzen die wohlbekannte Stimme hörte: «Ach, ich *war* so durstig. Ach, ich *war* so durstig...»

Mark Twain wollte eine Reise machen und fragte den Bagage-Aufseher auf dem Bahnhof in Washington: «Ist dieser Reisekorb fest genug für den Gepäckwagen?»

«Das wollen wir gleich sehen», sagte der Mann. Er hob den Korb hoch über den Kopf und warf ihn mit ganzer Kraft zu Boden. «Das», sagte er, «wird er in Philadelphia abbekommen.» Jetzt hob er den Korb auf und knallte ihn vier- bis fünfmal gegen die Seite des Wagens. «So wird's ihm in Chicago ergehen.» Nun schleuderte er den Korb hoch in die Luft und sprang auf ihn, als er herunterkam, mit beiden Füßen. Der Korb platzte auseinander und übergab seinen Inhalt der Plattform. «Und das», sagte er, «wird ihm in Sioux City passieren. — Wenn Sie also weiter als Sioux City fahren, so nehmen Sie das Ding lieber mit in Ihren Wagen.»

Vom Fluchen

Mark Twain pflegte manchmal saftig zu fluchen, und seine Frau wollte ihn davon kurieren. Eines Tages, als er sich beim Rasieren geschnitten hatte, rezitierte er sein ganzes Vokabular herunter — worauf seine Frau ihm vorwurfsvoll Wort für Wort wiederholte. Da sagte er sanft: «Du hast die Worte, meine Liebe, doch dir fehlt die Melodie.»

MEER

Fein geschaukelt

Nach Verlassen des Hafens kam der Vergnügungsdampfer in eine unangenehme rauhe See, welche besonders fühlbar wurde, als sich die fünfundzwanzig Passagiere an der Kapitänstafel zu einem üppigen Diner niederließen. «Ich hoffe, daß Sie alle Freude an dieser

Reise haben werden», begann der Kapitän seinen kleinen Speech —
es wurde gerade ein blutiges Roastbeef serviert — «und daß unsere
nette Gesellschaft von ... dreiundzwanzig viele fröhliche Feste hier
an Bord feiern wird. Wenn ich auf diese — hm — zwanzig lächeln-
den Gesichter blicke, komme ich mir wie der Vater einer großen Familie vor, denn ich bin ja für diese kleine Gruppe von siebzehn ver-
anwortlich. Ich hoffe, daß alle — alle vierzehn mit mir trinken auf
guten Erfolg und glückliche Fahrt! Wir — acht, wir fühlen uns gei-
stesverwandt, und ich freue mich, Sie an meiner Tafel zu begrüßen.
Ich und Sie, mein lieber Herr, wir zwei sind —. Hier, Steward, trag die
Teller weg und reich mir den Pudding!»

Man stelle sich vor ...

Man stelle sich den grenzenlosen Atlantischen Ozean vor. So weit
das Auge sieht — eine unendliche Wasserwüste ...
Und in der Mitte dieses Wassers schwimmt weltverloren ein ein-
samer Dampfer. Plötzlich ein Getöse, eine Explosion — und mit ge-
borstenen Dampfkesseln sinkt das Schiff in die Tiefe.
Nichts regt sich auf der unendlichen Wasserwüste. Aber plötzlich
taucht ein Kopf auf, sagt schnell:
«Ächendlich wolld'ch mich in Chemnitz vabränn'n lass'n —» und
sinkt wieder unter.

Die ‹Queen Elizabeth›, der größte Dampfer der Welt, war im
Kriege Truppentransporter und ist dann aufs neue luxuriös eingerichtet worden. Das Schiff war so riesig, daß ein Passagier bei der
zweiten Jungfernfahrt einen Steward fragte: «Ach, bitte — wo führt
hier der Weg zum Atlantischen Ozean?»

MILITÄR

Die unbewachte Kanone

Ein russischer General von zweifelhaftem Ruhme hatte im Feld-
zug 1812 einige von den Franzosen im Schnee steckengelassene Kanonen «erobert», und bat sich daraufhin einen Orden aus. Die Geschichte hatte sich in der Armee herumgesprochen.
Bald darauf traf der Kanonenheld den berühmten General Rajewski, und stürzte schnell, weil er dessen sarkastischen Bemerkun-
gen zuvorkommen wollte auf ihn zu, um ihn zu umarmen.
Rajewski trat einen Schritt zurück und sagte eisig:
«Exzellenz halten mich offenbar für eine unbewachte Kanone.»

Vernünftiger Vorschlag.

Ein Offizier riet seinem General zur Aushebung einer feindlichen Feldwache und bemerkte dabei: «Es wird uns bloß wenige Mann kosten.»

«Wollen Sie einer davon sein?» fragte der General.

Die lange Leitung

Der englische General Kitchener war eine Entweder-oder-Natur; niemand hat das Sowohl-als-auch so brennend gehaßt wie er: Als er während des Burenkrieges in einem Lokal in Kapstadt eine Reihe englischer Offiziere beim Kartenspiel antraf, zog er seine Uhr und sagte: «Gentlemen, in einer Stunde geht ein Eisenbahnzug an die Front, in einer Stunde zwanzig Minuten ein Dampfer nach England — Sie werden sich für das eine oder das andere entscheiden müssen.»

Die Soldaten erzählten sich von ihm, daß er in seinem ganzen Leben drei Dinge nie getan hätte: nie gelächelt, nie eine Ungerechtigkeit begangen und nie — aber das dritte habe ich vergessen. Jedenfalls war es etwas, das mit Wut, Selbstbeherrschung und Strenge zu tun hat.

Als nun Kitchener sein Heer gegen den Mahdi im Sudan führte, hatte man als große Neuerung zum erstenmal Feldtelephone mitgenommen. Aber man wußte sie nicht zu behandeln, man wußte sie nicht zu installieren — und so lagen denn die Drahtringe der Kupferleitungen nutzlos auf einem Haufen im Lager. Die Offiziere berieten sich lange, ob sie diesen wichtigen Versager Kitchener mitteilen sollten oder nicht. Keiner hatte den Mut. Endlich entschließt sich ein junger Leutnant, geht in Kitcheners Zelt und meldet stramm, daß man die Leitungen in der Wüste nicht legen könne!

Kitchener bekam einen seiner bekannten stummen Wutanfälle. Ohne ein Wort zu sagen, stampfte er wie torkelnd aus seinem Zelt — und ging geradeswegs auf die Drahtringe zu. Ein kleiner Esel, der in der Nähe fraß, bekam es auch noch zu spüren: Kitchener packte ihn am Schweif und riß ihn brutal an die Drahtringe heran. Dann tat er etwas ganz Wahnwitziges — warf einen Drahtring, dessen eines Ende sich irgendwo verheddert hatte, dem Esel über den Hals und gab dem armen Tier einen riesigen Tritt in den Hintern! Und stampfte, ohne sich umzusehen, in sein Zelt zurück.

Der Esel galoppierte natürlich schreiend in die Wüste hinaus. Ebenso natürlich rollte sich der Drahtring schön und gerade und sauber in der Wüste ab.

Die Drahtleitungen der englischen Kolonialtruppen wurden noch jahrelang nach diesem System gelegt.

Chinesischer Tauschhandel

In einer der vielen Schlachten des ersten chinesischen Bürgerkrieges hatte die eine Partei einen ganzen General gefangengenommen. Die Armee, die ihn verloren hatte, sandte Parlamentäre und erbot sich, vier Majore für den General auszutauschen.

Das Angebot wurde kalt abgelehnt.

«Gut denn», sagte der Parlamentär, «wir geben für den General vier Majore und noch vier Leutnants.»

«Kommt nicht in Frage», versetzte der Parlamentär der Gegenseite: «Laut meiner Instruktion darf Ihr General unter keinen Umständen gegen weniger als ein Dutzend Büchsen Kondensmilch ausgeliefert werden.»

Der gelehrige Irländer

Die Rekruten sind auf dem Kasernenhofe versammelt. Sie sollen zum erstenmal dem Oberst vorgeführt werden.

Nach der Übung hält der große Mann eine kleine Rede:

«Meine Freunde», ruft er — «ich begrüße euch in unserer großen Familie. Ihr müßt zu euren Vorgesetzten Zutrauen haben. Ich — ich bin der Vater des Regiments, ich bin der Vater von einem jeden von euch!»

Darauf wendet er sich an den nächsten Rerkuten:

«Hast du verstanden, O'Murphy?»

«Ja, Papa!»

Schnelle Auffassungsgabe

Der berühmte Zeichner F. diente während des Krieges als Adjutant an der Front. Eines Tages sieht ihn der General X. und ruft ihn an «Adjutant!» F. setzt sich in Bewegung: die Zigarette zwischen den Fingern, die andere Hand in der Hosentasche, das Käppi im Nacken — und steht nun in lässiger Haltung vor dem General.

«Sind Sie der berühmte Zeichner F.?» fragt dieser.

«Ja.»

«Sie haben viel Talent ... aber mit einem Vorgesetzten muß man sich anders benehmen!»

«Ich bin Zivilist. Ich versteh nichts davon.»

«Immerhin, Sie müssen wenigstens strammstehen!»

«Ich weiß nicht, wie man das macht.»

«Also: der kleine Finger an der Hosennaht, der Kopf ...»

«Nein, ich vertehe es nicht.»

«Dann werde ich es Ihnen vormachen. Schauen Sie —»

Und der General klappt mit den Hacken und steht einfach vorbildlich stramm.

«Rührt euch, General», sagt F. herablassend, «rührt euch!»...

Sanftes Ende

Es gab einmal in Spanien einen grimmigen Kriegshelden, den Marschall Narvaez, Herzog von Valencia. Als der auf dem Sterbebett lag, trat sein Beichtvater ernst an ihn heran und fragte:

«Herr Marschall — verzeihen Sie in dieser Stunde allen Ihren Feinden?»

Worauf der Marschall leise sagte:

«Ich habe keine Feinde.»

Und als der Geistliche ihn zweifelnd anblickte, setzte der Sterbende noch leiser hinzu:

«Ich habe keine Feinde; ich habe sie alle erschießen lassen.»

Mangel an Konsequenz

Als Amerika in den Krieg ging, wurden überall Training-Camps für Zivilisten eingerichtet. Ein ziemlich bequemer New Yorker Schlager-Komponist ward von der Woge des Patriotismus in solch ein Übungslager gespült. Mit einer Holzflinte reihte er sich stramm unter die andern ein. Ein Armee-Sergeant drillt sie.

«Achtung!» schnarrte er: «Schultert das Gewehr! — Präsentiert das Gewehr! — Gewehr bei Fuß! — Präsentiert das Gewehr!»

In diesem Moment packte unser Mann seine Flinte und warf sie wuchtig ins Gras.

«Ich hab' genug», sagte er. «Ich denk nicht dran! Ich geh nach Hause.»

«Was ist denn los?» fragte der Sergeant.

«Also ich mach nicht mehr mit: — Sie ändern ja jeden Augenblick Ihren Entschluß!»

Familiendinge

Ein noch sehr junger englischer Offizier fungierte als Adjutant bei seinem Vater, der General war.

Bei einer Übung hatte der Adjutant einem alten Oberst einen Befehl zu überbringen.

«Bitte, Sir, Papa sagt, daß Sie Ihr Regiment auf den Hügel vorrücken lassen.»

Da drehte der alte Oberst ihm seinen purpurroten Kopf zu und bellte:

«So, sagt er? und was sagt denn Mama?...»

Ein smarter Engländer

Zur Zeit der Medici gab es in Florenz einen berühmten Kondottiere, der Engländer war und Fitzjames hieß.

Eines Tages ging dieser Kondottiere über den Platz der Signoria und begegnete zwei bettelnden Franziskanermönchen. Die Mönche grüßen den Kriegsmann höflich mit den Worten:

«*Friede* sei mit Euch!»

Der versetzte barsch:

«Gott entziehe Euch alle Almosen»

Erstaunt fragten die Mönche, wodurch sie ihn beleidigt hätten?

Der wandte sich noch einmal um:

«Wünscht Ihr mir, *daß ich mein Brot verliere, so wünsch' ich Euch* dasselbe!»

Sherlock Holmes in der Wüste

Im Herbst 1917. Eine englische Truppenabteilung lagert seit Monaten auf dem glühend heißen Sand Palästinas. Zu trinken gibt es wenig, und zu essen immer, immer dasselbe Corned Beef. So daß schon allein dieses Wort zum Ekel wurde.

Eines Abends tritt ein neuer Offizier vom Dienst an den Kochkessel, inspiziert ihn genau, schmeckt, und stellt endlich fest: «Hm — Corned Beef heute abend!»

Keiner der Soldaten antwortet einen Ton. Es herrscht eine angespannte Stille. Plötzlich, aus der Ecke, eine ironische Cockney-Stimme: — «My dear Watson...!» —

(NB. «Watson», ist der ewige, *ziemlich unbegabte* Begleiter des berühmten Detektivhelden.)

Die klassischen Drei

Draußen am Nordpazifik, wo die Leute nicht filmspielen, sondern Lachse fangen, saßen ein paar Konserven-Arbeiter und verzehrten ihre Mittagsstullen. Gerade beim Essen spricht man immer gern von Außenpolitik — und das bedeutete hier natürlich Gelbe Gefahr, Japan, japanische Invasion. Alle sprachen eifrig mit — nur ein bärtiger Mann aus Oregon saß auf seiner Holzkiste, kaute in sich hinein und blieb stumm.

«Hallo, Jeff», rief der Wortführer, «wie denkst du darüber?» Wenn die Japs 'ne Armee landen, wirst du doch auch an die Front gehen, he?»

«Das schon», sagte Jeff. «Wir drei gehen bestimmt an die Front.»

«Was heißt das: ‹Wir drei›?»

«Das heißt, ich und die beiden andern.»

«Welche beiden andern?»

«Na — — die beiden andern, die mich hinschleppen werden.»

Anderthalb Jahrtausende zu spät

Eine französische Truppenabteilung hatte an der Saharagrenze einen schwierigen Gebirgssattel zu erzwingen. Mit verbissener Energie arbeitete sich die Kolonne den steilen, bis dahin unbegangenen Berg hinauf. Oben bemerkt der kommandierende Offizier eine glatte vorspringende Felsplatte und befiehlt einigen Soldaten, den Namen und die Nummer des Regiments dort einzumeißeln. Aus begreiflichem Stolz. Da kommt einer der beorderten Soldaten zurück und bittet den Offizier, ihn zur Felsplatte zu begleiten. Sie gehen hin. Auf der Platte steht in großen altrömischen Lettern zu lesen:

III. Legio.   Victrix.   Gloriosa.

(Die 3. Legion.   Die Siegreiche.   Die Ruhmvolle.)

«Was glauben Sie, General, wieviel Atombomben braucht es, um die Schweiz zu zerstören?» — «Sehr schwer zu sagen», meinte der amerikanische General: «Ein kleines Land. So vier oder fünf, denk' ich, werden ausreichen. Aber das ist natürlich nur eine vage Vermutung.» — «Und wieviel brauchte es für Frankreich?» war die Frage. «Je größer die Fläche, um so unsicherer die Schätzung. Vielleicht würden ein paar Dutzend Bomben ausreichen — vielleicht fünfzig — vielleicht hundert... Wie soll man das so genau wissen?» — «Und wieviel Bomben», fuhr der Fragende hartnäckig fort, «würde man brauchen, um Rußland zu erledigen?» — Eintausenddreihundertzweiundsechzig», kam es wie aus der Pistole geschossen.

Die Steine reden

Ende des zweiten Weltkrieges waren amerikanische Soldaten in einem bombenzerstörten deutschen Dorf einquartiert. Sie halfen den Bewohnern bei der Reparatur ihrer Häuser. Die meiste Arbeit machte die stark beschädigte Kirche. Nach und nach waren die Wände geflickt und das Dach neu erstellt. Endlich setzten sie die Bruchstücke einer Christusfigur zusammen, die vom Hochaltar gestürzt war. Als sie die Gestalt wieder auf das Piedestal gestellt hatten, sah sie wieder vollkommen heil aus, nur daß die Marmorhände fehlten — sie waren nicht aufzufinden gewesen. Da schrieb einer der Soldaten auf das Piedestal: «Ich habe keine anderen Hände als die euren.»

Still ruht der See

Während des Krieges gab es in Amerika viele Training-Camps für Soldaten. Dort wurden Lande-Kommandos gedrillt. Camouflage-Kommandos, Straßenbau-Kommandos, und so weiter.

Eine hübsche junge Dame, die als Armee-Helferin engagiert werden sollte, spazierte eines heißen Sommertages auf das nächste Lager zu, welches noch ziemlich weit entfernt war. Die Straße war staubig, die Kleider klebten ihr am Leibe — doch da entdeckte sie abseits einen schimmernden kleinen See mit grünen Bäumen am Ufer. Kein Mensch war zu sehen.

Einem Impulse folgend, lief sie hin, warf ihre Kleider ab und wühlte sich wohlig durchs Wasser. Dann nahm sie ein ausgiebiges Sonnenbad.

Plötzlich sah sie einen Offizier mit spähendem Blick herankommen. Sie stürzte zu ihren Kleidern und war gerade mit dem Zuknöpfen fertig, als der Offizier neben den Bäumen stand.

Doch er schenkte ihr nicht die geringste Beachtung. Sondern schritt ans Ufer, machte Rechtsumkehr und brüllte auf das Wäldchen zu:

— «Ganzes Camouflage-Bataillon Ach — — tung! Vorwärts marsch!»

Sämtliche Bäume marschierten ab.

Ein kühner Witz

Nach der Schlacht von Leuze, wo die königlichen Truppen Wunderdinge vollbracht hatten, unterhielten sich einige Offiziere über ihre Heldentaten.

Der eine sagte: «Ich meinesteils habe zwanzig Mann getötet.» — Ein anderer: «Ich ebensoviel.» — Ein dritter behauptete, ganz allein drei Eskadronen aufgerieben zu haben. Ein vierter hatte ein Bündel Fahnen erbeutet.

«Und Sie?» wandte man sich an einen jungen Edelmann von stolzer Miene, dessen Tapferkeit bekannt war. «Und Sie sagen gar nichts? Was haben Sie vollbracht?»

«Ich», sagte er ruhig, «ich bin getötet worden!»

MILLIONÄRE

Wahres Märchen

Mister Mumiengolf, der Benzinmillardär, fuhr einmal mit dem Auto spazieren. Da traf er ein 7jähriges Mädelchen. Das wollte so gern Auto fahren ... Da lud er es ein.

«Na, wohin willst du gern fahren?» fragte er.

«Das ist mir gleich», rief das Mädelchen und schlenkerte mit den Beinen — «wohin Sie wollen!»

«Well», meinte Mr. Mumiengolf mit einem Lächeln — «ich möchte in den Himmel fahren...»

«Oh, Mr. Mumiengolf», sagte sie und schaute ihn mit großen Augen an — «ich glaube, Sie haben nicht genug Benzin, um da hinzukommen!...»

Spitzenleistung der Anekdotenindustrie

Jetzt, nachdem die Flut der Raffke-Witze verebbt scheint, ist es an der Zeit, den vielleicht besten hervorzuangeln.

Frau Raffke erzählt ihrer Freundin:

«Denken Sie, ich fahre neulich mit der Straßenbahn 81, und wen treff ich im Wagen? Die Frau von Fettleben! Aufgedonnert, sag ich Ihnen, ich tät' mich schämen, so auffallend... Und wissen Sie, was mir die Fettleben erzählt? Sie sagt ganz patzig: ‹Ich fahre jetzt mit der 81 nach Halensee zum five o'clock beim berühmten Kunstmaler Rembrandt!›... Hab' *ich* gelacht, hab' *ich* gelacht — —: *die 81 fährt ja gar nicht nach Halensee!*»

Das fällige Interview

Ein Reporter interviewte einen Millionär.

«Und wie war Ihr Debut im Geschäftsleben?»

Der große Industrielle und Selfmademan, der Mann eigener Kraft, versetzte:

«Ich suchte Arbeit und hatte eben eine niederschmetternde Absage von einem Fleischer erhalten, als ich auf dem Trottoir eine Nadel bemerkte...»

«Sie brauchen gar nicht weiterzureden», unterbrach der Reporter. «Ich kenne das, das da. Sie haben die Nadel aufgehoben; der Fleischer, der Sie von fern beobachtet hatte, rief Sie an und nahm Sie als Teilhaber ins Geschäft; darauf heirateten Sie seine Tochter und gründeten mit den Geldmitteln des Fleischergeschäfts die erste Fabrik von Zigarrenkisten, die es in der Welt gab und welche Sie zu einer internationalen Berühmtheit machte!»

«Pardon! Pardon!» unterbrach der Millionär, «Sie sind auf total falscher Fährte, mein Freund. Als ich die Nadel aufgehoben hatte, lief ich, um sie so schnell wie möglich zu verkaufen: sie hatte nämlich an einem Ende einen ziemlich großen Diamanten!»

«Da lese ich gerade in der Statistik», sprach der ältere Herr, «daß in New York jede halbe Stunde ein Mensch überfahren wird.»

«Ach Gott!» murmelt die ältere Dame: «Der arme, arme Mann!»

Hamburger Geschichte

Als ein urlangweiliges Stammtischmitglied einmal verreist war, blickte Baron B. traurig die Runde entlang und sprach mit wehmutgetränkter Stimme:

«Unser lieber X. ist fort... Er hinterläßt eine Lücke, die ihn ersetzt.»

MUSIKER

Die Mähne

Als der berühmte Pianist Paderewski einmal in Boston war und auf der Straße spazierte, lud ihn ein Schuhputzer ein, sich die Fußbekleidung blankwichsen zu lassen. Der Virtuose schaute auf das Kerlchen hinab, dessen Gesicht Spuren seiner Berufstätigkeit trug, und sagte: «Nein, mein Junge, aber wenn du dir dein Gesicht reinwaschen willst, gebe ich dir einen Dollar.» «All right!» rief der Junge mit einem Blick, lief zur nächsten Fontäne, wusch sich schnell das Gesicht und kehrte zurück. Paderewski hielt ihm den versprochenen Dollar entgegen. Der Junge nahm das Geldstück und gab es mit feierlicher Bewegung Paderewski zurück. «Hier, Mister», sagte er, «nehmen Sie ihn selber und lassen Sie sich die Haare schneiden.»

Das gute Ohr

Der Herr Professor interessiert sich nur für zwei Dinge: für seine Wissenschaft und für sein Grammophon. Er besitzt außer seiner Glatze eine der gewaltigsten Plattensammlungen der Welt.

Neulich ist er mit seiner Gemahlin auf einem Konzertabend des berühmten Kammersängers. Der Herr Professor hört sehr, sehr aufmerksam zu. Der Kammersänger singt immer hinreißender, er übertrifft sich selbst — — und geht endlich, unter atemlosem Schweigen des Publikums, in eine hauchdünne, wundervoll zarte Kantilene über...

«Na, siehst du!» sagt der Professor plötzlich laut zu seiner Gemahlin — «na, siehst du, Mariechen, was habe ich dir gesagt: er singt *doch* mit der feinen Nadel!...»

Der Klavierstimmer

Einer meiner Bekannten — so erzählt ein russischer Emigrant aus Konstantinopel —, der weder musikalisch war noch das geringste Gehör hatte, verdiente ganz gut mit Klavierstimmen. Ich fragte ihn verblüfft, wie er das mache?

«Sehr einfach», sagte er, «das alles ist reinste Psychologie...»

«Ich dachte bis jetzt doch, daß...», versuchte ich einzuwenden.

«Ganz falsch. Ich gehe in eine Wohnung, wo es ein Klavier gibt, und frage, ob es nicht gestimmt werden muß. Da setze ich mich ans Klavier und spiele einen Walzer, den ich mit fürchterlichster Mühe auswendig gelernt habe — und, bitte, nicht nach Noten, da ich einen Kontrapunkt von keiner Sommersprosse unterscheiden kann. Jawohl, ich spiele meinen Walzer und finde, daß das Klavier unbedingt gestimmt werden muß! Die Hausfrau muß es zugeben. Nun bitte ich alle, aus dem Zimmer zu gehen, da ich sonst unmöglich arbeiten kann. Alle gehen hinaus. Darauf setze ich mich hin, ziehe ein Buch aus der Tasche und lese etwa eine halbe Stunde. Ab und zu drücke ich mal zum Zeitvertreib auf die Tasten... Sodann öffne ich die Tür und sage:

Das Klavier ist gestimmt, Madame.

Sie setzt sich ans Klavier, spielt irgendwas und findet wirklich, daß es jetzt anders klingt, daß das Instrument prachtvoll gestimmt ist. Sodann nehme ich das Geld in Empfang und gehe weg. Das ist alles.»

Das Unerwartete

Während einer Orchesterprobe der Brahms-Symphonie schnitt ein Violinist so sonderbare Grimassen, daß der Kapellmeister schließlich abklopfte und fragte: «Was ist mit Ihnen los? Gefällt Ihnen das Stück nicht?»

«Oh nein, das ist es nicht», erwiderte der Mann. «Die Sache ist bloß die: *ich lieb' nicht Musik*...»

Ganz erstaunlich

Der berühmte Pianist Leopold Mayer konzertierte einstmals in der Wiener Hofburg vor dem Kaiser Ferdinand. (Vor demselben Kaiser Ferdinand, der bei Ausbruch der Wiener Volksrevolution von 1848 ganz erstaunt fragte: «Ja, derfen's denn dös?...»)

Das rauschende Klavierstück ist zu Ende; ein Beifallsgemurmel durchläuft den Saal. Der Kaiser erhebt sich. Der Pianist macht seinen tiefsten Bückling. Der Kaiser geht auf ihn zu, ohne den starren Blick von der erhitzten Musikerstirne zu wenden, und sagt mit aufrichtiger Bewunderung:

«Das ist ganz erstaunlich! Ich hab' den Chopin g'hört, ich hab' den Liszt g'hört, ich hab' alle Berühmtheiten g'hört — aber ich versichere Ihnen, daß ich noch niemand sah, der so wie Sie *geschwitzt* hat: *das ist ganz großartig!*»

MUT

Temperament

Ein südliches Café. Zwei glutäugige Herkulesse sind sich über ihre politischen Anschauungen nicht ganz einig. Sie disputieren, werden hitzig, ironisch, sarkastisch. Sie beschimpfen einander. Sie zeigen die Faust.

Jetzt stehen sie mit einem Ruck jeder von seinem Tische auf. Sie messen sich, totenblaß, mit ihren Blicken.

Sie nähern sich katzenhaft einander. Das Lokal ist plötzlich ganz still geworden. Jetzt sind sie nur noch einen Meter entfernt, jetzt 80 Zentimeter, jetzt 60 — 50 — 20 — 10 — ah! sie berühren sich schon, sie fletschen mit den Zähnen, sie heben die Fäuste — —

«Also ist niemand da, der uns auseinanderbringt, Herrschaften?» sagt der eine und wirft einen fragenden Blick durchs Lokal.

Auf einem Londoner Autobus

Ein junger Herkules, mit Schultern so breit wie der Ärmelkanal, lächelt den Schaffner noch breiter an, aber will nicht bezahlen.

«Warum?» fragt der Schaffner.

«Deshalb, weil ich nicht will.»

Der Schaffner droht. Herkules zuckt mit den breiten Schultern. «Ich rufe die Polizei!» schreit der Schaffner und zieht heftig an der Klingelstrippe.

Ein ganz magerer, ganz schmächtiger kleiner Polizist erscheint auf der Bildfläche.

«Welcher Herr will nicht zahlen?» wendet er sich an den Schaffner.

«Das ist diese Type da!» ruft der und zeigt auf den Riesen, der wie ein ägyptischer Koloß drohend dasitzt.

Der kleine Polizist sieht ihn einen Moment starr an, wendet sich dann zum Ohr des Schaffners, zieht dabei leise sein Portemonnaie und flüstert verlegen:

«Wieviel ist er Ihnen schuldig?»

NAHRUNG

Tiefsinnige Idiotie

Der Maler S. hatte einen Trottel gefunden, der ihm eine Fjordlandschaft für übers Sofa abkaufte.

In logischer Konsequenz fuhr S. sofort ins beste Restaurant und bestellte, was gut und teuer war. Das Dilemma «Kaviar oder Hummer?» löste er, indem er sich für beides entschied.

Prall angefüllt von Lebensmitteln, begann er dann, nachschmeckend zu meditieren. Endlich murmelte er:

«... A jeder a Narr, der in der Volksküchen ißt...»

Russische Märchen

Es gab einmal eine Zeit, wo der zehnte Fünfjahresplan durchgeführt war.

Jeder Sowjetbürger hatte seinen eigenen Aeroplan. Jeder Aeroplan seinen eigenen Funksender.

«Guten Tag», funkte der eine Flieger zum anderen hinüber — «wohin fliegst du?»

Der andere funkte zurück:

«Ich fliege nach Odessa —: dort soll es 10 Gramm Butter geben.»

Ein strenger Hausvater

Der Personenzug aus Wien. Grenzrevision in Lundenburg. Ein Mann sitzt solide und still in einem Abteil dritter Klasse. Über seinem Kopf, im Gepäcknetz, befindet sich ein riesiger Sack.

Der Zollbeamte kommt herein.

«Haben Sie etwas zu verzollen?»

«Nein.»

«Hm. Soso. Und was ist denn in dem Sack drin?»

«Nix. Futter für mein Kaninchen.»

«Na, immerhin — öffnen Sie mal den Sack.»

Der Sack wird umständlich heruntergeschafft und noch umständlicher geöffnet.

Der Beamte:

«Aber das ist ja Tabak. Ein Kaninchen frißt doch keinen Tabak!»

«Sooo...? frißt er nicht...? — Kriegt er gar nix!! —»

Die kleine Ada ist vier Jahre alt und hat soeben (mit offenen Augen und Lippen) die Geschichte angehört, wie Lots Weib zu einer Salzsäule verwandelt wurde.

Bange Pause: Endlich wendet sie sich zu Mama:

«Wird... wird alles Salz aus Damen gemacht?»

Delikate Angelegenheit

Wir Studenten warteten im Anatomie-Hörsaal auf den verehrten Professor N. Endlich kam er mit langen Schritten, legte ein kleines Papier vor sich auf den Tisch und verkündete:

«Meine Herren, um Ihnen meine Ansicht besser zu exemplifizieren, habe ich hier in dem Paket einen Frosch mitgebracht. Ich bitte, ihn genau zu betrachten.»

Der Professor beginnt das Papier feierlich auseinanderzuschlagen. Endlich wird der Inhalt sichtbar: zwei Butterbrote und ein hartgekochtes Ei. Der Professor putzte sich seine Brille, blickte nochmals hin und sagte dann leise:

«Ich hätte doch schwören können, daß ich mein Frühstück gegessen habe.»

Zu Weihnachten gibt es Bratpoulet, und der kleine Rudi bekommt ein Hühnerbein auf den Teller. «Nun, Rudi», sagt die Mama, «willst du noch etwas von der schönen Füllung dazu?» — «Nein, danke», sagt er, und dann, nach einigem Nachdenken: «Und ich sehe auch nicht ein, warum die Hühner das essen.»

NAMEN

Wirklich passiert

In New York ist einmal eine entsetzlich peinliche Geschichte passiert. Fürst Jussupow — bekannt durch den Tod Rasputins — war mit seiner Frau, einer russischen Großfürstin, in Amerika angekommen und von einer vornehmen, reichen Dame der New Yorker Gesellschaft zu einem Fest geladen worden.

Natürlich sollte das Erscheinen der Jussupows die Sensation des Abends bilden.

Alle Gäste sind bereits versammelt. Endlich erscheint der russische Fürst mit seiner Gemahlin. Die Gastgeberin geht ihnen strahlend entgegen, führt sie durch die Schar der Gäste auf die oberste Stufe der

Freitreppe, und will nun das Ehepaar vorstellen. Doch muß die amerikanische Dame wohl sehr aufgeregt gewesen sein, denn es erklingt durch die erwartungsvolle Stille:

«*Prince and Princess Rasputin!*»

Das «Nennen»

«Wie viele Beine wird ein Schaf haben, wenn man den Schweif Bein nennt?» fragte Lincoln einmal seine Freunde.

«Fünf», antworteten alle einstimmig.

«Ihr irrt euch», sagte Lincoln, «denn wenn man einen Schweif ein Bein nennt, so wird noch immer kein Bein daraus.»

NATIONALITÄTEN

Aus dem Englischen

In England, wo man viel auf Titel hält, sagt man zu einem Lord «My Lord», und genauso — «o Herr» — beginnt auch jedes Gebet.

Bei Missis Raffke in Manchester war zum ersten Male ein wirklicher Lord zu Gast. Beim Diner war Missis Raffke äußerst aufmerksam und liebenswürdig. Fast jeder Satz begann mit «My Lord, darf ich Ihnen dieses anbieten . . . My Lord, darf ich Ihnen das reichen . . .»

Mit großoffenen Augen hat der siebenjährige Raffke das alles verfolgt. Da sieht er, daß der Gast verstohlen nach der Sauce blickt, und schreit:

«Mama, Gott will Sauce haben!»

Psychologie des Teetrinkens

Wenn man in *England* um mehr Zucker bittet, so angelt die Hausfrau ein besonders kleines Stück aus der Dose heraus.

In *Irland* reicht sie ihnen die ganze Zuckerdose und bittet, sich zu bedienen.

Äußert man aber in *Schottland*, daß der Tee nicht süß genug sei, so sagt die Hausfrau ganz leise und bestimmt: «Vielleicht haben Sie nicht umgerührt? . . .»

Ein Engländer, ein Irländer und ein Schotte beschließen, eine Art Picknick zu veranstalten: jeder von ihnen sollte etwas zum Essen mitbringen.

«Ich bringe zwei Pfund Beefsteak mit», sagte der Engländer.

«Ich bringe einen Korb feinster Kuchen mit», sagte der Irländer.

«Und ich bringe meinen Bruder mit», sagte der Schotte.

Die Schicksalsfrage unserer Kultur

Ein amerikanischer Geschäftsmann zeigt einem reichen alten Chinesen die Umgebung von New York. Sie steigen aus dem Zug und haben bloß noch einige Minuten bis zu ihrem Reiseziel zu gehen. Da kommt ein Straßenbahnwagen in derselben Richtung vorbei:

«Nehmen wir die Straßenbahn», ruft der Amerikaner hastig, «wir gewinnen drei Minuten!»

«Gut», sagte der Chinese ruhig; «aber diese drei Minuten, wenn Sie sie gewonnen haben — was werden Sie mit ihnen anfangen?»

Phantastischer Irrtum

Als ich gestern über die Brücke ging (erzählte ein Irländer), traf ich *Pat Hewins.* — «Hewins», sagte ich, «wie geht's dir?» — «Danke, gut, *Donnelly*!» sagte er. — «Donnelly?» sag ich, «aber das ist ja gar nicht mein Name!»

«Bei Gott», sagte er, «dann ist meiner auch nicht Hewins.»

Und bei diesen Worten sahen wir uns näher an, und wahrhaftig! *es war keiner von uns beiden.*

Französisch-Amerikanisches Duell

Paul Bourget, der berühmte französische Schriftsteller, kam einmal mit dem amerikanischen Humoristen Mark Twain zusammen. Es entspann sich ein Gespräch voll milder Sticheleien.

«Ein Amerikaner kann sich nie wirklich langweilen», meinte Bourget. «Wenn ein Amerikaner einmal nicht weiß, was er gerade tun soll, dann kann er immer ein paar Jahre auf die Untersuchung wenden, wer eigentlich sein Großvater gewesen ist!»

«Stimmt, stimmt», pflichtete Mark Twain bei. «Und sehen Sie, Monsieur Bourget, es ist so weise in der Welt eingerichtet, daß auch die Franzosen bei Langeweile immer noch eine amüsante Beschäftigung haben. Ein Franzose kann immer eine x-beliebige Zeit verwenden, um herauszubekommen, wer eigentlich sein Vater gewesen ist.»

Unerhörtes Glück

Ein Südamerikaner erzählt von einer entzückenden Frau, die er (nebenbei bemerkt) mit ihrem vollen Namen nennt:

«Ah, der Erfolg bei Frauen!... Eines Abends... Stellen Sie sich vor, eines Abends führe ich sie zum Diner, darauf ins Theater, endlich in ein Nachtrestaurant... Ich hatte unerhörtes Glück, so unerhörtes, daß ich sie mit einer Flasche Champagner, verstehen Sie, mit einer einzigen Flasche mehr, unbedingt erobert hätte...»

«Warum haben Sie die Flasche nicht bestellt?»
Darauf der Südamerikaner, im natürlichsten Ton der Welt:
«Deshalb, weil sie kein Geld mehr hatte.»

Bissige Sache

Pat und Mike, die zwei bekannten Irländer, sind eben in London angekommen. Sie gehen in ein Restaurant. Auf dem Tisch war eine Dose mit Senf. Mit englischem, nicht mit französischem Senf. Pat nimmt einen großen Löffel voll und steckt ihn in seinen Mund. Die Tränen beginnen ihm die Wange herabzurollen.

«Pat, worüber weinst du?» fragt Mike.

«Mir ist gerade eingefallen», sagt Pat, «daß gerade vor einem Jahre mein guter alter Onkel in Irland gehängt worden ist.»

Gleich darauf hat Mike einen guten Löffel voll Senf in seinem Mund, und auch ihm beginnen viele Tränen herunterzurollen. «Worüber weinst du, Mike?» fragt Pat.

«Darüber, daß du nicht zusammen mit deinem Onkel gehängt wurdest!» flüstert Mike.

Was nicht gekabelt wurde

Ein englischer Staatsmann besuchte neulich New York. Unter den Empfangsfestlichkeiten war auch die unvermeidliche Rundfahrt durch die Stadt vorgesehen: ein Senator machte den Gast mit dickem Zeigefinger auf alle Wunder aufmerksam. Jetzt kamen sie zu einem Wolkenkratzer von ungeheuren Dimensionen. «Sir», sagte der Senator und wies auf den Koloß, «Sie haben nichts Ähnliches in Ihrem Lande!» — «Nein», sagte der Engländer. — «Er ist zweiundsiebzig Stockwerke hoch, Sir.» — «Man denke», sagte der Engländer. — «Vom Dach aus sieht man hundert Meilen weit.» — «Wirklich?» sagte der Engländer. — «Jawohl, Sir, und in dem Gebäude gibt es dreiundfünfzig Lifte.» — «Soso», sagte der Engländer. — «Jawohl, Sir», fuhr der Amerikaner fort, «und es ist ganz aus Stahl und Beton gebaut, und kann überhaupt nicht verbrennen!» — «Wie schade», sagte der Engländer.

So sind die Engländer

Sir Oswald Mosley, der englische Faschistenführer, hält neuerdings wieder seine Versammlungen ab. Die Regie klappt hervorragend: in konzentriertem Scheinwerferlicht marschiert er feierlich auf die Plattform, begleitet von seinen Schwarzhemden, und mustert blitzenden Auges das Publikum. Nun tritt eine Stille ein, und Sir Oswald erhebt seinen rechten Arm steil hoch zum Faschistengruß. Da ertönt eine schrille Stimme vom Balkon: «Jawohl, Oswald, du darfst hinausgehen!»

Als Doktor Samuel Johnson sein berühmtes Lexikon veröffentlicht hatte, machte eine Dame der Gesellschaft ihm Vorwürfe, daß er dort auch unanständige Worte angeführt habe. «Madame», sagte Johnson und drohte ihr mit dem Finger, «Sie haben nach ihnen gesucht!»

Douglas Jerrold verglich das englische Zweiparteiensystem mit einer Sanduhr: «Wenn die obere Hälfte ausgeronnen ist, drehen wir das Ganze um, und die Sache geht weiter.»

Eine Zeitschrift gab eine Sondernummer über den Elefanten heraus und hatte Angehörige verschiedener Nationen um Beiträge gebeten. Es sandten ein

Der Franzose: «Das Liebesleben der Elefanten.»

Der Engländer: «Wie ich meinen ersten Elefanten schoß.»

Der Deutsche: «Der Elefant in ethischer, kultureller und rassischer Hinsicht.»

Der Österreicher: «Erinnerungen eines Elefanten an das alte Burgtheater.»

NUDISTEN

Der Reisende aus Minsk

Ein Bahnhof in Moskau.

Aus dem Waggon des soeben angelangten Schnellzuges steigt ernst und gemessen ein völlig nackter Staatsbürger.

Ein Wahnsinniger? Ein Nacktkulturträger? Oder beides —?

Jedenfalls umdrängt ihn die Menge in begreiflicher Neugierde. Doch schon hat sich ein Milizionär mit seinen Ellbogen an den neuen Adam herangepflügt und fragt barsch, was ihm eigentlich einfalle?!

Da blickt ihn der nackte Mensch ruhig an und spricht:

«Ich komme aus Minsk. In Minsk ist der Fünfjahresplan bereits in zwei Jahren durchgeführt worden.»

OPTIMISMUS

Der Optimist

Diese Geschichte ist ein Märchen und daher besonders zur Veröffentlichung geeignet.

Es waren einmal zwei Frösche, die besuchten einen Kuhstall. Der eine Frosch war seiner seelischen Einstellung nach Optimist. Der andere Frosch hatte Schopenhauer gelesen, das sagt genug.

Mit einem riesigen Hupfer sprangen beide in einen Metalleimer und plumpsten in die Milch.

Der Pessimist starrte entsetzt auf die spiegelglatten unbekletterbaren Metallwände, schwamm ein paar Tempi, gab endlich den Hoffnungslosen Kampf auf, ließ sich sinken und ertrank.

Der optimistische Frosch starrte ebenfalls auf die spiegelglatten Metallwände. Dann aber faßt er sich ein Herz und hat die ganze Nacht hindurch so unverdrossen geschwommen, rückgeschwommen, gecrawlt und gestrampelt — daß er beim Morgengrauen hoch oben auf einem Berg von Butter saß!

Die Zeitung «Optimist»

Wie aus New York berichtet wird, erscheint dort mit dem neuen Jahre die Zeitung «Optimist». Sie wird (außer finanziellen Zwecken natürlich) eine einzige Devise durchführen: — «Alles, was sich tut, wendet sich zum Guten!»

Ereignet sich z. B. auf dem Ozean eine furchtbare Schiffskatastrophe, wie die der «Titanic» etwa, so schreibt der «Optimist» dazu: «Freuen wir uns für die Leute, welche aus irgendwelchen Gründen ihre Abfahrt verschoben und so ihr Leben gerettet haben.»

Ereignet sich ein Erdbeben:

«Das furchtbare Elementarereignis gibt zweifellos den Anstoß zum Umbau und zur Verschönerung der halbzerstörten Stadt. Riesige Geldspenden treffen aus aller Welt ein. Die Bevölkerung jubelt unter freiem Himmel.»

Bricht ein Krieg aus:

«Mit dem Gefühl höchster Genugtuung stellen wir fest, daß dieser Krieg der letzte blutige Zusammenstoß im Leben der Menschheit sein wird ... Die Zivilisation schreitet mit Riesenschritten vorwärts.

Ab Friedensschluß beginnt eine Epoche der Ruhe und des Wohlstandes.»

Gibt's einen Börsenkrach:

«Die Gewinne der Baisse-Partei beziffern sich auf Millionen.»

Eine Epidemie:

«Unser bekannter Bakteriologe, Professor X., ist soeben dabei, den Bazillus dieser gefährlichen Krankheit zu entdecken... Ein neuer Triumph der Wissenschaft!»

Und so weiter, und so weiter. Selbst bei nächtlichen Raubüberfällen deutet der Optimist vorsichtig an, daß du, lieber Leser, froh sein kannst, daß dir das nicht passiert ist...

Man prophezeit dem Optimist einen Riesenerfolg. Aber vielleicht ist das auch optimistisch?

PETER DER GROSSE

Geschichten von Peter dem Großen

Die jähen Reformen Peters erregten die Unzufriedenheit vieler Untertanen. Hierin zeichneten sich Geistlichkeit und Klöster besonders aus, da ihre Rechte stark beschnitten worden waren. Die ungebildete Geistlichkeit zögerte nicht, eine Analogie zwischen der Persönlichkeit des großen Zaren und dem Antichrist herauszufinden. Die Bezeichnung Peters als Antichrist drang mit der Zeit bis in die fernsten Teile Rußlands und verbreitete sich besonders unter den Altgläubigen. Die Bedeutung des Wortes «Antichrist» wurde von manchen nicht in ihrem wirklichen Sinne verstanden; die meisten legten es nach eigenem Gutdünken aus, und die simpleren dachten sogar, daß dies ein besonderer Titel des Kaisers sei.

So kam es, daß ein Bauer, der den ganzen Sommer bei irgendeinem hohen Herrn gearbeitet und nicht seinen vollen Lohn erhalten hatte, zu Peter mit einer untertänigsten Klage kam. Der Zar spazierte gerade in seinem Garten.

«*Väterchen Zar, Antichrist!*» heulte der Bauer, fiel auf die Knie — «laß mich nicht kränken und Unrecht leiden...»

Verblüfft über diesen ungeheuerlichen Titel, blickt Peter erstaunt auf den Bittsteller. Der gerade anwesende Geheimrat Schafiroff erklärte dem Kaiser, worum es sich handelte. Peter lächelte traurig und befahl, die Bitte des Bauern sogleich zu erfüllen.

Die Bauern des Dorfes Welikoje werden jedesmal schrecklich wütend, wenn man sie mit den Worten: «Guten Tag, Makár!» begrüßt. Sie werden daher sehr oft so gegrüßt. Am «Guten Tag» ist ja nichts Schlimmes und an «Makár» eigentlich auch nichts, da es nur die Abkürzung des guten Taufnamens Makarius vorstellt.

Es liegt aber eine feine Anspielung darin. Vor langer Zeit besuchte nämlich Zar Peter der Große auf der Durchreise das Dorf Welikoje. Die zweihundert Bauern hatten sich barhaupt mit Salz und Brot aufgestellt. Der Kaiser steigt aus dem Wagen, sieht sich die Leutchen an, und fragt den ersten, wie er heiße? — der antwortet, schlicht und der Wahrheit gemäß: «Makár».

Zweihundert Bauern starren auf Peters Gesicht und sehen, daß ihm diese Antwort und dieser Name aus irgendeinem Grunde gut gefällt. Der Kaiser ist lustig. Er ist «höchlich befriedigt».

Jetzt fragt der Kaiser den zweiten Bauern, wie er heiße? — Der denkt ein wenig nach und sagt endlich langsam «Makár». (Er spekuliert: wenn bereits *ein* Makár den Kaiser froh macht, wie froh müssen ihn erst *zwei* Makáre machen!)

Der Kaiser fragt den Dritten — der sagt ebenfalls, dem Gesetz der Serie folgend, «Makár»! Der Kaiser fragt den Vierten, den Fünften, die ganze Reihe entlang — alle, alle heißen plötzlich «Makár»! Wo man hinsieht — nichts wie Makáre!

So daß der Kaiser endlich hoffnungslos mit der Hand abwinkt, mit Gelächter in den Wagen steigt und auch schon davon ist.

Die Bauern aber sehen sich verdutzt an: wie war das nur gekommen, das mit dem Makár? — Doch es war nicht nur gekommen, es ist auch geblieben! Denn jetzt sind es schon zweihundert Jahre, daß die Bauern von Welikoje sich alle erdenklichen Namen geben, z. B. sogar «Parssimonij» und «Pawssikachij» — und doch diesen «Makár» nicht mehr loswerden können, der ihnen auf jeder Landstraße lustig entgegenschallt: *«Guten Tag, Makár!»*

Ich habe einen kostbaren Zug aus dem Leben Peters des Großen entdeckt. Nach dem fünfundzwanzigjährigen Nordischen Kriege brachte der Nystädter Friede Peters Lebenswerk endlich unter Dach und Fach. Der Senat bat ihn, ehrfurchtsvoll ersterbend, den Titel «Imperator» anzunehmen, was Peter ohne viel Ziererei auch tat. Zur Feier wurde ein solennes Fest veranstaltet, dessen Clou ein Riesenfeuerwerk sein sollte. Peter wußte, daß er sich auf den pyrotechnischen Direktor nicht ganz verlassen konnte, da bereits drei Tage ununterbrochen gesoffen worden war. Und während nun die Würdenträger im strahlenden Saale tafelten und torkelten, lief Peter im Dunkel von Kanone zu Kanone, von Apparat zu Apparat, ordnete alles an, schoß eigenhändig die Raketen und die glühenden Buchstaben «Imperator» ab, und wirkte die ganze Nacht im Schweiße seines Angesichts so erfolgreich, daß tatsächlich ein brillantes Feuerwerk zu Ehren «Peters des Großen» zustande kam.

Selige Erinnerung

Ein russischer Adliger, ein Midshipman a. D., war als Kind Peter dem Großen, mit anderen für den Staatsdienst bestimmten Knaben, vorgestellt worden. Der Kaiser strich ihm die Haare aus der Stirn, blickte ihm forschend ins Gesicht und sagte:

«Na, der taugt nichts. Immerhin: er soll in die Marine eingeschrieben werden. Vielleicht wird er sich doch noch bis zum Midshipman hinaufdienen.»

Später, als altes Männchen, liebte der Adlige sehr, diese Geschichte zu erzählen, und setzte stets hinzu: «— und solch ein Prophet ist er gewesen, daß ich ja auch den Midshipman erst knapp bei der Verabschiedung gekriegt habe.»

PFERDE

Einem Gutsbesitzer war ein Pferd krank geworden. Er gab dem neuen Stalljungen Anweisung, wie das Tier zu behandeln sei. Nach einiger Zeit kommt er in den Stall, um zu sehen, ob auch alles richtig ausgeführt ist.

Er findet den Stalljungen im heftigsten Spucken und Husten, wobei dessen Gesicht rot, blau und grünlich schimmert.

«Was ist los?» fragt der Mann.

«Sie sagten doch, daß ich eine Röhre ins Maul des Pferdes stecken und das Pulver hineinblasen sollte?»

«Nun ja; und — —?»

«Das Aas hat zuerst geblasen.»

Sichere Tips

Damals, im letzten Rennen, liefen nur drei Pferde. Das Geschäft am Buchmacher-Ring war flau. Ein ruhiger, älterer Mann wandte sich an den prominentesten «Bookie» und fragte, ob er 100 Mark auf den Outsider anlegen könne.

«Aber gewiß, Herr», sagte der Buchmacher und blinzelte seinem Sekretär zu. — «Ich lege Sie zehn zu eins!»

«Und würden Sie mir dieselben Odds bei 200 Mark legen?» fragte der Harmlose.

«Gern, Herr, sehr gern!» sagte der Buchmacher und blinzelte heftiger.

Zum allgemeinen Entsetzen gewann der Outsider! Und zwar in einem ziemlich, ziemlich langsam gelaufenen Rennen. Beim Auszahlen grollte der Buchmacher: «Wissen Sie auch, daß der Sieger — Gott verdamm ihn! — mir selber gehört?»

«Gewiß doch», sagte der ältere Herr mit Ruhe. «Ich wußte das. Aber wußten *Sie*, daß die beiden anderen Pferde mir gehören?»

Berliner Turfgeschichte

In den fünfziger Jahren gab es in Berlin einen Herrn von Willamowitz, der etwas eitel war: auf sich, auf seine schöne Figur, auf seine Pferde usw. usw. Und darum ließ er sich als stolzer Reiter malen. Das Bild trug die Unterschrift:

«Auf meinem Hektor»

und wurde, gerade wegen dieser Unterschrift, ein wenig belächelt. Beim nächsten großen Rennen ritt Herr v. Willamowitz mit, natürlich auf seinem Hektor. Bei dem vorletzten Hindernis wollte das Pferd ausbrechen und sprang darauf so unglücklich, daß es stürzte, wobei der unverletzte Reiter direkt unter den Bauch des Tieres zu liegen kam und längere Zeit in dieser Lage verharrte.

Am nächsten Tage sah man diese Situation in einem Schaufenster sehr wirkungsvoll abgebildet: oben das Pferd und unten der Reiter! Das Bild trug die Unterschrift:

«Auf meinem Willamowitz»

POLITIK

Der Zyniker

In einem Herrenklub wurde ein Wettbewerb veranstaltet um die beste Definition dessen, was Politik sei. Den ersten Preis gewann der Klub-Zyniker. Seine Definition lautet:

«Politik, das ist die Kunst, Geld von den Reichen und Stimmzettel von den Armen zu ergattern — unter dem Vorwande, jeden der beiden vor dem anderen zu schützen.»

Allgemein, gleich und geheim

Bei den letzten englischen Wahlen wurde einem ehrlichen Manne nachgewiesen, daß er seine Stimme dem konservativen Kandidaten verkauft hatte.

Er wurde dessen angeklagt und mußte sich vor dem Richter verantworten. Mittlerweile hatte die Untersuchung ergeben, daß er seine Stimme ebenfalls dem liberalen Kandidaten verkauft hatte.

«Geben Sie zu, 25 Schilling vom konservativen Kandidaten erhalten zu haben?» fragt der Richter.

«Jawohl, Mylord.»

«Geben Sie des weiteren zu, 25 Schilling vom liberalen Kandidaten erhalten zu haben?»

«Jawohl, Mylord.»

«Aber hören Sie», rief der Richter verblüfft, «wie haben Sie denn gewählt?»

Da warf der Angeklagte das Haupt in den Nacken und sagte stolz:

«Nach meinem Gewissen, Mylord!»

Bauernlogik

Ein Wahlkandidat wandte sich an einen Farmer um dessen Stimme, und versprach, das Ministerium zu stürzen.

«Dann stimme ich nicht für Sie», sagte der Farmer. — «Warum nicht?» fragte der Wahlkandidat: «Weil ich mein Land liebe, wünsche ich ein neues Ministerium!» — «Aus demselben Grund», sagte der Farmer: «wünsche ich es *nicht*. Wenn ich neue Schweine kaufe, so fressen sie unersättlich, bis sie ein wenig Fett angesetzt haben, und von da an brauchen sie nur das halbe Futter. Eben darum bin ich für das jetzige Ministerium: sie verschlingen nicht halb so viel, als jedes neue!»

Vom Geiste souffliert

Der berühmte Schauspieler Lemaitre war gerade kein Muster von Nüchternheit. Aber er wußte sein Publikum prachtvoll zu behandeln.

Als er eines Abends (bald nach der Juli-Revolution) die Hauptrolle in einem Schauerdrama spielte, fühlte er sich plötzlich außerstande, das Spiel fortzusetzen. So betrunken war er. Zum Glück näherte sich das Stück seinem Ende, und es fehlten nur noch einige wenige Repliken. Aber auch die konnte Lemaitre, trotz heiserer Bemühungen des Souffleurs, nicht mehr hervorbringen. Er hatte sie total vergessen.

Da trat er mit einem großen Entschluß an die Rampe und wandte sich an die oberen Ränge (die bereits zu murren begannen):

«Mitbürger!» rief er, «ich glaube, daß jetzt der gegebene Moment da ist, um gemeinsam auszurufen: ‹Es lebe die Republik!›»

Er wurde stürmisch akklamiert und erntete einen solchen Triumph, daß man das Stück nicht zu Ende spielen konnte.

Variationen

Im Archiv des Pariser Kassationshofes existiert eine interessante Aktenmappe, wo die Ergebenheitsadressen dieser hohen Behörde in einigen feierlichen Fällen aufbewahrt sind.

Aus den Jahren 1814 – 1815 sind drei Adressen besonders lesenswert, die eine seltene Treue den betreffenden Souveränen bezeugen.

An Ludwig den XVIII. schrieb der Kassationshof am 18. April 1814: «Sire, nach einem langen und stürmischen Gewitter ist das Staatsschiff wiederum im geborgenen Hafen. Frankreich hat seinen wahren König wiedergefunden und die Franzosen einen Vater, in dessen Schoß sie ihr Unglück vergessen können.»

Am 25. März 1815 wendet er sich an Napoleon in folgenden Worten:

«Mögen sie für immer vergessen sein, diese Tage eines durch Verrat erschlichenen Interregnums, aufgerichtet durch fremde Gewalt, welches die Nation nicht anders als abstreifen konnte.»

Endlich, am 12. Juli 1815, sagt er Ludwig dem XVIII.: «Mögen sie für ewig vergessen sein, diese entsetzlichen Ereignisse, welche, Eure Majestät den Armen Ihrer verzweifelten Untertanen entreißend, den frechsten Despotismus aufrichteten.»

Parlamentarische Gepflogenheiten

Zur Zeit Georgs II. wurde das Unterhausmitglied Mr. Crowle dazu verurteilt, einen Verweis des Speakers *auf den Knien* zur Kenntnis zu nehmen.

Als Crowle sich wieder erhob, stäubte er sich mit dem Taschentuch nonchalant die Knie ab und bemerkte, dies sei *das schmutzigste Haus, das er je in seinem Leben betreten habe!*

Volkes Stimme

Das englische Parlament besitzt seit alter Zeit seinen Hausgeistlichen. Vor dem Parlament aber patrouilliert ein Policeman.

Ein neugieriger Besucher fragte einmal den Policeman, ob der Hausgeistliche wirklich für die Parlamentsmitglieder bete.

«Nein», sagte dieser, «er geht ins Unterhaus, schaut einmal in die Runde auf alle Leute, kniet dann nieder und betet still *für das Land.*»

Sowjet-Humor

Rakowski präsidierte auf einem Weltkongreß der Dritten Internationale, zu der Kommunisten aller Rassen gebraucht wurden.
«Genossen», sagte er, «die Eröffnungssitzung kann erst nach einer Stunde stattfinden.»
«Weshalb? Warum? . . .» ruft es von allen Seiten.
«Der Neger trocknet noch!»

POLIZEI

Auf einer verkehrsreichen Straße schob ein Polizist einen stehengelassenen Kinderwagen zum nächsten Polizeirevier. Da kommt ein kleiner Straßenjunge vorbei und ruft: «He, was hat das arme Kind verbrochen?»

POST

Allais kommt eines Tages mit wichtiger Miene ins Postamt. Er verlangt hastig Briefmarken. Er läßt sich große Bogen von Marken vorlegen. Mit Kennermiene, prüfend, genießerisch sieht er sich langsam einen Bogen von oben bis unten an. Er kämpft sichtlich mit einem Entschluß.

Endlich zeigt er auf die vierte Marke der dritten Reihe und sagt: «Geben Sie mir diese da! . . .»

POTEMKIN

Ein genialer Einfall

Der berühmte Fürst Potemkin bekam öfters melancholische Anwandlungen. Er konnte dann tagelang einsam vor sich hinstarren, wobei niemand zu ihm ins Kabinett durfte. Als es mit ihm wieder einmal so weit war, hatte sich in seiner Kanzlei eine Menge von Papieren angehäuft, die unbedingt sofort erledigt werden mußten — aber niemand besaß den Mut, sich in das Zimmer Seiner Durchlaucht hineinzuwagen. Ein junger Beamter namens Petuschkow hatte das sorgenvolle Deliberieren der alten Bureaukraten mit angehört und erbot sich nun keck, die Papiere dem Fürsten zur Unterschrift vorzulegen. Mit erleichtertem Aufatmen wurde ihm der ganze Stoß eingehändigt; alles erwartete mit Ungeduld das Schicksal der Unternehmung.

Potemkin saß, barfüßig und ungekämmt, in einen Schlafrock gehüllt, da und kaute nachdenklich an seinen Nägeln. Petuschkow erklärte ihm schneidig, worum es sich handele, und unterbreitete ihm die Papiere. Worauf Potemkin wortlos nach der Feder griff und automatisch ein Blatt nach dem anderen unterschrieb. Nach einer schnellen Verbeugung kehrt Petuschkow triumphierend ins Vorzimmer zurück: «*Er hat unterschrieben!...*» Alles stürzt auf ihn zu, man sieht nach: die Papiere sind tatsächlich alle unterzeichnet, Petuschkow wird allgemein beglückwünscht: «Schneidiger Kerl! Das muß man sagen!...» Aber da sieht sich einer von den Beamten die Unterschrift genauer an — was ist denn das? Da steht auf allen Papieren statt: «Fürst Potemkin», die Unterschrift:

«Petuschkow»
«Petuschkow»
«Petuschkow»

Potemkin

Der junge Sch. hatte einen so verwegenen, dummen Streich gemacht, daß sich der Fürst Besborodko über ihn bei der Kaiserin selbst beklagen wollte. Die ganze Verwandtschaft kam in Aufregung, man stürzte zu Fürst Potemkin und bat ihn, sich für den jungen Mann einzusetzen. Potemkin befahl, daß Sch. sich am nächsten Tage bei ihm einfinden solle, und setzte hinzu: «... und dann soll man ihm noch sagen, daß er mir gegenüber nur recht dreist sein soll.»

— Am nächsten Tage findet sich Sch. zur anberaumten Zeit ein. Potemkin tritt in seinem gewöhnlichen Kostüm aus dem Kabinett, spricht zu niemand ein Wort, und setzt sich ans Kartenspiel. Nun trifft auch Fürst Besborodko ein. Potemkin begrüßt ihn so eisig wie nur möglich und setzt sein Spiel fort. Plötzlich ruft er den jungen Sch. zu sich heran. «Sag' mal, Bruder», fragt Potemkin, indem er ihm die Karten zeigt, «wie soll ich da eigentlich spielen?» — «Was geht das mich an, Durchlaucht», sagt Sch., «spielen Sie doch, wie Sie wollen!» — «Ach, du mein Vater», versetzt Potemkin mit gedrückter Stimme, «man kann dir ja nicht mal ein Wort sagen — gleich bist du böse!»

Nachdem Fürst Besborodko das besagte Gespräch angehört hatte, beschloß er plötzlich, von seiner Klage Abstand zu nehmen.

Potemkin hat den ganzen Süden Rußlands kolonisiert. Während er in der Krim Krieg führte, hatte sich ein junger Gardeoffizier in

Petersburg einen besonderen Namen gemacht, und zwar dadurch, daß er den ganzen Kalender auswendig kannte, das heißt, er konnte den Märtyrer oder Heiligen eines jeden Kalendertages angeben. Man brauchte ihn nur «Den 2. April?» zu fragen, so sagte er: «Der Heilige Ambrosius», oder: «Den 28. August» — so sagte er schon, «Der Heilige Bartholomäus». Dieser junge Mann lebte gerade nichtsahnend bei seinen Eltern zu Besuch auf dem Lande, als plötzlich eine dampfende Stafette mit einem Feldjäger heransauste. Befehl vom Allerdurchlauchtigsten: sofort ins Hauptquartier in die Krim fahren! Große Aufregung, große Besorgnis der Eltern und Verwandten! — aber da half nichts, da mußte gehorcht werden, und zwar auf dem Fleck. Nach vierzehntägigem Jagen durch Tag und Nacht hat der Offizier mit dem Feldjäger endlich Potemkins Hauptquartier erreicht. Bestaubt und bespritzt, wie er ist, wird er sofort in das Zelt des Allerdurchlauchtigsten geführt. Potemkin liegt bequem auf einem Feldbett und fragt ihn: «Sag mal, mein Lieber, ist es wahr, daß du den ganzen Kalender auswendig kannst?» — Der junge Mann, hackenklappend, freudig: «Jawohl, Ew. Durchlaucht!» Potemkin nimmt einen Kalender vom Tisch, blättert darin, und fragt: «Na — — den zweiten April?» — «Der Heilige Ambrosius.» — «Nun und ... den achtundzwanzigsten August?» — «Der Heilige Bartholomäus.» Darauf Potemkin: «Es ist gut, mein Lieber — du kannst wieder nach Hause fahren.»

Der junge Potemkin hatte eine sehr eilige Depesche von der Krim nach Petersburg zu bringen und legte diese Riesenentfernung in einer tatsächlich überaus kurzen Zeit zurück, so daß selbst die Kaiserin Katharina ihm darüber eine Eloge machte. Später spazierte er in der Stadt herum und erzählte auf vieles Befragen: bei der Eile habe sein Degen zufällig seitwärts aus dem Schlitten herausgeragt — und *da habe die Degenspitze an den Werstpfosten wie an einem Staketenzaun entlanggerattert.*

Der Salut

Während des Feldzuges auf Otschakoff war Fürst Potemkin bis zur Raserei in die Gräfin D. verliebt. Als er endlich ein Rendezvous erlangt hatte und mit der Schönen allein in seinem Zelte war, zog er plötzlich an einer Klingelschnur — und mit einem Male begannen die Geschützbatterien des ganzen Heeres zu donnern.

Als der Gatte der Gräfin D., ein geistvoller und unmoralischer Mensch, von der Ursache dieses Kanonendonners hörte, zuckte er gleichmütig die Achseln und sagte bloß: «Was für ein lautes Kikeriki!»

Zur Zeit, da Potemkin Katharinas Günstling war, gab es in Tula als Generalgouverneur einen Herrn Kretschétnikow, der den einen Fehler hatte, daß er sich mit übermäßigem Pomp in Szene setzte. Um ihm die Satrapenmanieren abzugewöhnen, schickte Potemkin eines Tages seinen eigenen Adjutanten mit Geheimorder nach Tula. Und ein Adjutant von Potemkin war zu jener Zeit allmächtig: etwas, das alles schlottern machte.

Der Adjutant kommt an und begibt sich in den riesigen Empfangssaal des Gouvernementspalastes. Der gesamte Adel steht bereits in ehrfürchtigem Schweigen versammelt. Seine Exzellenz, der Herr Generalgouverneur, soll gleich erscheinen. Und wirklich: die Flügeltüren gehen auf und Kretschétnikow, gefolgt von einer blendenden Suite, schreitet auf roten Stöckelschuhen und in einer Riesenperücke stolz herein. Da — plötzlich — springt der Adjutant, der im Hintergrunde gestanden, lachend auf einen Stuhl, fängt frenetisch zu applaudieren an, und schreit: «*Bravo, Kretschétnikow, bravissimo! Umkehren!! Dakapo! Bravissimo! Umkehren — noch einmal!!*»

Seine Exzellenz, der Generalgouverneur, kehrte wirklich um — die Flügeltüren schlossen sich — taten sich wieder auf: und der krebsrote Kretschétnikow mußte mit seiner ganzen Suite langsam wieder hereinstelzen ...

PRAHLEN

Marius auf Jagd

Marius, der größte Maulheld von Marseille, erzählt im Café von seinen Jagderlebnissen. Die Freunde lauschen ergriffen.

«Ha!» ruft Marius, «ich trete aus dem Gebüsch, und was sehe ich? Einen gewaltigen Löwen ... Ich ziele — ich schieße — und strecke ihn nieder. Hundert Meter weiter: ein zweiter Löwe. Noch gewaltiger als der erste ... Ich ziele — ich schieße — und strecke ihn nieder. Aber das ist noch nicht alles ... Kaum habe ich den zweiten erlegt, als schon ein dritter Löwe aufspringt! Noch gigantischer als der zweite ... Ich ziele — ich schieße — und ...»

In diesem Augenblick hört man einen Cafégast am Nebentisch sehr deutlich flüstern: «Wenn er diesen *auch* niederstreckt, nehme ich ihn am Kragen und gebe ihm einen Tritt in die Kehrseite!»

Ohne mit der Wimper zu zucken, fährt Marius fort: «Ich schieße — und — — schieße vorbei ...»

Die Rose und der Ziegelstein

Der berühmte Publizist Hilaire Belloc wurde auf einer Wanderung in Irland von einem orkanartigen Sturmregen überfallen. Er bemerkte in der Ferne ein Licht, lief darauf zu und konnte sich bald in die kleine Hütte eines irischen Bauern retten. Während er sich am Kamin trocknete, bemerkte er auf dessen Sims eine schön polierte Holztafel, auf der unter einer großen Glasglocke eine *Rose* und ein *Ziegelstein* lagen. Belloc fragte den Bauern neugierig, was das zu bedeuten habe?

«Sehen Sie diese Narbe hier?» sagte der Bauer und wies auf seine rotumbüschelte Stirn. «Können Sie sehen...? Das hat der Ziegelstein gemacht.»

«Aber... die Rose?»

«Die wuchs auf dem Grab des Gentleman, der ihn geworfen hat.»

Sprechen Sie noch?

Ein junger Advokat hat sich ein wundervolles Arbeitszimmer eingerichtet. Zur Krönung des Ganzen hat er sich gestern ein Luxustelephon gekauft mit Elfenbeinmuschel, das vorläufig eindrucksvoll auf dem Schreibtisch steht.

Man meldet einen Klienten. Den ersten!

Der junge Advokat läßt ihn zuerst einmal — aus Grundsatz — eine Viertelstunde warten. Um auf den Klienten noch stärkeren Eindruck zu machen, nimmt er den Hörer ab und simuliert bei Eintritt des Mannes ein wichtiges Telephongespräch:

«Mein lieber Generaldirektor, wir verlieren ja nur Zeit miteinander... Ja, wenn Sie durchaus wollen... Aber nicht unter zwanzigtausend Mark... Also schön, abgemacht... Guten Tag!»

Er setzt den Hörer wieder auf. Der Klient scheint tatsächlich sehr befangen zu sein. Fast verwirrt.

«Sie wünschen, mein Herr?»

«Ich... ich bin der Monteur... ich möchte das Telephon anschließen.»

Das Gedächtnis

«Ich habe ein unglaubliches Gedächtnis», sagte Hektor Meier. «Ich gehe jede Wette ein, daß ich dir drei Seiten des *Telephonbuches* auswendig aufsage — das heißt die Namen, nicht die Nummern. Mir scheint, du zweifelst?»

«Ich nehme die Wette an. Los! Beginne...!»

«Ich beginne mit Seite 506. Meier... Meier... Meier... Meier ... Meier... Und so weiter, mein Lieber, bis Seite 509!»

Drei amerikanische Maler erzählten sich von ihrer Arbeit. «Neulich», sagte der eine, «neulich hab' ich ein kleines Holzbrett so täuschend ähnlich marmoriert, daß es später, als ich's in den Fluß warf, sofort untersank wie ein Stein.»

«Pah», sagte der zweite, «gestern hängte ich ein Thermometer an meine Staffelei mit der Polarlandschaft. Das Quecksilber fiel sogleich auf zwanzig Grad unter Null.»

«Das alles ist nichts, Boys», bemerkte der dritte Maler. «Mein Porträt eines prominenten New Yorker Millionärs war so lebenswahr, daß es... hm... daß es zweimal in der Woche rasiert werden mußte.»

Junger Wunschtraum

In einem Kino in Neukölln. Es lief ein Douglas Fairbanks-Film, und die in Neukölln sind alles alte Fairbanks-Kenner: wird auch nur eine Szene ausgelassen (denn die Filme sind rissig geworden) — so fangen sie gleich zu trampeln an...

Endlich wird's hell und eine Verkäuferin bietet Eiswaffeln an. Ein Jüngling von 17 Jahren: «*Frollein... hier* (er zeigt auf sich selbst) *... eine Eiswaffel für Douglas!*»

Die Interpretation

Ein Prahler, dessen Physiognomie beim letzten Bierhauskrawall gelitten hatte, behauptete, er habe diese Wunden in der Schlacht erhalten. — «Dann sei das nächste Mal vorsichtiger», bemerkte ein alter Soldat, «und schaue beim Davonlaufen nicht zurück.»

PRESSE

Moderne Kürze

Kürze ist die Seele aller Meldungen. Aber vielleicht ging jener Journalist doch zu weit, als er einen Unglücksfall, wie folgt, seiner Zeitung meldete:

«John Dixon entzündete ein Streichholz, um nachzusehen, ob noch Benzin in seinem Tank sei. Benzin war vorhanden. Alter 56 Jahre.»

Alte Kritiken

«Carmen» dürfte wohl die populärste und zugleich auch anerkannteste Oper der Welt sein.

Nun hat eine Pariser Musikzeitschrift sich der Mühe unterzogen, die alten Zeitungskritiken über die Premiere von Carmen zusammenzustellen. Der Eindruck ist niederschmetternd:

«Der erste Akt ist langweilig und kalt. Schon möglich, daß Bizet ein kleines Talent hat, doch fehlt ihm der Glanz. Alles ist bei ihm lauwarm, verlegen und dürftig.»

Aus einer anderen Kritik:

«Wir lieben und schätzen Herrn Bizets Begabung. Gerade darum müssen wir ihm offen erklären: das ist *ein Fehlschlag, ein völliger Fehlschlag, ein absoluter Fehlschlag!*»

Eine dritte sagt:

«Man muß darüber staunen, daß die Direktion der Opéra Comique für die Inszenierung dieses Werkes Geld ausgegeben hat — wo es sich doch *keinesfalls länger als zehn Vorstellungen* halten kann.»

Eine vierte:

«Die Manieriertheit der Instrumentierung unterstreicht aufs neue Herrn *Bizets völlige Unfähigkeit,* auch nur die kleinste Melodie zu erfinden.»

Bekanntlich hat der Durchfall seines Lieblingswerkes Bizets kränklichen Körper den Todesstoß versetzt. Von allen seinen Freunden unterstützte ihn einzig Saint-Saëns, der ihm noch in der Premieren-Nacht folgendes Billett ins Café schickte:

«Ein Meisterwerk!»

Aus einem alten Zeitungsartikel

«Die Natur steigt hinab bis zu unendlicher Kleinheit. Auch Mr. Canning hat seine Parasiten... Und wenn Sie eine blaue, brummende Schmeißfliege unterm Mikroskop betrachten, so werden Sie auf ihr zwanzig bis dreißig häßliche kleine Insekten kriechen sehen, die zweifellos ihre Fliege für das grandioseste, wichtigste Lebewesen im Weltall halten — ja, mehr noch: welche völlig überzeugt sind, daß, wenn die Fliege nicht mehr brummt, auch die Welt untergeht!»

Aus einem Zeitungsartikel

«Als wir bei der gestrigen Unterhaussitzung Mister X. etwas Scharfes sagen hörten, erinnerte uns das ehrenwerte Mitglied an einen Kalbskopf mit einer Zitrone im Maul.»

Der Redakteur im Himmel

Ein Pariser Redakteur starb und kam in den Himmel. Dort wurde ihm dieselbe Arbeit aufgetragen, mit der er sich auch auf Erden beschäftigt hatte: ein Blatt herauszugeben.

Unter einer Bedingung — er durfte sich nicht mit Politik befassen; es sollte eine rein literarische Zeitschrift sein.

Honorare wurden nicht gezahlt. Wer braucht auch im Himmel Geld?

Die erste Nummer kam ganz nett heraus. Der Leitartikel war von Homer. Die Kurzgeschichte von Boccaccio. Lafontaine steuerte eine Fabel fürs Feuilleton bei. Mozart übernahm die Konzertkritik. Die literarische Übersicht war von Boileau. Victor Hugo schickte Gedichte ein...

Der Redakteur war tief zufrieden. Allein schon am nächsten Tage notierte er in seinem Tagebuch:

«Unannehmlichkeiten. Boileau hat 400 Zeilen eingeschickt. Viel zu lang. Ich wollte kürzen, jedoch er kam in Wut und droht mit einem Schiedsgericht.»

Zwei Tage später:

«Mozart hat sich ungünstig über die Pianistin Madame B. ausgesprochen. Ich weiß nicht, was ich tun soll — bringen oder nicht bringen? Ich schlug ihm vor, den Ausdruck «glatte Talentlosigkeit» durch «hervorragende Begabung» zu ersetzen, aber er weigert sich und behauptet, daß dadurch ein anderer Sinn herauskommt. Ich weiß nicht, was ich machen soll.»

Am nächsten Tage:

«Neuer Krach. Ich wollte die Theaterkritik Shakespeare übertragen. Es stellt sich heraus, daß es ein halbes Dutzend Shakespeares gibt, von denen jeder behauptet, daß er der richtige sei. Jeder stützt sich auf verschiedene gelehrte Werke. Wem soll ich glauben?»

«Victor Hugo hat irgendein Blech eingeschickt. Natürlich werden die Esel und Snobs sagen, daß es genial sei! Nach meiner Ansicht taugt es gar nichts. Leider muß man es bringen, da Absage unmöglich.»

Der Redakteur regte sich auf, litt entsetzlich, schwitzte und erwachte. O Glück! Er war noch nicht gestorben. Er hatte noch lauter bescheidene, gehorsame Mitarbeiter. Er war selig: er konnte sein Blatt ohne Homer, Mozart, Hugo und ohne Unannehmlichkeiten herausgeben!

Autogramme

Holzbock, so hieß einst eine Koryphäe der Ballberichterstattung. Er war schon bei Lebzeiten zu einer legendären Gestalt, zu einem Begriff geworden.

Nun zeigte der verdienstvolle Cellist G. eines Tages die Prachtstücke seiner Autographensammlung vor: ein Napoleon, ein Goethe, ein früher Lessing... die Gäste waren andächtig-starr.

«Und dann», fuhr G. fort, «dann habe ich hier noch eine wirkliche Rarität: *einen angezweifelten Holzbock.* Sehr interessant! Solange er angezweifelt bleibt, bewahr ich ihn als die Perle meiner Sammlung... Aber sowie er sich als echt herausstellt, schmeiß ich ihn in den Papierkorb!»

Zwei merkwürdige Zeitungsnachrichten

I

Jedermann kann diesen wunderbaren Fall selber nachprüfen. Man fahre in die Stadt Iserlohn, begebe sich in das Stadtarchiv und lasse sich dort den Jahrgang 1848 des «Iserlohner Öffentlichen Anzeiger» geben. In der Zeitungsnummer vom 7. *Juni 1848* findet sich folgende «Aufforderung»:

«Wie ich vielseitig höre, bezeichnet man mich für den Mann, der in jüngster Zeit zuerst das Gerücht verbreitet hat, als sollte am Himmelfahrtstage ein gräßliches Morden und Blutvergießen stattfinden. Ich erkläre hiermit, daß ich solches nie gedacht, noch ausgesprochen habe, und verspreche demjenigen eine gute Belohnung, der mir den, welcher dies Gerücht als von mir ausgehend verbreitet hat, so anzeigt, daß ich ihn gerichtlich belangen kann.

Lips, Hauderer in Letmathe.»

Darauf lasse man sich den *Jahrgang 1849* derselben Zeitung herausreichen und schlage jene Nummern nach, welche über die Ereignisse am Himmelfahrtstage dieses Jahres in der Stadt berichten.

Und man wird finden, daß *genau am Himmelfahrtstage 1849* in den Häusern und Straßen der Stadt Iserlohn ein furchtbarer Kampf der einrückenden Truppen gegen die aufständische Bevölkerung stattgefunden hat. In der Tat, «ein gräßliches Morden und Blutvergießen», dem in kurzer Zeit 42 Menschen zum Opfer fielen.

Der Mann, von dem jene Voraussage stammt, konnte nie ermittelt werden.

II

Aus der Pariser Zeitung *«La Presse»*, vom 9. *Mai 1927:*

«New York, 5 Uhr. — Als Nungessers Flugzeug auf der Reede von New York auftauchte, flog ihm Commander Poullois, Chef der Marine-Jagdflieger, mit einer Eskadrille entgegen, die eine Ehreneskorte bildete. In dem Augenblick, wo das Flugzeug in Sicht kam, wurden auf allen Schiffen Flaggen gehißt, während die Dampfersirenen zu heulen begannen. Zahlreiche Vergnügungsfahrzeuge fuhren in die Bai hinaus, ebenso auch viele Militär-, Post- und Zivilflugzeuge, welch letztere von Filmleuten und großen Zeitungen gechartert waren.

Nach der glattverlaufenen Wasserlandung wurde der Apparat sogleich von zahlreichen Fahrzeugen umkreist, während viele Wasserflugzeuge ihn in geringer Höhe überflogen.

Nach der Wasserlandung verharrten Nungesser und Coli einen Augenblick unbeweglich in ihrem Apparat, gleichsam unempfindlich gegenüber den brausenden Zurufen aus den umgebenden Fahrzeugen. Darauf erhoben sich beide von ihren Sitzen und umarmten einander. Ein Autoboot legte am Flugzeugleib an und brachte Nungesser und Coli an den Kai. Eine riesige Menschenmenge erwartet sie dort; unter den zum Empfang erschienen offiziellen Persönlichkeiten befanden sich mehrere Regierungs-Delegierte, Mr. Harmon, der Bruder von Mr. Clifford Harmon, dem Vorsitzenden der Internationalen Aviatiker-Liga, welchem Nungesser einen Brief aus Paris zu übergeben hatte, weiter der Vorsitzende des Aero-Club der Vereinigten Staaten, der Vorsitzende der Orts-Sektion der Internationalen Aviatiker-Liga, sowie eine große *Zahl von Journalisten und Filmoperateuren.*

Nungesser hat bisher keinen Bericht über seinen Flug gegeben; er sagte einfach, daß er über das Gelingen des Unternehmens glücklich sei und dringend nach Ruhe verlange.»

Diese Nachricht erhält ihre besondere Bedeutung durch die Tatsache, daß Nungesser und Coli New York bekanntlich niemals erreicht haben, sondern irgendwo auf dem Ozean eines furchtbaren Todes gestorben sind.

PROFESSOREN

Durch Sturm und Regen

In der kleinen Universitätsstadt G. ist neulich folgendes passiert. Professor X. hatte die Zierde seiner Fakultät, den berühmten Professor J., zu einem gelehrten kleinen Abendessen mit Portwein eingeladen. Gegen Ende der Sitzung erhob sich draußen ein furchtbarer Regensturm, der rasselnd an die Fenster trommelte. «Sie können unmöglich bei dem Regen hinaus, verehrter Kollege», sagt Professor X: «Sie übernachten selbstverständlich bei mir — ich habe das Kaminzimmer bereits herrichten lassen.» Und komplimentiert den würdigen alten Herrn in das Kaminzimmer hinein, und wünscht gute Nacht.

Nach einer Weile geht der Gastgeber noch einmal in das Zimmer, um sich nach etwaigen Wünschen zu erkundigen. Große Bestürzung: es ist niemand drin. Im ganzen Hause, in allen Örtchen wird nach dem Gaste gesucht — vergeblich!

Endlich hört man ein lautes Klingeln von der Außentür. Der Gastgeber stürzt zur Tür und öffnet. Dort steht Professor J., ganz naß und verregnet, mit einem Päckchen unterm Arm.

«Entschuldigen, Herr Kollege», murmelte er zähneklappernd, «ich hab' mir bloß schnell mein Nachthemd geholt.»

Examen

«Herr Kandidat, was ist Uranium?»

—?

«Das wissen Sie nicht? So. Und was ist Helium?»

—?

«Auch nicht?... Ich gebe Ihnen jetzt noch eine letzte Chance: Was ist — hm — der Unterschied zwischen Uranium und Helium? — »

Der Professor in der Schweiz

Ein Professor der Relativitätstheorie fuhr neulich mit der Eisenbahn durch die Schweiz. Der Zug hatte eine rasende Geschwindigkeit.

«Schaffner», fragte der Professor höflich, als der Kontrolleur kam, «sagen Sie bitte: wann hält die nächste Station hier am Zuge?»

Die allerletzte Geschichte vom zerstreuten Professor

Es gibt eine Geschichte vom zerstreuten Professor, die diesem verflossenen Genre sozusagen die Krone aufsetzt; über diese Geschichte hinaus kann es in der Art nichts mehr geben. — Eine junge Amerikanerin besucht nach Jahren wieder einmal die Universität, wo sie studiert hatte. Sie trifft ihren alten Professor, dessen Zerstreutheit sprichwörtlich ist.

«Erinnern Sie sich denn gar nicht mehr an mich?» fragt sie ihn. «Sie haben mich doch damals gebeten, Ihre Gattin zu werden...»

«Ah! natürlich...», ruft der Professor mit aufflackerndem Interesse, «ja, ja, ich erinnere mich! Und... sind Sie es geworden?...»

Das alte Mittelchen

Ein Fremdenführer zeigte einigen amerikanischen Touristen die Sehenswürdigkeiten von Oxford.

«Ich würde gern Iowett's Studierzimmer sehen», sagte einer der Touristen, «Sie wissen: Iowett, der Mann, der den Plato übersetzt hat.»

«Das leichteste Ding von der Welt», meinte der Führer und begab sich mit der Gruppe in einen nahegelegenen klosterähnlichen Vorhof.

«Sehen Sie das offene Fenster dort im zweiten Stock? Das, meine Herrschaften, ist Mr. Iowett's Bude. Vielleicht wünschen die Herren, den Professor selber zu sehen?»

Die Amerikaner versicherten ihm, daß sie nichts lieber täten. Daraufhin bückte sich der Führer nach einem halben Ziegelstein und schleuderte diesen mit tödlicher Sicherheit durch Iowett's offenes Fenster.

Einen Augenblick später tauchte ein vor Wut purpurnes Gesicht in der Öffnung auf.

«Aha!» sagte der Fremdenführer triumphierend, «das bringt ihn allemal noch heraus. Da ist der alte Knabe selber!»

Der berühmte Edinburgher Mathematik-Professor MacLaurin hatte das Unglück, sich beim Gähnen stets die Kinnbacken zu verrenken, so daß er dann seinen Mund nicht mehr schließen konnte. Seine Hörer nutzten das aus. Wenn sie von der Vorlesung ermüdet waren, gähnten sie so demonstrativ, daß der Professor instinktiv mitgähnen mußte. Dann stand er vor ihnen mit offenem Munde und konnte nicht reden, bis er seinem Diener geklingelt hatte, der den Mund wieder zumachte. Aber unterdessen hatten die Hörer das Weite gesucht.

PROVINZ

«Jetzt wollen wir die Birnen zählen; dann gehen wir den Schnellzug 4 Uhr 19 vorbeifahren zu sehen.»

Die böse Großstadt

Hiram Jefferson, Farmer aus Arkansas, tritt mit seinem Handköfferchen aus dem New Yorker Zentralbahnhof und steht einen Augenblick wie betäubt von all den Menschen- und Häusermassen! Endlich hat er sich gefaßt und tippt einem ernstblickenden Jüngling auf die Schulter:

«Junger Mann», sagte Hiram, «ich will zum Madison Square gehen.»

Der Jüngling schien einen Moment in Nachsinnen versunken.

«Well, meinetwegen», sagte er endlich, «dieses eine Mal können Sie noch gehen... Aber ich bitte Sie, mich nie, nie wieder zu fragen.»

PSYCHOANALYSE

Fehlleistungen

Was ist eine «Fehlleistung»? — das fragt sich heute, wo dieses Wort aus der wissenschaftlichen Seelenkunde in die Allgemeinheit übergegangen ist, Mann, Weib und Kind, und weiß keine Antwort. Andere, Fortgeschrittenere aber legen sich bereits hübsche kleine Kollektionen von Fehlleistungen an, wobei das Einordnen von Grenzfällen, der Austausch von Dubletten usw. usw. ein amüsantes und vor allem spottbilliges Gesellschaftsspiel abgibt.

Hier zwei Prachtstücke meiner Sammlung:

Fall I. Ein Schriftsteller, erfolgreicher Dramatiker, wird sich, mitten in angespanntester Arbeit, plötzlich seiner drückenden Briefschulden bewußt und lenkt seine Schritte ins nächste Postamt. In tiefem Sinnen steht er vor dem Schalter. Durch die Frage des Beamten aufgeschreckt, verlangt er zehn Postkarten für Fernverkehr, die ihm gegen Erlegung des Preises ausgehändigt werden.

Mit ernster, geschäftsmäßiger Miene zählt er die Karten nach, schreitet gewichtig zu dem im Postlokal aufgestellten Briefkasten, und versenkt die zehn unbeschriebenen Karten mit feierlicher Handbewegung in den Schlitz. Erleichterten Herzens, wie nach einer erfüllten schweren Pflicht, geht er dann munter pfeifend nach Hause.

Fall II. Doktor X., ein Internist mit enormer Praxis, hat heute einen besonders angestrengten Vormittag. Ein fortwährendes Hinundher von Assistenten, Schwestern, Kranken, dazwischen immer wieder dringende Telephongespräche — kurz, es entwickelt sich jene fieberhafte Atmosphäre, die man Berliner Tempo nennt. Doktor X. ist soeben dabei, eine entzückende junge Patientin zu beklopfen. Sorgenvoll preßt er jetzt ein Ohr gegen ihren rosigen Rücken. Die Schwester steht mit gezücktem Bleistift bereit — der Doktor horcht noch immer mit angepreßtem Kopf — bis er endlich ungeduldig ruft: «Hallo, hallo! Hier Doktor X. — wer dort?» ...

So, nun wissen Sie, was eine Fehlleistung ist.

Fortschritte der Psychoanalyse

Die Fortschritte der Psychoanalyse sind unaufhaltsam, ja sie haben selbst in die innerste Wiener Leopoldstadt Eingang gefunden. Ich besitze davon unwiderlegliche Beweise.

Denn ich suchte neulich in der Taborstraße das Café «Produkten-Börse» und konnte es nicht finden. Doch an der Ecke stand ein Mann mit langem schwarzem Bart und langem schwarzen Rock und schien in Nachdenken versunken.

«Ach bitte», sagte ich, «wo ist hier das Café ‹Produkten-Börse›?»
Er hob den Kopf, starrte mich an, und sagte langsam im tiefsten
Basse:
«Mir unbewußt...»

PUSCHKIN

Puschkin-Anekdoten

Ein Lieblingsspiel des elfjährigen Puschkin war das Improvisie-
ren kleiner französischer Verskomödien im Stile Molières, wobei
sein Schwesterchen das gesamte Publikum und die Kritik in einer
Person vorstellte. Einmal geschah es, daß sein neues Stück «l'Esca-
moteur» von ihr gellend ausgepfiffen wurde. Puschkin verbeugte
sich kurz und antwortete sogleich mit folgendem Epigramm:

> «Dis-moi, pourquoi l'Escamoteur
> est-il sifflé par le parterre?
> Hélas! C'est que le pauvre auteur
> l'escamota de Molière.»

(Warum ist der «Dieb» ausgepfiffen worden? — Ach, weil der arme Verfasser ihn dem Molière gestohlen hat!)

Puschkin wurde zusammen mit diesem Schwesterchen von einem
Hauslehrer unterrichtet. Mit seinem unheimlichen Gedächtnis wußte
er die Lektionen bereits nach einmaligem Anhören fehlerlos auswendig — wenn nämlich die Schwester als erste aufzusagen hatte.
Kam dagegen Puschkin als erster dran, so mußte er es bei einem
schamroten Stillschweigen bewenden lassen.

Mit sieben Jahren wurde aus der unbeweglichen Puppe ein ge-
schmeidiges Tigerjunges, ein Lausbub, der ständig mit seinem ein
Jahr älteren Bruder spielte und raufte. Doch bald wurde der Ältere
todkrank. Puschkin tat der arme Bruder sehr leid, und so trat er einmal, als die Erwachsenen gerade abwesend waren, leise an das Bett-
chen des bereits Aufgegebenen. Der schmächtige, bleiche Junge lag
schweigend da. Auf einmal zeigte er dem Spielkameraden, um ihn
zu ärgern, mit einer Grimasse die *Zunge* — und ist dann einige Minuten später gestorben.

Merkwürdiger Beweis von Willenskraft

Alexander Puschkin wettete einmal — er zählte achtzehn Frühlinge —, daß er eine Flasche Rum in einem Zuge austrinken und doch

nicht das Bewußtsein verlieren würde. Als er die erste Bedingung tadellos erfüllt hatte, fiel er wie tot zu Boden. Alle hielten ihn für ohnmächtig. Da bemerkte einer der Anwesenden, daß der kleine Finger von Puschkins linker Hand unausgesetzt hin und her zuckte. Als er endlich mit kaltem Wasser wieder zum Leben erweckt wurde, sprang er unvermittelt auf die Füße und fragte, ob man gesehen hätte, daß sein kleiner Finger sich die ganze Zeit über bewegt habe? — Man gab es zu. — «Nun», rief Puschkin, «das war mein Zeichen, daß ich immer noch bei Bewußtsein war!» — Er hatte die Wette gewonnen.

Der Jüngling Puschkin litt oft unter Geldknappheit — «cette douleur nonparaille», wie er einmal sagt —, denn er war freigebig und wurde vom Vater kurz gehalten. Einmal unternahm er eine Bootfahrt in größerer Gesellschaft. Es war windstill und sonnig; das Wasser floß so durchsichtig, daß man bis auf den Grund sehen konnte. Ein Teilnehmer erzählt, daß der verträumt daliegende Puschkin plötzlich ein paar Goldstücke in die Hand genommen und sie, eines nach dem andern, ins *Wasser* habe gleiten lassen, um sich dann jedesmal mit ruhigem Blick an ihrem flimmernden Versinken zu freuen.

Dröhnender Applaus

Nicht lange vor seinem tragischen Ende saß *Puschkin* im Theaterparkett neben zwei jungen Leuten, die der mittelmäßigen Schauspielerin Assenkowa unaufhörlich Beifall klatschten. Da sie Puschkin nicht erkannten und sahen, daß ihn das Spiel ihrer Abgöttin gleichgültig ließ, begannen sie untereinander zu tuscheln und erklärten schließlich ziemlich laut, ihr Nachbar müsse ein Dummkopf sein.
Puschkin wandte sich mit einem Ruck zu ihnen hin und sagte: «Meine Herren, Sie haben mich einen Dummkopf genannt. Ich bin Puschkin und könnte jetzt jedem von Ihnen ein paar Ohrfeigen geben, ich will's aber nicht: die Assenkowa könnte noch glauben, daß ich ihr applaudiere!»

Puschkin war 1828 ins Twersche Gouvernement gefahren und wurde von allen Gutsbesitzern wie ein Wundertier angestaunt. Eines Tages sollte ein großes Fest zu seinen Ehren gegeben werden. Die Kinder auf einem Nachbargut sahen, wie sich die Eltern zu diesem Fest schmückten, fingen als verzogene Bälger schrecklich zu brüllen an und wollten unbedingt mitkommen. Um sie zu beruhigen, brachte die Mama ihnen Rosinen und Backpflaumen und hoffte, auf diese Art ganz still abfahren zu können. Aber der Schwager hetzte die Kinder auf. Er lief zu ihnen aufs Zimmer und rief: «Kinder! Kinder! die Mama will euch beschwindeln! Eßt keine Backpflaumen, fahrt mit ihr: dort wird *Puschkin* sein — er ist ganz aus Zucker und seine Hinterseite aus Apfelmus — man wird ihn zerschneiden, und jedes von euch kriegt ein Stückchen!» Da brüllten die Kinder auf: «Wir wollen keine Backpflaumen, wir wollen Puschkin!! — Da war nichts zu machen, man mußte sie mitnehmen. Kaum angelangt, leckten sie sich schon die Lippen und stürzten mit großem Geschrei auf Puschkin zu. Sie hängen sich ihm an den Hals, sie konnten gar nicht genug von ihm haben — und waren dann sehr enttäuscht, als Puschkin gar nicht aus Zucker, sondern aus ganz gewöhnlichem Menschenmaterial war.

Der Tod des Literaten

Puschkins Onkel, der alte vornehme Wassili Lwowitsch, war ein Literat bis auf die Knochen; für ihn existierte nur die Literatur, Scharaden, jeux d'esprit usw.

Als er auf dem Sterbebette lag, wurde Puschkin zu ihm geführt. Der alte Onkel sah Puschkin mit einem schweigenden Blicke an, und sprach endlich todesmatt mit einem tiefen Seufzer:

«Wie *langweilig* sind die Aufsätze von Katénin!...»

Dann verschied er. —

Puschkin erzählte dies nachher und sagte: «*Das* heißt doch als ein alter Krieger sterben, auf seinem Schilde!»

Puschkin machte den Türkenfeldzug 1828 als Zivilist mit. Die Soldaten erzählten verwundert von einer glänzenden Kavallerieattacke gegen Baschi-Bosuks, die von einem Herrn mit *Zylinderhut*, *Frack* und *Reitgerte* en pleine carrière angeführt wurde...

Erlauschter Gesprächsfetzen

Fürst N. (Gastgeber, beim Diner): «Und wie gefällt Ihnen dieser Wein?»

Puschkin (ein wenig zögernd, aber höflich): «Ah — hm — er scheint recht gut zu sein...»

Fürst N.: «Werden Sie's mir glauben — vor sechs Monaten konnte man ihn wirklich nicht in den Mund nehmen!»

Puschkin: «Ich glaube es.»

Puschkin und Mizkewitsch

Puschkin lernte Mizkewitsch 1826 in Moskau kennen und erwies ihm die größte Hochachtung. Es war interessant, die beiden Genies zusammen zu sehen. Puschkin, der sonst gewöhnlich in Gesellschaft das Gespräch führte, hielt sich in Mizkewitsch's Gegenwart bescheiden zurück.

Eines Tages trafen sich beide auf der Straße. Puschkin trat zur Seite und rief:

«Aus dem Wege, Zweier — das As kommt!»

Mizkewitsch: «Trumpf Zwei schlägt das As!»

Gogol sprach einmal Puschkin von einer Stelle bei dem Dichter Dershawin:

«Mag man mich auch um meine Worte schelten,
um meine Taten lobt mich einst die Welt.»

«Dershawin hat unrecht», meinte Puschkin: «Die Worte des Dichters — das sind bereits seine Taten...»

Familie Falstaff

In Puschkins nachgelassenen Papieren finde ich folgende entzückende Notiz:

In meiner Jugend — schreibt Puschkin — ließ mich der Zufall mit einem Manne zusammentreffen, in dem die Natur sozusagen Shakespeare hatte kopieren wollen.

N. N. war ein zweiter Falstaff: sinnlich, feige, prahlerisch, nicht dumm, amüsant, ohne jede Grundsätze, weinerlich und dick. Ein Umstand gab ihm originellen Reiz: er war verheiratet. Shakespeare hatte seinen dicken Hagestolz nicht mehr verheiraten können. Sein Falstaff starb bei seinen Freundinnen, ohne gehörnter Gatte, ohne Familienvater gewesen zu sein. Wieviel verlorene Meisterszenen!

Hier ein Zug aus dem Familienleben meines ehrenwerten Freundes. Sein vierjähriges Söhnchen — ganz der Papa, ein kleiner Falstaff III. — murmelte einmal in dessen Abwesenheit fortwährend vor vor sich hin:

«Wie mein Papi tapfer ist! Wie der Kaiser meinen Papi liebhat!...»

Man hatte ihn belauscht und rief den Knaben an:

«Wer hat dir denn das erzählt, Wolodja?»

«Mein Papi», murmelte Wolodja.

Die Poesie betreffend

Als Puschkin einmal bei seinem Freunde Baron Delwig zu Besuch war, erwähnte dieser, daß sein siebenjähriges Söhnchen bereits Gedichte mache. Puschkin war sogleich interessiert und wünschte ein Gedicht von dem Knaben zu hören. Das Küken kommt herein, legt beide Hände auf Puschkins Knie und spricht langsam und deutlich, ohne die geringste Verlegenheit:

«Indiandi, Indiandi, India!
Indiandi, Indiandi, India!»

Da streichelte Puschkin dem Jungen das Haar, küßte ihn auf die Stirn und sagte: Ein echter Romantiker!...

«Ziemlich ähnlich»

Alexander Puschkin hatte im Lyzeum einen Schulkameraden namens Jakowleff, der in Grimassen und mimischen Darstellungen exzellierte.

Nach einigen Jahren — bald nach der berühmten Petersburger Überschwemmung — trifft Puschkin einen anderen Schulkameraden und fragt diesen über Freunde aus. Endlich kommt die Rede auch auf Jakowleff.

«Was macht er denn jetzt für Grimassen, was stellt er jetzt dar?»

«Die Petersburger Überschwemmung.»

«Na — und — wie macht er das — —?»

«Ziemlich ähnlich.»

R

RADIO

Ozean-Funk

Diese Geschichte handelt von Herrn L., einem höheren Beamten im französischen Außenministerium. Dazu Dichter und begeisterter Segler. Alljährlich fährt er mit seiner Nußschale in den Ozean hinaus — auf mindestens drei Wochen. Neulich hat er sogar einen kleinen Funksender auf seinem Boot installiert. Aber wie das so geht — jetzt schwimmt er bereits achtzehn Tage auf dem Ozean herum und hat noch immer keinen Anlaß gefunden, seinen Sender zu benutzen. So beschließt er, dieses bei nächster Gelegenheit um jeden Preis zu tun.

Da blickt er auf und bemerkt einen riesigen Ozean-Steamer in geringer Entfernung. Der mächtige Rumpf rauscht verachtungsvoll auf die Nußschale zu, welche ironisch auf den Wellen tanzt.

L.... eilt fieberhaft an den Sender.

«Sind Sie bereit, eine Nachricht zu empfangen?» funkt er.

«Jawohl», antwortet der Ozeanriese, während alle Passagiere neugierig an die Reling stürzen und auf die Nachricht warten. L.... denkt angestrengt nach. Er weiß nicht recht, was er mitteilen soll...

«*Haben Sie gar nichts nötig?*» funkt er endlich zum Ozeanriesen hinüber.

Der soll vor Erstaunen fast umgekippt sein.

Schlamperei im Äther
(Aus der Anfangszeit des Radio)

Eine Moskauer Abendzeitung bringt folgende interessanten Genrebildchen aus dem Äther:

Am 22. Januar hörten die Radiobesitzer in Moskau während einer Vorlesung plötzlich eine zweite Stimme, die erstaunt sagte:

«Wie? Sie lesen schon? Und wann werde ich denn lesen?»
Die erste Stimme antwortete bissig:
«Geht mich nichts an. Stören Sie nicht!»
Und fuhr in der Vorlesung fort...

Am 25. Januar erquickten sich die Moskauer Funkhörer an einem Abendkonzert. Zu den Zaubertönen der Geigen und Soprane gesellte sich eine weibliche Stimme:

«Herrschaften, wer hat den Paletot ohne Nummer abgegeben? Das ist, entschuldigen Sie schon, eine Schweinerei!»
Die Violinen und Soprane begleiteten hierzu pianissimo. Zugleich wurden Stimmen hörbar:
«Still! Hier ist ein Konzert!...»
Darauf dieselbe weibliche Stimme:
«Was heißt ‹still›, ich muß es doch herausbekommen!»
Hier erhob sich von allen Seiten ein Schlangengezische:
«Sch — sch — sch... Still!»
Darauf die weibliche Stimme, zögernd:
«Ach so... dann bitte ich um Entschuldigung!»
Worauf das Konzert ohne weitere Tonbeimischung seinen schönen Fortgang nahm.

Funk-Neuigkeiten

Ein englischer Radio-Bastler versuchte in den letzten Wochen immer wieder, sich auf die Schottland-Welle 2 BD abzustimmen, hatte aber keinen Erfolg.

Ein Freund kam ihm zu Hilfe. Es mag ja ein Zufall gewesen sein, aber er ergriff wie unabsichtlich eine Sparbüchse und schüttelte sie klimpernd hin und her...

Sogleich ertönte aus dem Nichts eine Stimme: «Achtung, Achtung! — hier Aberdeen!»

Ein verblüffender Vorfall

Auf der Chaussee zwischen *Cagota* (USA) und Winnipeg gibt es ein kleines Touristenhotel. Ein Auto fährt vor. Heraus springt ein junger Mann, schlägt die Wagentür zu und geht frühstücken.

Dem Policeman, der in der Nähe steht, fällt auf, daß aus dem leeren Wagen Musik ertönt. Es stellt sich heraus, daß er mit einem *Radioempfänger* versehen ist, den der Besitzer abzustellen vergessen hatte.

Der Policeman hört sich das Konzert an und will schon fortgehen, als auf einmal die Stimme des Ansagers zu hören ist. Der Ansager teilt mit, daß in Cagota soeben ein Auto gestohlen worden ist und bittet im Namen des Fahndungsbüros, die Diebe festzuhalten und die Maschine zurückzubringen. Autonummer soundso. Der Policeman blickt mechanisch auf die Nummer des Wagens vor ihm — *es ist der gestohlene Wagen.*

Der junge Mann wird unverzüglich verhaftet. Im Polizeikommissariat bestreitet er heftig jede Schuld, weist zur Bestätigung Ausweispapiere und Dokumente auf den Namen des Wagenbesitzers vor und erklärt, daß das Auto ihm gehöre und daß keiner es gestohlen habe!

Der Unhold wurde ins Gefängnis gesperrt, während die Polizei eine fieberhafte Tätigkeit zur Eruierung des wirklichen Besitzers entfaltete. Kaum war eine Woche vergangen, als sich ein paar unbekannte junge Leute meldeten und ein Geständnis ablegten: Sie hätten sich mit ihrem Freunde bloß einen Scherz erlaubt — *der Verhaftete sei kein Dieb, sondern tatsächlich der Besitzer des Wagens.*

Vor Gericht gaben sie an, sie hätten bloß eine Zweckmäßigkeitsprobe auf die Radiofahndung nach gestohlenen Autos machen wollen.

Das Gericht verurteilte sie zu je einem Dollar Geldstrafe und sprach ihnen seinen ausdrücklichen Dank aus:

«— da die Zweckmäßigkeit der Radio-Fahndung nach gestohlenen Autos hiermit *glänzend bestätigt* worden sei!»

Neuigkeiten

Das war während des Krieges. Kreischende Alarmsirenen verkünden einen Luftangriff auf London. Trotzdem geht ein Londoner

Buchhändler entschlossenen Schrittes den Charing Cross Road entlang. Ein Polizist brüllt ihm zu, sofort den nächsten Luftschutzkeller aufzusuchen! «Ich hab' mein Radio im Buchladen», sagt der Mann, «Alarm oder nicht, aber ich *muß* einfach hin, um die 8-Uhr-Neuigkeiten abzuhören!» Man ließ ihn gehen. Zwei Augenblicke darauf waren die Nazibomber über der Stadt und warfen das ganze Viertel zusammen. Als die Sache vorüber war, fragte ein Taxichauffeur, der beim Wortwechsel dabeigewesen, den Polizisten: «Ich bin neugierig, ob der Bursche seine 8-Uhr-Neuigkeiten gehört hat.» «Gehört hat?» sagte der Bobby, «Mann — er *war* sie!»

RÄTSEL

«Ich hielt eine Reihe von aufklärenden Vorträgen im Auftrage einer Treiböl-Gesellschaft. Nach Beendigung eines Vortrages fragte ich das Publikum, ob man noch irgendwelche Fragen zu stellen habe. Ich war immerhin verblüfft, als eine Dame in der dritten Reihe fragte: ‹Wenn Sie eine Tankstation an der Straßenecke bauen — woher wissen Sie, daß Sie gerade dort Öl erbohren werden?›»

RAUCHEN

Rauchen hieß bei den Humanisten: «libido potandi nebulas» — die Gier, Nebel zu trinken.

«Die Zigarette ist das Urbild des vollkommenen Genusses», sagt Oscar Wilde: «Sie ist köstlich und läßt einen unbefriedigt.»

Oscar Wilde läßt eine zukünftige Schwiegermutter den Bräutigam examinieren: «Rauchen Sie?» — «Jawohl, ich kann es nicht leugnen...» — «Das ist gut. Männer sollten immer eine Beschäftigung haben!»

Ein Pariser Kaffeehaus trug zur Zeit der Französischen Revolution die männliche Aufschrift: «Ici on s'honore du titre citoyen, et on fume.» — «Hier nennt man sich Bürger und man raucht.»

RECHNUNGEN

Die Rechnung des Ruhmes

Dieses war der Tarif eines berühmten Pariser Claque-Chefs:

Gewöhnliche Applaus-Salve	5.—	Franken
Anschwellender Applaus	15.—	„
Doppelte Applaus-Salve	20.—	„
Drei Applaus-Salven	25.—	„
Einfacher Hervorruf	25.—	„
Nichtendenwollende Hervorrufe	50.—	„
Ausruf des Schreckens	5.—	„
„Tiefe Bewegung», welche anzeigt, daß man einfach nicht mehr Kraft hat, zu applaudieren	15.—	„
Applaudieren unter Widerspruch, gefolgt von anschwellendem Applaus: als ob der gesund denkende Teil des Publikums den Sieg über eine bösartige Clique davonträgt	32.—	„
Langes Seufzen nach einer Schreckensszene, gefolgt von wütendem Applaudieren	12.50	„
Grinsen	5.—	„
Lachen	8.—	„
Befreiendes Lachen	10.—	„
Ausrufe: Großartig! Zum Schießen! Einfach toll! .	15.—	„
Ausrufe: X ist großartig! X ist zum Schießen! X ist einfach toll!	20.—	„

Ein anstelliger junger Mann

Eigentlich sah er nicht einmal danach aus: schwächlich, ängstlich, linkisch schien er zu sein; nichts, was für einen guten Kaufmann zu sprechen schien. Endlich gelingt es ihm, auf einen braven Mann zu stoßen, der wenigstens einen Versuch mit ihm wagen will. Ein bedeutender Pelzhändler aus der inneren Stadt.

«Also gut, junger Mann, ich engagiere Sie zur Probe...»

«Sie werden es nicht bedauern, ich verspreche Ihnen...»

«Versprechungen sind zu billig, um mir genügen zu können. Ich will noch am heutigen Tage wissen, woran ich mit Ihnen bin. Hier ist eine Rechnung, die wir bereits siebenmal erfolglos dem Herrn präsentiert haben. Ich übertrage Ihnen das Einkassieren. Wenn es Ihnen gelingt, diesen Kunden zum Zahlen zu bringen, so sind Sie bei mir ein gemachter Mann.»

«Verlassen Sie sich auf mich: das ist so gut, als ob ich das Geld schon in der Tasche hätte. Nur eine Erkundigung, wenn Sie gestat-

Geizkragen, Habenichtse, Neureiche, Steuereinnehmer,

Beutelschneider, Schotten und andere Leute ...

. . . denen man ein eigenartiges Verhalten zu Geld und Gut unterstellt, sind häufig Gegenstand von Witzen. Der Sparsame dagegen – wohlgemerkt: nicht der Geldgierige und nicht der Pfennigfuchser, sondern der ganz normale Sparer – eignet sich nicht zur Witzfigur. Ebensowenig wie der fleißige Arbeiter etwa, die tüchtige Hausfrau. Ihnen fehlt das Schrullige, das Unnormale, das Außergewöhnliche.

Jedoch hat der Witz die Objekte des Sparens erfaßt. So lebt eine ganze Witzsammlung allein aus dem Sinngegensatz von Pfandschein (der Quittung eines Leihhauses) und Pfandbrief (dem festverzinslichen Wertpapier).

«K. soll seinem Sohn für 200 000 Mark Pfandbriefe hinterlassen haben!»
«So? – Und ich hielt ihn immer für ehrenwert!»

Pfandbrief und Kommunalobligation

Meistgekaufte deutsche Wertpapiere - hoher Zinsertrag - bei allen Banken und Sparkassen

Verbriefte Sicherheit

ten. Glauben Sie, daß dieser Herr NN. noch viele andere unbezahlte Rechnungen bei seinen verschiedenen Lieferanten hat?»

Der Pelzhändler brüllte vor Lachen:

«Ob er sie hat! Er hat sie überall! Den kennt man doch in der ganzen Stadt! Die meisten meiner Kollegen haben bereits jede Hoffnung aufgegeben und mahnen ihn nicht einmal mehr!»

Der junge Mann reibt sich die Hände und stürzt zu Herrn NN. Zwei Stunden später ist er wieder zurück.

«Hier bitte», sagt er höflich zum Prinzipal und legt zwei Geldscheine auf den Schreibtisch, «hier sind die 2000 Mark.»

Der reibt sich die Augen. Er zählt die Scheine, er hält sie aufmerksam vors Licht. Was ist das für eine Zauberei?

Endlich sagt er:

«Ah, mein Junge! Wie, zum Teufel, haben Sie das fertiggekriegt?»

«Ganz einfach. Ich habe NN. erklärt, daß ich, wenn er mir nicht zahlen werde, alle seine unbezahlten Lieferanten aufsuchen würde, die er nur in der Stadt hat, um ihnen zu sagen...»

«Daß er nicht gezahlt hat! Aber das wissen sie längst, daß er nie zahlt!»

«Nein, nein!... um ihnen zu sagen, *daß* er mir gezahlt hat.»

Die Zeche

Dieser Herr bestellte sich zuerst drei Dutzend Austern, dann Rheinlachs, darauf einen Fasan und endlich Pistazienparfait mit Erdbeersauce. Zum Schluß ließ er den Geschäftsführer an seinen Tisch rufen:

«Ist es Ihnen schon mal passiert, daß ein armer Teufel nicht zahlen konnte?»

«Nein, Gott sei Dank, niemals.»

«Und wenn es Ihnen passierte, was würden Sie tun?»

«Na! Ich würde ihn mit einem Fußtritt zur Tür befördern und ihm raten, nie wiederzukommen!»

Darauf stand der Herr auf, schob sich den Hut fest in die Stirn, kehrte dem Geschäftsführer den Rücken, lüftete elegant seine Rockschöße und rief mit fester Stimme:

«Bitte, zahlen!»

RECHT

Wahre Geschichte aus Moabit

Der Angeklagte ist durchaus nicht niedergeschlagen. Seine Antworten werden immer schärfer, immer verwegener. Die vier weißhaarigen Stammgäste auf der hintersten Bank kichern. Sie kommen heute auf ihre Kosten.

Endlich, bei einer geradezu frechen Antwort, reißt dem Richter doch die Geduld. Er haut mit der Faust auf den Tisch und ruft:

«Angeklagter, Sie scheinen uns ja für dumme Jungen zu halten?!?...»

Darauf der Angeklagte, ganz ruhig:

«Hoher Gerichtshof, darüber verweigere ich die Auskunft.»

Ja oder Nein?

Es ist gar nicht so leicht, auf Fragen zu antworten — besonders vor Gericht. Da präsidierte neulich ein sehr strenger Richter. Mit schwellender Zornesader verlangte er von dem Zeugen eine kategorische Antwort auf seine Frage — Ja oder Nein?!

«Ich kann da nicht mit einem glatten Ja oder Nein antworten», remonstrierte der Zeuge. «Ich brauche Erläuterungen.»

«Gewiß *können* Sie», donnerte der Richter. «Sie *müssen* sogar. Eine kategorische Antwort ist immer möglich!»

«Wollen mir Herr Richter eine Probe aufs Exempel gestatten?»

«Gewiß. Bitte.»

«Dann gestatten Sie die Frage: ‹Haben Sie aufgehört, Ihre Frau zu schlagen?› — — Ja oder Nein?!»

Mächtiges Schweigen im Verhandlungsraum. Hierauf verzichtete der Richter ganz kurz und schnell auf sein Begehren.

Stimme aus der Wüste

Ein englischer Richter, Sir Henry Hawkins, leitete einmal eine außerordentlich langwierige und öde Verhandlung. So aufmerksam wie nur möglich horchte er auf die einschläfernde Rede eines sehr gelehrten Rechtsanwalts. Aber die Rede nahm und nahm kein Ende.

Da schrieb Sir Henry Hawkins mit dem Bleistift ein kleines Billett und schickte es dem Rechtsanwalt. Dieser hielt einen Moment inne, öffnete es und las darin folgendes:

> ### Geduld-Konkurrenz
> Goldene Medaille: Sir Henry Hawkins.
> Ehrende Erwähnung: Hiob.

Die Rede soll sehr bald zu Ende gewesen sein.

Der Eid

Der erste Zeuge naht sich mit feierlichem Schritt dem Tisch, nimmt eine würdevolle Haltung an — die eine Hand auf dem Herzen, die andere, unbehandschuhte, zum Himmel erhoben, das Auge starr auf das Kruzifix gerichtet:

«Ich schwöre, die Wahrheit zu sagen, die ganze Wahrheit und nichts als die Wahrheit!»

Der Richter: «Was wissen Sie?»

Der Zeuge: «Gar nichts...»

Der Prozeß

Es gibt natürlich viel Prozesse; doch ich schmeichle mir, das Urbild, den Prototyp, sozusagen den Prozeß an sich gefunden zu haben. Die Sache fängt ganz unschuldig an: Ein wohlhabender Mister Wilkins verlebte im Jahre 1892 seine Ferien in Neapel, bewunderte pünktlich die Sonnenuntergänge und unterhielt sich öfters mit einem Straßenbettler, dessen sanfter Christuskopf ihm aufgefallen war.

Eines Tages erhält Mr. Wilkins eine gerichtliche Vorladung ins Hotel geschickt. Eine Vorladung, laut welcher der Bettler 5000 Lire zurückverlangt, die er ihm, Mr. Wilkins, geliehen haben will. Der Engländer findet die Sache sehr belustigend und erzählt sie beim Nachmittagskaffee dem britischen Konsul. Dieser wird sehr ernst und rät ihm, sich sogleich einen Advokaten zu nehmen.

Bei der Gerichtsverhandlung erklärt der Bettler mit dem sanften Christuskopf, er sei mit Mr. Wilkins befreundet gewesen und habe ihm mit 5000 Lire — seinen gesamten Ersparnissen — aus einer momentanen Geldverlegenheit geholfen.

«Und hier», fuhr er mit tragischer Handbewegung fort, «sind drei ehrenwerte Zeugen, die die Sache beeiden können!»

Tatsächlich: sogleich erhoben sich drei glutäugige Genossen des Bettlers und beschworen glatt und angenehm, daß sie selber gesehen hätten, wie der Engländer die 5000 Lire vom Bettler geborgt habe.

Nun erhob sich der Advokat des Engländers. Er war bleich; er sprach mit verhaltenem Beben; er war die Wahrheit selbst. Er stellte keineswegs in Abrede, daß sein Klient die 5000 Lire entliehen habe. Nein, er bezweifelte weder die Ehrlichkeit der Herren Zeugen, noch ihre Aufrichtigkeit! Doch er hatte seinerseits sechs nicht minder ehrenwerte Zeugen herbeizitiert. Die erhoben sich jetzt wie ein Mann und beschworen ohne Räuspern, daß sie mit eigenen Augen gesehen hatten, wie der Engländer dem Bettler die 5000 Lire voll und ganz zurückgezahlt habe! —

Die Klage wurde abgewiesen. Es gibt noch eine Gerechtigkeit.

Schwurgericht

Die Session hatte eine fatal sentimentale Wendung genommen: Die Geschworenen sprachen frei, sprachen frei ohne Aufhören.

Jetzt war soeben ein Vatermörder freigesprochen worden, der gerade auf dem Punkte gewesen war, zuzugeben, daß er seinen Vater mit Tritten von Holzschuhen ermordet hatte ... Da sagte der Richter, nach Aussprechung der Freilassung, mit eisiger Kälte zum Angeklagten:

«Soundso, haben Sie noch eine Mutter?»

«Jawohl, Herr Richter.»

«Alsdann — auf Wiedersehen!»

Einschüchterung

Herr B. hatte dem Redakteur eines Erpresserblattes eine Serie von Reitpeitschenhieben zukommen lassen. (Wenn's längst keine Pferde mehr gibt, wird die Reitpeitsche immer noch diesem traditionellen Zwecke dienen.) Und war, nur der Form wegen, zu 2 Franken Strafe verurteilt worden.

In dem Augenblick, als der Verurteilte den Gerichtssaal verlassen wollte, erhob der Richter seine fürchterliche Stimme und sprach drohend, mit majestätischer Betonung:

«Und merken Sie sich, daß diese Strafe im Wiederholungsfalle verdoppelt werden kann!»

Also sprach der Professor der Jurisprudenz: «Hast du die Tatsachen für dich, so hämmere sie den Geschworenen ein; hast du das Gesetz für dich, so hämmere es dem Richter ein.» — «Aber wenn man weder Tatsachen noch Gesetz für sich hat?» fragte ein Student. — «Dann hämmere auf den Tisch ein!» erwiderte der Professor.

Ein schöner Einfall

Von dem ehemaligen New Yorker Bürgermeister La Guardia erzählt man sich folgende großartige Geschichte:

Eines Tages fungierte er, wie er zuweilen tat, als Polizeirichter. Es war ein eiskalter Wintertag. Man führte ihm einen zitternden alten Mann vor.

Anklage: Entwendung eines Laibes Brot aus einer Bäckerei.

Der Angeklagte entschuldigte sich damit, daß seine Familie am Verhungern sei.

«Ich muß Sie bestrafen», erklärte La Guardia. «Das Gesetz duldet keine Ausnahme. Ich kann nichts tun, als Sie zur Zahlung von zehn Dollars verurteilen.»

Dann aber griff er in die Tasche und setzte hinzu: «Well, hier sind die zehn Dollar, um Ihre Strafe zu bezahlen. — Und nun erlasse ich Ihnen die Strafe.»

Hierbei warf La Guardia die Zehndollarnote in seinen grauen Filzhut.

«Und nun», setzte er mit erhobener Stimme fort, «bestrafe ich jeden Anwesenden in diesem Gerichtssaal mit einer Buße von fünfzig Cent — und zwar dafür, daß er in einer Stadt lebt, wo ein Mensch Brot stehlen muß, um essen zu können! — Herr Gerichtsdiener, kassieren Sie die Geldstrafen sogleich ein und übergeben Sie sie dem Angeklagten.»

Der Hut machte die Runde. Und ein noch halb ungläubiger alter Mann verließ den Saal mit siebenundvierzig Dollar fünfzig Cent in der Tasche.

Rivalität

Nun riß dem Rechtsanwalt endlich die Geduld, und er zischte zum Gegenadvokaten hinüber:

«Sie sind der größte Idiot, den ich in meinem Leben gesehen habe!»

«Halt!» unterbrach der Richter mit Würde: «Vergessen Sie nicht, daß *ich* hier anwesend bin!» —

Der «kleine Neger»-Ton

Wenn man sein Gesicht zur dümmlichen Grimasse verzieht und bloß hilflose Hauptwörter hervorstammelt, so nennt man das in Frankreich «den kleinen Neger machen».

Neulich, bei einer Pariser Gerichtsverhandlung, hielt der Verteidiger eine Rede, die hervorragend war. Vielleicht zu hervorragend.

«Herr Verteidiger», sagte der Richter zum Advokaten, «das Tribunal bittet Sie, Ihr Plädoyer abzukürzen.»

Der Advokat wird um eine Nuance dunkler im Gesicht, klappt heftig seine Aktenmappe zu, weist mit dem Zeigefinger der Reihe nach auf seinen Klienten, auf den Staatsanwalt — auf das Tribunal — und plärrt dabei im «kleinen-Neger»-Ton:

«Er recht — — Er unrecht — — Sie gute Richter — —!»

Sein Klient wurde zum höchsten Strafmaß verurteilt.

Ein antiker Witz

Wenn man 6000 Jahre alte Pharaonen ausgräbt, so sehe ich nicht ein, warum man's nicht auch mit einem Witz tun soll, zumal dieser bloß 2500 Jahre alt und also gegenüber den heute kursierenden verhältnismäßig neu ist.

Lydien bat die Spartaner gegen die Perser um Hilfe. Die Spartaner aber suchten nach einer passenden Ausrede.

Nun steht der lydische Gesandte auf dem Marktplatz in Sparta und hält seine Bittrede. Eine sehr lange Rede. Regungslos stehen die Spartaner und halten durch.

Endlich ist der Gesandte fertig. Da tritt ein spartanischer Greis vor und sagt:

«Deine Rede war so lang, daß wir die erste Hälfte vergessen haben. Und darum blieb uns auch die andere Hälfte völlig unverständlich.»

Sprach's, raffte seinen antiken Faltenwurf zusammen und ging eilends nach Hause.

Die beste Rede

Die beste Rede, die jemals gehalten wurde, schwang ein Irländer. Es war auf der Straße, zur Zeit der Unruhen. Plötzlich stand eine Bande um ihn herum und fragte nach seiner Religion. — Er konnte nicht herauskriegen, ob es Katholiken oder Protestanten seien: das einzige, was klar schien, waren ihre Pistolen, Knüppel und Ziegelsteine...

Der Irländer warf einen freundlichen Blick auf die Waffen und sagte langsam:

«Aber gewiß doch, ich bin genau derselben Ansicht, wie jener Gentleman dort mit dem Hackebeil!»

Die Wirkung

Das war kurz nach dem Kriege. Lloyd George stand auf dem Gipfel seiner Macht. Er sollte eine Rede in Liverpool halten, vor einer riesigen Volksmenge. Lloyd George sprach von einem großen, mit Fahnen drapierten Balkon aus, und damit jedes Wort auch den Fernsten verständlich blieb, hatte man einen Apparat montiert, der damals noch eine technische Neuerung bedeutete: einen ungeheuer empfindlichen elektrischen Lautsprecher.

Lloyd George sprach hinreißend. Er hielt die beste Rede seines Lebens. Die Volksmenge war völlig in seinem Bann. Er schloß mit einem tiefempfundenen leidenschaftlichen Appell an das englische Volk... und wandte sich gleich darauf an einen dabeistehenden Freund mit der halblauten Frage: *«Wie habe ich gewirkt — —?»*

Wie zur Antwort brach die ganze Volksmenge in ein dröhnendes, ein höllisches *Gelächter* aus!

Der Lautsprecher war nicht ausgeschaltet worden...

Kurz und gut

Zwei Wahlkandidaten standen vor der Versammlung. Der erste hielt eine großangelegte, brillante Rede, wo er den Leuten die herrlichsten Dinge versprach. Nun war die Reihe am zweiten Kandidaten. Der stand auf und sagte bloß: «Meine Herren Wähler — alles was er *geredet* hat, will ich *tun*.»

Russisches Silber und französisches Gold

Als die russische Eskadre 1888 nach Toulon fahren sollte, verlangte Kaiser Alexander III. von seinem Marineminister ein Verzeichnis aller Admirale, die französisch sprechen konnten. Darauf befahl er, die Namen derer, die *gut* französisch konnten, mit einem Blaustift anzustreichen, und jener, die es schlecht sprachen, mit einem Rotstift. Als ihm das Verzeichnis unterbreitet wurde, bat der Kaiser den Minister, ihm jenen Admiral zu nennen, der am allerschlechtesten Französisch spreche. Der Minister wies auf Admiral Avellan.

Admiral Avellan wurde zum Kommandeur der Eskadre ernannt. «Damit er möglichst wenig redet —», setzte der Kaiser hinzu.

Der Schwätzer

Einer der beliebtesten Klubs in London ist der «Club of Silence», der Klub des Schweigens, in dessen Räumen kein einziges Wort gesprochen werden darf. Die Mitglieder dieses Klubs sind ein Herz und eine Seele, da keiner den anderen fragt, wie das Befinden der Gattin sei, wann er in Konkurs gehen werde und was er über die politische Lage denke. Es ist der einzige Klub ohne Klatschgeschichten in der ganzen Welt.

Von diesem Klub wird eine nette — vielleicht nicht ganz wahre — Geschichte erzählt:

Vor einiger Zeit drangen bewaffnete Räuber in den Klub des Schweigens ein und riefen laut :«Hände hoch!»

Schweigend standen die Mitglieder mit erhobenen Händen da und wurden bis auf den letzten Schilling ausgeplündert.

Kaum aber hatten die Banditen den Raum verlassen, als ein Mitglied das Fenster aufriß und eine vorbeiradelnde Polizeistreife um Hilfe anrief! Das Viertel wurde alarmiert. Nach längerer Jagd gelang es, die Banditen einzuholen und zu verhaften.

Am nächsten Tage fand im Klub eine außerordentliche Sitzung des Ältestenrates statt. Nach langer Debatte gelangte man zu dem Beschluß, jenes Mitglied, das die Polizei angerufen hatte, wegen «übermäßiger Schwatzhaftigkeit» für ewige Zeiten auszuschließen.

«Die Prinzipien des Klubs», so heißt es in dem Protokoll, «müssen unseren Mitgliedern wichtiger sein als Geld oder irgendwelche Wertsachen.»

Wilkes (1780)

Wilkes wurde von einer riesigen Volksversammlung bejubelt. Leise fragte er seinen Gegner Luttrell: «Was glauben Sie, gibt es mehr *Narren* oder mehr *Gauner* unter diesen ‹Wilkiten›?» — «Ich werde den Leuten das sagen und Sie erledigen», versetzte Luttrell. Aber Wilkes blieb völlig ruhig. — «Sie glauben doch nicht, daß Sie noch eine Minute hier stehen könnten, sobald ich's gesagt?!» fragte Luttrell. — «Im Gegenteil», sagte Wilkes: *«Sie* würden es nicht überleben.» — «Wieso?» — «Ich würde bloß erklären, daß es eine Lüge sei, und man würde Sie sofort in der Luft zerreißen!»

Enthusiasmus

«Gentlemen», rief ein politischer Redner, «ist nicht ein Mensch so gut wie der andere?»

«Aber sicher!» schrie ein begeisterter Irländer — «und noch dazu ein gut Teil besser!»

Klage des Premierministers

Lord Norths Schlagfertigkeit leistete ihm gute Dienste in Augenblicken, wo die Anwürfe der Gegner so manchem anderen unbequem geworden wären. Um die Opposition erst recht zu reizen, frönte er im Parlament öfters einem (wirklichen oder scheinbaren) Schlummer.

Bei solch einer Gelegenheit deklamierte ein Oppositionsmitglied pathetisch: «— Selbst jetzt, in diesen Gefahren, ist der edle Lord eingeschlafen!»

«Ich wünschte, ich wäre es —», gab North schläfrig zurück.

Rudolf Johannes Schmied, der Autor von «Carlos und Nicolas», hatte zwei Jahre fern vom Café Zentral verbracht in den Pampas, auf den Cordilleren, auf den Wellen des Pazifik. Endlich weht es ihn wieder hin nach Wien, Ecke Herrengasse; Strauchgasse.

Er öffnet die Tür vom Café Zentral — und sein erster Blick fällt auf Franz B., der gerade angeregt ein Thema diskutiert.

Da stampfte Rudolf Johannes Schmied mit dem Fuß auf und brüllte:

«Zwei Jahr hast *du geredt*! Jetzt red' *ich*!!...»

REINLICHKEIT

Das Tagesgespräch von Paris

Das Tagesgespräch von Paris bildet gegenwärtig ein sonderbarer Vorfall mit einer Badewanne. Die Gattin des Besitzers einer chemischen Fabrik, eine frühere Schauspielerin X., pflegte täglich mehrere Stunden im Bad zu sitzen, und zwar gerade um die Zeit, wo man gewöhnlich Besuche empfängt. Frau X. stand vor einem Problem: entweder auf ihr liebgewordenes Bad zu verzichten oder auf ihre gesellschaftlichen Verpflichtungen.

Mein Mann ist Chemiker — erzählte Frau X. später einem Interviewer —, und ich bat ihn, mir solch ein Salz herzustellen, welches das Wasser in der Wanne völlig undurchsichtig macht. Dann hätte ich in der Wanne sitzen und zugleich meine Gäste empfangen können...

Der Gatte stellte das Salz bei sich auf der Fabrik unverzüglich her. Frau X. konnte ihr Badewasser je nach Laune und Stimmung blau, grün oder milchweiß färben. Das Wasser verhüllte den Körper besser als jedes Abendkleid. Die Gäste gruppierten sich um die Badewanne, tranken Tee und Cocktails und plauderten mit dem schönen Kopf von Frau X., welche begeistert war. Denn ihre Empfänge wurden berühmt...

Jetzt hat dieses Idyll leider ein Ende genommen. Ein Bekannter der Frau X., ebenfalls ein Chemiker, warf, völlig unbemerkt von der versammelten großen Gesellschaft, eine Handvoll Salz, das er mitgebracht hatte, in die Wanne. Man war gerade in einer lebhaften, lustigen Unterhaltung. Mitten im besten Gespräch bemerkte Frau X. plötzlich einen gewissen starren Ausdruck in den Augen ihrer Gäste. Es trat eine unheilvolle Stille ein. Frau X. blickte um sich und — Entsetzen! — vor ihren Augen wurde das blaue Wasser in der Wanne zusehends heller, und war, bevor noch die bestürzten Gäste sich aus dem Zimmer drängen konnten, kristallklar wie das reinste Quellwasser geworden... Frau X. empfängt seitdem nicht mehr in der Badewanne.

REISEN

Versperrte Aussicht

Der Santa-Fé-Expreß hielt keuchend an der kleinen Station. Ein Texasmann fragte den Passagier, der gelangweilt auf die Fensterscheibe starrte: «Was halten Sie von dieser Stadt? Ist sie nicht großartig?»

«Kann sie leider nicht sehen», gähnte der Fremde, «eine Kuh steht davor.»

Balzac auf Reisen

Als Balzac durch Österreich reiste, hatte er eine echt balzacische Methode erfunden, sich vor Übervorteilung zu schützen. Eine psychologische Methode! Er erzählte darüber folgendes:

«Ich hatte große Schwierigkeiten bei jedem Postrelais und nach jeder Mahlzeit. Wie sollte ich den genauen, den richtigen Preis zahlen? Ich verstand kein Wort Österreichisch (!) und kannte auch nicht das Geld des Landes. Das war nicht leicht.

Da dachte ich mir etwas aus: Ich beschaffte mir einen Sack, angefüllt mit kleinen Silbermünzen, den Kreuzern... Jedesmal, wenn man auf einer Poststation bezahlen mußte, nahm ich meinen Sack auf den Schoß. Der Postillon kommt und öffnet den Wagenschlag. Ich blicke ihm aufmerksam in die Augen und lege einen Kreuzer in seine offene Hand... darauf einen zweiten... darauf einen dritten, vierten usw. — bis ich ihn *lächeln* sehe. Und wenn er lächelte, so wußte ich, daß ich ihm einen — den letzten — Kreuzer zuviel gezahlt hatte!... Schnell nahm ich meinen Kreuzer wieder zurück, und die Sache ging in Ordnung.»

Der Scharfsinn von London

Ich schlenderte über eine der oberen Themse-Brücken. Es war Flut-Zeit, und die Strömung brauste flußaufwärts.

Sechzig Cockneys stützten die Ellbogen aufs Geländer und starrten schweigend auf das gurgelnde Wasser.

Denn unter der Brücke kam jetzt eine flache Barke hervor, die mit der Stange flußabwärts gestakt wurde. Ein stummer, verbissener Kampf gegen die Strömung. Fortschritt etwa sechs Zoll pro Minute. Wie weit kann man damit schon reisen?

Endlich ruft einer zu dem Mann mit der Stange hinunter:
«Hey mate!»
Der schaut hinauf:
«Was is?»
«Bring' uns 'nen Papagei mit!»

Das Panorama

Ein Fremdenführer hatte einen hartgesottenen Amerikaner auf der Europa-Tour zu betreuen. Er führte den Mann in die herrlichsten Kirchen und Museen, doch dieser zuckte bloß die Achseln. Endlich spielte der Fremdenführer seinen höchsten Trumpf — es war der grandiose Anblick der Alpen von Lausanne — aus. «Ist das nicht die schönste Aussicht, die Sie je gesehen haben?» fragte er erwartungsvoll.

«Na, ich weiß nicht», sagte der Amerikaner. «Nehmen Sie den See und die Berge weg — und was ist schon dran?»

Bahnhofsidyll

Eine Mutter hatte ihr Töchterchen im Weekend-Gedränge der New-York-Central-Station verloren. Nach fieberhaftem Suchen fand sie ihr kleines Mädchen endlich bei einer Gruppe von Nonnen stehen. Die waren ganz in Schwarz und trugen schneeweiße Hauben mit Stolen: «Hoffentlich hat meine Tochter Sie nicht zu sehr belästigt», sagte die erfreute Mutter.

«Im Gegenteil», lachte die Oberin. «Ihr kleines Mädchen scheint in der Vorstellung befangen, daß wir Pinguine seien.»

REKLAME

Günstiger Eindruck

Ein Mann aus Brooklyn besaß auf Long Island ein Grundstück, das er nicht ausstehen konnte! Er beschloß, diesen lästig gewordenen Besitz zu verkaufen. Bald darauf traf er einen Bekannten, der ihn fragte, ob er sein Objekt losgeworden sei?

«Nein», sagte der Brooklyn-Mann. «Ich werde es nicht verkaufen.»

«Aber wieso denn? Sie wollten doch — —»

«Ja, sehen Sie mal, ich beauftragte einen Agenten, den Verkauf zu inserieren. Natürlich las ich das Blatt mit dem Inserat. Die Beschreibung, die der Mann von dem Grundstück machte, war hinreißend. So hinreißend, daß ich mich zu einer Trennung davon nicht entschließen konnte!»

Ein dramatischer Autor hatte ein großartiges Mittel entdeckt, seine Vorliebe für Sekt und Sparsamkeit zu verbinden.

Er ließ ganz einfach eine Person im Stück sagen:

«Ein Glas Sekt, mein Lieber? — Hier, eine Flasche X. Das ist der beste.»

X war eine bekannte Sektfima. Und er bekam von dieser eine Kiste mit 100 Flaschen zugeschickt.

Bei der dreißigsten Vorstellung des Stückes war der Autor zufällig wieder anwesend. Wie groß war sein Erstaunen, als er den Schauspieler auf jene Einladung antworten hörte:

«Nein, mein Lieber, nicht dieses Spülwasser ... Man trinkt selbstverständlich nur Y!»

Y war eine andere bekannte Sektfirma.

Ein Autofahrer in Pittsburgh namens *Spencer* hat sich Spezialreifen mit seinem Namen in erhabenen Buchstaben machen lassen. Dazu brachte er im Schutzblech Behälter mit violetter Tinte an, die beim Fahren auf die Pneus tropft. Wohin er jetzt auch fahren mag — sein Name *Spencer* findet sich in endlosem Bande auf die Straßen gedruckt ...

RESTAURANTS

Verpaßte Chance

Der Gast rief den Kellner heran und bestellte sich ein frisches, weichgekochtes Ei. Als es serviert worden war, bemerkte er ein zitteriges Bleistiftgekritzel auf der weißen Schale:

«Ich bin einsam, schön und jung, und sehne mich nach Bekanntschaft; meine Adresse ist — —»

Er schrieb sofort einen Rohrpostbrief, denn er war Junggeselle und abenteuerlustig. Postwendend kam die Antwort:

«Sehr geehrter Herr — besten Dank für Ihre Nachfrage. Ich muß Ihnen mitteilen, daß ich seit achtzehn Monaten verheiratet bin.»

REVOLUTION

Kleine Annonce: Revolution abgesagt!

In einer Pariser Zeitung erwähnt *M. Aldanow* eine pikante Einzelheit aus der irischen Revolution von *1916* (die bekanntlich gleich zu Beginn erstickt wurde).

In Dublin wußte jedermann von der kommenden Revolution — auch die Engländer, die aber den Gerüchten keinen Glauben schenkten. Bis schließlich der englische Befehlshaber eine Warnung aus Amerika erhielt, der zufolge ein deutsches Schiff Waffen landen werde. Da wurden die Engländer denn doch aufmerksam und trafen ihre Maßregeln. Bald wurde es den irischen Verschwörern klar, daß die Revolution nicht die geringste Chance hatte. Sie beschlossen in letzter Minute, das Ganze abzublasen.

Aber um dieses zu bewerkstelligen, gebrauchte einer der Hauptführer, McNeyll, einen Trick, wie er wohl noch nicht dagewesen ist: Er rückte in der verbreitetsten Tageszeitung eine Annonce ein, daß die Revolution nicht stattfinden werde! Im Ernst, das war dort fast buchstäblich gesagt, denn die Annonce begann:

«Alle Befehle, die den irischen Volontären für morgen gegeben wurden, werden wegen der äußerst kritischen Lage zurückgenommen ...»

Das war so unwahrscheinlich dreist, daß es glatt durchging. — Wohl der einzige Fall in der Geschichte, daß eine Revolution durch eine Annonce feierlich abgesagt wurde.

SAMMLER

Arabische Bücher

Ein reicher französischer Bibliomane erhielt eines Tages den Besuch eines Orientalen, der ihm eine Reihe arabischer Bücher zu verkaufen wünschte. Sie waren in prachtvollen Charakteren auf das herrlichste Velinpapier geschrieben. Der Bibliomane stürzte sich begeistert auf diesen Schatz, den er infolgedessen ziemlich hoch bezahlen mußte ... Einige Tage darauf lud er einen befreundeten Gelehrten zur Besichtigung seiner neuen Kostbarkeiten ein. Der Gelehrte kam, sah, rückte die Brille auf die Stirn und eröffnete dem Bibliomanen bedächtig, daß seine «kostbaren Manuskripte» die *Kontobücher von zwei arabischen Gewürzkrämern, drei Kamelhändlern und einigen Dattelhändlern seien* ... Der Mann hatte seiner Bibliothek *163 Bände Geschäftsbücher* einverleibt.

Der römische Würdenträger Dominik Passionei hatte sich eine prachtvolle Bibliothek mittels Stehlen von Büchern angelegt. Als er im Jahre 1721 nach Luzern geschickt wurde, machte er sich daran, die Abteien und Klöster der Schweiz mit Bewunderung und Neugierde heimzusuchen. Er visitierte sie ununterbrochen, hielt sich stundenlang in den Klosterbibliotheken auf und kam nie heraus ohne dick angeschwollenen Mantel. Gegenüber mißtrauischen Geistlichen wandte er folgendes Mittel an: Er gab vor, Studien und Nachforschungen in der Bibliothek anstellen zu müssen, ließ sich fest einschließen, um nicht gestört zu werden — und warf nun einem Helfershelfer alle Bücher, die seine Leidenschaft erregt hatten, hastig durch das Fenster zu!

Als er später nach Rom zurückkehrte, war seine erste Sorge, diese Bibliothek nur ja keinem gelehrten Bibliothekar anzuvertrauen, der etwa fähig gewesen wäre, ihre Werte zu verarbeiten und «abzurahmen». Nein, sein Bibliothekar war von krassester Unwissenheit. Als sich ein Besucher darüber wunderte, erklärte Passionei:

«Meine Bibliothek ist mein Harem und muß deshalb von Eunuchen bewacht werden!»

SCHLAF

Im Schlaf

Lottchen ist sehr unartig gewesen. Sie bekommt eine Strafe: Mutti wird ihr heute abend nach dem Zubettlegen keinen Gutenachtkuß geben... Vielleicht ist die Strafe zu groß für ein so kleines Mädchen, aber Mutti ist streng! Und wenn sie mal etwas gesagt hat, so bleibt's dabei. Lottchen versucht alles mögliche, um die Strafe abzuwenden, sie häuft immer noch ein «Verzeih mir!» auf ein «Ich werd's nicht mehr tun!» — aber Mutti bleibt unerbittlich.

So daß Lottchen schließlich — ganz modern — einen Vergleich anstrebt:

«Mutti... hör mal...»

Und dann, ganz süß und leise:

«Du gibst mir den Gutenachtkuß nachher, wenn ich eingeschlafen bin...»

Feststellung

Zu Bett gehen kann jeder Narr, aber es braucht einen ganzen Mann, um aufzustehen.

Der alte Leuchtturmwärter war jetzt bereits dreißig Jahre ständig auf seinem Posten. Während dieser ganzen Zeit ging alle sechs Minuten ein Kanonenschuß dicht neben ihm los, Tag und Nacht, denn auf diese Art wurden die Schiffe gewarnt. Natürlich war er gegen diese periodische Explosion abgehärtet und beachtete sie nicht weiter. — Eines Nachts, in seinem 31. Dienstjahr, geschah es, daß der Kanonenschuß einmal nicht losging. Der alte Mann erwachte aus einem tiefen Schlaf. «Was war das?» schrie er in höchster Aufregung.

HERR VON SCHÖDL

Die Uhr

Alexander *Girardi*, der große Wiener Volksschauspieler, war ein hochgradiger Hypochonder. Er erfuhr von Krankheiten nur, um sie sofort bei sich festzustellen.

Eines Tages spaziert er gemütlich auf der Ringstraße und trifft den Herrn von Schödl. Lebhafte Begrüßung, Komplimente, schließlich die Frage: «Was gibt's Neues?»

«Wissen's, Herr von Girardi, was gestern dem Hartriegl passiert ist? Also ein sehr trauriger Fall: wie er sich im Kaffeehaus mit seinem Freunde unterhält, kommen ihm die Stimmen so g'wiß gedämpft vor, so gedämpft, sag ich Ihnen... Der Hartriegl zieht seine Uhr heraus, haltet sie ans Ohr — und hört nix mehr, keinen Ton. Taub is er g'wordn...»

Girardi erbleicht.

«Was... Was sagen Sie da?» — und greift hastig nach seiner Taschenuhr. Er hält sie sich ans Ohr. Sein Auge wird entsetzensstarr. Er flüstert:

«Um Gottes willen... Ich hör' nicht das geringste!»

«Jajaja... Zeigen's amol die Uhr her, Herr von Girardi... Aber die geht ja gar net, die is ja stehngeblieben!»

Girardi bekommt wieder Farbe in die Wangen. Da nimmt ihn Herr von Schödl am Knopfloch fest:

«Sie, da können's von Glück sag'n: denn wann Ihre Uhr gingert — dann wären's jetzt taub!»

Einmal kam der Herr von Schödl ganz echauffiert ins Kaffeehaus. Seine Miene schrankenloser Bonhomie zeigte einen Anflug von Pathos. — «Was ist Ihnen denn g'schehn, Herr von Schödl?» fragten die Freunde. — «Also heut hab ich einen Haufen Besorgungen g'macht; meine Frau hat mir alles auf ein Zettel g'schrieben, daß i nix vergiß... Und an Regenschirm hab ich mitg'nommen, weil man's eh net wissen kann... Und da is mir etwas sehr Bezeichnen-

des passiert, etwas sehr Bezeichnendes! Z'erst also bin ich beim Demel g'wesen, dann in der Spezialitätentrafik, dann beim Sirk wegen
die Koffer, dann beim Habig für den neuchen Hut, und dann bin ich
noch in ein klanes Gemischtwarengeschäft um a Kragenknöpferl.
Und wie ich schon heim will, steh ich plötzlich wie ein angemalener
Türk — is doch mein Schirm net mehr da!... Und grad hat's zum
Tröpfeln begunnen... Z'erst bin ich also zum Demel, ob mein
Schirm net da ist? ‹Bedaure, nein.› Dann in die Spezialitätentrafik,
dann zum Sirk, dann zum Habig — überall hat's geheißen ‹Bedaure,
nein.› Sie, ich hab Ihnen eine Besorgnis g'habt... Und dann frag ich
im kleinen Gemischtwarengeschäft an der Ecken. Und richtig, der
Schirm war da! Schaun's, da sieht man wieder: die großen, die re-
nommierten G'schäft', die haben den Schirm net g'habt, a woher!
Aber so ein kleines, bescheidenes G'schäft, was Knöpferl verkauft,
— das hat ihn g'habt!»

Naturgemäß hatte der Herr von Schödl ein Abonnement in der
Oper. Auch dort passierte ihm die erzählenswertesten Abenteuer.
— «Also, die jungen Leut heutzutage, das muß man schon sagen,
die sind Ihnen von einer Keckheit, einer ausg'schamten Frechheit...
Bin ich doch neulich mit meiner Frau in der Oper. Meine Frau, die
bekanntlich den schönsten Busen von Wien besitzt, hat ihr atlas'nes
Ausgeschnitt'nes ang'habt, alles wie sich's g'hört. Und wie der Ri-
goletto zum Singen antaucht, da seh' ich doch, wie neben uns so ein
Schlankl, ein nasweißer, gar net hinschaut, sondern immer bloß auf
das Dekolleté meiner Frau. Das wurd' mir aber doch z'vüll! — Sie,
junger Mann, sag ich, wissen Sie sich wirklich keinen bessern Ort
zum Hinschaun als den Busen meiner Frau? — Wissen's, was er g'sagt
hat? ‹Na› hat er g'sagt.»

SCHRIFTSTELLER

Kindergeschichte

Bei Frau v. Soundso ist großer literarischer Abend.
Ein Dichter in wildem Haar — ein wenig häßlich — ja, ein wenig
bucklig — rezitiert soeben mit auffallenden Körperbewegungen Verse eigener Manufaktur. Vom Lärm angezogen, ist das Söhnchen vom
Hause immer näher herangekommen und schmiegt sich endlich, dicht
davor, an seine Mama. Mit offenem Mund verfolgt das Kind die gro-
tesken Bewegungen und Grimassen des Zappelmannes. Welch eine
Idee wohl in dem kleinen Kinderkopf entstehen mag?
Der Dichter hat geendet. Ergriffenes Schweigen.

Da wendet sich das Söhnchen zur Mutter, zeigt mit dem Finger auf den Dichter und sagt lüstern:

«Mama, bitte, kauf ihn mir doch!»

Die nüchterne Post

Ein angehender Dichter schickte Victor Hugo einen Band Verse zu. Außerdem setzte er ihn feierlich von dieser Sendung in Kenntnis.

Er bekam die Antwort: «Ihr Werk hat auf mich einen so tiefen Eindruck gemacht, daß ich Sie wahrhaft erschüttert begrüße. In Ihren Strophen gibt es da irgendwo neue, noch nie vernommene Klänge — Gedanken, die irgendwie durchpulst und durchblutet sind! Ich betrachte Sie als meinen Kameraden, meinen Freund, meinen Bruder.» — — usw. usw. usw.

Tags darauf händigte der Postbote dem angehenden Dichter seinen Band Verse wieder ein.

Auf dem Umschlag stand mit Bleistift vermerkt:

«Wegen ungenügender Frankierung Annahme vom Adressaten verweigert.»

Ein Wort von Forain

Der Zeichner Forain ging neulich in Paris mit einem bekannten Schriftsteller spazieren. Einem Manne, der etwas begabt und etwas unbescheiden ist.

Als sie an dem Hause vorüberkamen, wo eine eingelassene Gedenktafel verkündet, daß der berühmte J. K. Heysmann hier gelebt habe, sagte der Schriftsteller nachdenklich:

«Und nach meinem Tode, was wird man da auf die Tafel am Hause schreiben? . . .»

«Zu vermieten», sagte Forain.

Kleinigkeit

Kleines Mädchen (an ihrer ersten Novelle weiterschreibend): «Ich wurde in einer öden und schmutzigen Straße Londons geboren, während meine leichtsinnige Mama sich in Paris amüsierte.»

Akademiereife

Baudelaire, damals bereits Autor der «Blumen des Bösen» und der Edgar Poe-Übersetzung, kandidierte für die Akademie. Er macht die üblichen Antrittsbesuche und kommt dabei auch zu dem Akademiker Villemain.

«Mein Herr», sagt Villemain, «ich kenne kein einziges Ihrer Werke. Ich lese nur wenig... immerhin ist mir aufgefallen, daß die heutigen Schriftsteller öfters *Psychologie mit Pathologie* verwechseln.»

«Sie haben also die ‹Blumen des Bösen› gelesen?» fragt Baudelaire pikiert.

«Nie!... Man übersetzt Schriftsteller, die sich im *Mißbrauch des Alkohols ihre krankhafte Inspiriration suchen.*»

«Sie haben also meine Edgar Poe-Übersetzung gelesen?»...

«Nie!»

In diesem Ton ging die Unterhaltung weiter. Und darum beschloß Baudelaire, sich zu verabschieden.

«Sie scheinen leidend», sagte er zu Villemain: «ich will jetzt gehen, ich bin selber nicht ganz gesund.»

«Nicht gesund? Sie, ein junger Mann?»

«Jawohl; ich leide an Rheumatismus.»

«Rheumatismus!» rief Villemain; «warten Sie, bleiben Sie doch noch ein wenig! Ihr Kandidatur beginnt seriös zu werden...»

Der amerikanische Schriftsteller Heyward hielt eine Vorlesung in Detroit. Als er geendet hatte, fragten ihn viele Damen, was er von den Gedichten Edgar Guests, einer Lokalberühmtheit, halte. Heyward suchte der Frage auszuweichen, mußte aber endlich eingestehen, daß er Edgar Guest nicht für einen Dichter halte. Allgemeine Empörung der Damen.

«Mr. Heyward», fragte eine, «was für einen Wagen fahren Sie?»

Heyward mußte zugeben, daß er überhaupt keinen Wagen besitze.

«Eddie Guest», replizierte die Dame scharf, «fährt einen Cadillac!»

SCHULE

Eine Intelligenzaufgabe

In einer schottischen Sonntagsschule hat der Pastor soeben von Jakobs Traum erzählt und wendet sich jetzt an die Kinder:

«Hat jemand irgendeine Frage zu stellen?»

Da steht ein kleiner Junge auf und sagt: «Herr Pastor, die Engel haben doch Flügel mit Federn. Na, und wenn sie Flügel haben, wozu war dann die Leiter von der Erde zum Himmel aufgestellt, daß sie darauf klettern mußten? Sie konnten doch fliegen!»

Der Pastor ist perplex, will aber die Klasse nichts merken lassen, und sagt darum:

«Brav, mein Junge, das ist eine sehr gute Frage. Nun, Kinder, ich will euch nachdenken lassen. Wer als erster die Frage beantwortet, kriegt einen Schilling.»

Es waren Kinder armer Leute. Ein Schilling war eine unermeßliche Summe. Alles dachte angestrengt nach. Endlich hebt ein noch kleinerer Junge die Hand.

«Nun, mein Junge», fragt der Pastor, «warum brauchten sie die Leiter?»

«Herr Pastor, Engel haben wohl Flügel mit Federn... Aber um diese Zeit mauserten sie gerade...»

Ob er den Schilling bekommen hat, weiß ich nicht.

Die Rechenaufgabe

In dem verbreiteten Arithmetik-Buch von Wereschtschagin, Petersburg 1912, 26. Auflage, findet sich ein großartiges Rechenexempel, wo ganz Rußland, die ganze Mittelschule und noch allerhand anderes in scharmantem Irrsinn vereinigt sind. Schlagen Sie das Buch auf und lesen Sie:

«3292. Zwei Brüder, die auf dem Felde arbeiteten, setzten sich zur Mittagszeit zum Essen. Das Mittagessen, welches ihnen ihre Frauen herangeschleppt hatten, bestand lediglich aus Grütze und Butter; das Gewicht der Grütze für den älteren Bruder verhielt sich zum Gewicht der Grütze für den jüngeren wie 0,8 (3) zu 0, (6), und das Gewichtsverhältnis der Butter für den älteren zu der Butter für den jüngeren war 1,16; das Gewicht der gesamten Butter machte jedoch 40 pCt. des Gewichts der Grütze der beiden Brüder aus. Kaum wollten sie nach den Löffeln greifen, als sich ihnen der Dorfschullehrer näherte, den sie zum Mitessen einluden, zu welchem Zwecke sie die ganze Grütze und die ganze Butter in ein Gefäß taten. Sie aßen alle gleich viel, d. h. jeder ein Drittel der Grütze und ein Drittel der Butter. Zum Dank für die Bewirtung bezahlte der Lehrer nach dem Essen den beiden Brüdern 5$^{1}/_{2}$ pCt. von 4 Rubel 50 Kopeken.

Wenn wir nun annehmen, daß der Preis eines Pfundes Grütze sich zu dem Preis eines Pfundes Butter wie 0,1 (6) : 0,24 (9) verhält — wie ist dann zwischen den Brüdern das Geld zu verteilen, welches sie vom Dorfschullehrer erhalten haben?»

Der Arithmetik-Lehrer fragte einen vorlauten Schüler:
«Wieviel ist zwei und drei?»
«Fünf.»
«Ganz gut...», sagte der Lehrer.
«Was heißt hier ‹ganz gut›, — es war unübertrefflich!»

Die Wißbegierige

Die Lehrerin erzählt von dem König Heinrich, der nach dem Tode seines Sohnes nie mehr gelacht habe!

Unsere Annette bekommt eine zweifelnde Miene.

Unsere Annette hebt fragend das Händchen: «Verzeihung, Fräulein Braun, aber was machte er, wenn man ihn kitzelte?»...

Grüne Logik

Der Lehrer erzählt von jenem römischen Helden, der jeden Morgen vor dem Frühstück dreimal über den Tiber schwamm. Wer kichert? — Natürlich Max.

«Du zweifelst doch nicht, daß ein geübter Schwimmer das tun kann, Max?»

«Nein, Herr Lehrer», sagt Max, «weshalb soll ich es bezweifeln? Ich wunderte mich bloß, warum der Römer nicht viermal geschwommen ist: *damit er wenigstens an dem Ufer ankommt, wo seine Kleider liegen.*»

Etwas teuer

Sascha Guitry zählte damals zwölf Frühlinge.

Eines Tages begab er sich zum Kolonialwarenhändler:

«11 Kilo Kaffee à 2 Francs 75 das Pfund», bestellt er kühl.

«Bitte schön ... noch etwas?»

«17 Pakete Kerzen à 1 Franc 50.»

«Vielleicht noch was gefällig?»

«4½ Kilo Zucker à 85 Centimes.»

Darauf blickt er wieder nach dem Papierblättchen, das er dauernd aus der Tasche zieht, und setzt hinzu:

«28 Liter Petroleum à 55 Centimes. — Das wäre alles.»

Während der Kommis alles einpackt, schreibt der Besitzer die Rechnung aus und überreicht sie mit den Worten:

«Das ist aber ein großer Einkauf. Hat deine Mama dir das Geld mitgegeben, oder soll ich's auf Rechnung stellen?»

«Mama hat da nichts zu suchen», versetzt Sascha ruhig und zählt das Geld auf den Tisch. «Das ist ja bloß meine Rechenaufgabe. Wie sollte ich sonst damit fertig werden...?»

Die Wahrheit, die volle Wahrheit!

«Nun, Willi», sprach der Lehrer mit blitzenden Brillengläsern: «Wo hast du diesen Kaugummi her? Ich will die Wahrheit wissen!»

«Herr Lehrer — das wollen Sie nicht wissen; und lügen will ich auch nicht!»

«Du wagst zu sagen, daß ich die Wahrheit nicht wissen will? — Sofort sagst du mir, wo du diesen Kaugummi her hast!!»

«Also gut, Herr Lehrer — er klebte unter Ihrem Pultdeckel.»

Ablenkung

In der Schule hat Fritzchen jetzt Interpunktion. Die Kommas, Strichpunkte und Punkte machen ihm Sorgen. «Kannst du Interpunktion?» examiniert er etwas mürrisch seinen Vater. — «Ja, mein Sohn», nickt Papa.

«Dann sag mal, Vati: welche Zeichen machst du bei ‹Der Sturmwind blies einen Zwanzigmarkschein um die Ecke›?»

«Ich würde einfach einen Punkt ans Ende setzen.»

«Ick nich. Ick würd' ihm nachloofen.»

Schulszene

«Weißt du auch, Tommy Smith, daß George Washington in deinem Alter bereits der beste Schüler der Schule war?» fragte der Lehrer.

«Jawohl», war die Antwort, «und in *Ihrem* Alter war er bereits Präsident der Vereinigten Staaten!»

SCHWIEGERMÜTTER

Mitten in der schönsten Steinzeit stürzte die Höhlenfrau zu ihrem Höhlenmenschen (der sich gerade in den oberen Ästen des Gummibaumes aufhielt) und rief hinauf:

«Mann, soeben ist ein menschenfressender Tiger in die Höhle geschlichen, wo meine Mama wohnt!» . . . Sagt der Höhlenmensch von oben herab: «— Was geht's mich an, was dem Tiger passiert? . . .»

SCHWIMMEN

Der Zyniker spazierte, des Lebens müde und ohne Illusionen, längs dem Landwehrkanal. Plötzlich hörte er Schreie und sah einen Mann mit letzten verzweifelten Handbewegungen im Wasser verschwinden.

Nun tauchte der Mann wieder auf und schrie: «Ich kann nicht schwimmen, ich kann nicht schwimmen!»

«Mann», sprach der Zyniker langsam — «ausgerechnet in diesem Moment damit zu prahlen!»

SEHEN

Ein Engländer, der vor kurzem nach Antwerpen gekommen war, verließ sein Hotel zu einem Spaziergang und hatte sich bald darauf im einbrechenden Nebel verirrt. Denn der Nebel in Antwerpen ist zwar nicht so berühmt wie der von London, schlägt diesen aber elegant um eine Nasenlänge — welches nämlich genau die Entfernung ist, bei der man in ihm noch etwas erkennen kann.

Der erschrockene Reisende taumelt in den braunen Rauchwellen umher und ruft vergebens die vorüberhuschenden Schatten der Passanten an. Er fürchtet, über einen der vielen Kais ins Wasser zu fallen. Ihn packt ein fröstelnder Schauer...

Plötzlich tippt ihm jemand auf die Schulter.

«Ah», ruft der Reisende erfreut, «Sie sind meine Rettung! Ich habe mich hier in Antwerpen verirrt und weiß nicht, wie ich das Gigantic-Hotel wieder erreichen soll?»

«Das Gigantic?» sagt der Passant, «aber das ist ja zwei Schritte von hier. Geben Sie mir Ihren Arm, ich führe Sie hin.»

In wenigen Augenblicken erkennt der Engländer das helleuchtende Hotelportal. Er bedankt sich bei seinem Begleiter.

«Wie haben Sie in dem entsetzlichen Nebel den Weg so sicher finden können?» fragt er erstaunt.

«Oh», murmelt der andere mit erhobenem Haupt, «das ist recht einfach: weil ich *blind* bin!»

BERNHARD SHAW

Shaws bester Einfall

Es gibt viele Geschichten von Bernard Shaw — vielleicht zu viele —, aber die beste bleibt noch zu erzählen. Ein Augenzeuge hat sie mir mitgeteilt. Es war bei der Première von «Zurück zu Methusalem». Das Theater tobt vor Begeisterung und ruft nach dem Autor. Doch in dem Moment, wo Shaw endlich vor dem Vorhang erscheint, mischt sich in den Applaus ein *gellender Pfiff* von der Galerie her. Da winkt Bernard Shaw herzlich zur Galerie hin und ruft:

«Mein Freund! Ich bin ja mit Ihnen völlig einer Meinung! — Aber was können wir beide gegen solch eine Majorität!! —»

Bernard Shaw ist eine beliebte Zielscheibe der Karikaturen, doch er hält von ihren Bemühungen wenig: «Eine Photographie», sagt er, «das sind achtzig Prozent der Porträtierte und zwanzig Prozent der Photograph. Ein Gemälde, das sind fünfundsiebzig Prozent der Künstler und nur fünfundzwanzig Prozent der Porträtierte. Und Karikaturen? Pah! Kindliche Spiele! Karikaturen sind mir niemals ähnlich. Auch *Low's* Karikaturen ähneln mir nicht im geringsten. Aber neulich besuchte ich einen Bekannten in seiner Wohnung, und dort sah ich endlich eine Karikatur von mir, die gut zu sein schien. Natürlich — sie war giftig, sie war grausam, aber sie war immerhin so, wie eine Karikatur sein muß. Ich wollte *Low* herrufen, damit er sie sich ansähe. Da bewegte sie sich. Es war ein Spiegel.»

Ein Londoner Bettler besaß seinen Standplatz an einem engen Straßendurchgang, wo die Passanten ihm automatisch ihren Penny zuwarfen — es war wie eine Art Passierzoll. Einmal hatte sich vor dem Durchgang eine Schlange gebildet, wie so oft in England. Die Pennies prasselten. Als die Reihe an Bernard Shaw kam, lüftete er bloß seinen Hut, sagte *«Presse»* und ging so durch. Sogar der Bettler lachte.

Eines Tages stöberte Bernhard Shaw in einem Buchantiquariat und fand dort, zu stark herabgesetztem Preis, einen Band seiner eigenen Stücke. Überdies fand sich auf der Titelseite der Name des einstigen Eigentümers nebst einer eigenhändigen Dedikation Shaws: «Mit freundlichen Komplimenten von Bernard Shaw.» Der Autor kaufte das Buch und schickte es dem Manne per Post. Unter die erste Dedikation hatte er eine zweite geschrieben: «Mit erneuten Komplimenten von Bernard Shaw.»

Als Bernard Shaws Stück «Candida» in New York neu aufgeführt wurde, kabelte er der Titelheldin, der Schauspielerin Cornelia Skinner: «Ausgezeichnet, Unübertrefflich.» Vom Lob überwältigt, kabelte Miss Skinner zurück: «Lob unverdient.» Darauf kabelte Shaw: «Ich meinte das Stück.» Darauf kabelte Miss Skinner: «Ich ebenfalls.»

SORGEN

Milderung der Gegensätze

Der reiche Mr. Mumiengold in USA verheiratete neulich seine Tochter. Milliardäre leben immer noch verhältnismäßig gut: beim

Hochzeitsmahl schwemmten die Champagner-Kaskaden ganze Berge von Austern, Fasanen und Hummern mit sich fort. Die Gäste toasteten ausgelassen und begeistert. Alles war selig. Da sprang einer der Ehrengäste auf, klopfte an sein Glas und nahm strahlend das Wort:

«Meine Damen und Herren! — jetzt, wo wir in Freude und Überfluß beisammen sind und uns alle so liebhaben — jetzt, wo wir das junge Glück hier vor uns sehen — jetzt ist der Augenblick gekommen, wo wir auch an unsere Mitmenschen denken wollen, die ihr Leben in tiefstem Elend dahinschleppen... an die Armen! *Meine Herrschaften, die Armen — sie leben hoch... hoch... hoch!!*»

SPORT

Versäumnis der Natur

Ein Lehrer in einer Lancashire-Schule hat neulich den Jungen eine merkwürdige Frage gestellt.

«Wenn ihr ein drittes Auge bekämet», so fragte er, «— an welcher Stelle würdet ihr es gern haben wollen?»

Nach angestrengtem Nachdenken hebt ein kleiner Bursche endlich die Hand:«Bitte, Herr Lehrer — am Ende von meinem Finger.»

«Warum denn am Ende von deinem Finger, Johnny?»

«Dann kann ich ihn durch den Zaun stecken und das Fußballmatch gratis ansehen.»

Die Geschichte vom gereiften Entschluß

Das war in einer kleinen Stadt in Ohio. Ein durchreisender Schwergewichts-Professional ließ verkünden, daß er jede Herausforderung annehme.

Ein örtlicher Herkules meldete sich sofort, sprang durch die Seile und gab dem Schiedsrichter seinen Namen an. Während dieser dem Publikum per Megaphon Mitteilung machte, zupfte ihn der Amateur am Ärmel und wisperte ihm etwas ins Ohr...

«Kid Binks bittet mich, festzustellen», rief der Schiedsrichter, «*daß dieses sein erstes Auftreten in einem Ring ist.*»

Jetzt gingen die beiden Kolosse aufeinander los. Der Professional fintiert vorsichtig — und landet plötzlich einen so ungeheuren Schwinger, daß der Amateur mit Blut zu Boden geht.

Der Schiedsrichter beugt sich über die Angelegenheit und beginnt auszuzählen.

Bei acht erhebt sich der Jüngling schwankend auf die Knie. Bei neun murmelt er ein paar heisere Worte.

Der Schiedsrichter hebt seinen Arm, zum Zeichen, daß das Publikum schweigen solle! —

«Kid Binks bittet mich auch noch, festzustellen», sagt er, «*daß dieses sein letztes Auftreten in einem Ring ist.*»

Der unbekannte Sieger

An jenem historischen Nachmittag, als Schmeling gegen Stribbling in Cleveland um die Weltmeisterschaft kämpfte, fand in Donkinson, Kalifornien, ein großes Baseball-Wettspiel statt. Aus irgendeinem Grunde wurden die Nachrichten von dem Boxmatch nicht nach dem Baseball-Park durchgegeben. Auch gab es kein Radio in der Nähe. Selbstverständlich aber wollte die ungeheure Menschenmenge wissen, welchen Verlauf der Boxkampf nehme, und umlagerte dichtgedrängt den Presse-Stand, wo man die Telegraphen-Instrumente ununterbrochen ticken hörte. Da hatten zwei junge Telegraphenbeamte, Mercer und Adams, gemeinsam eine brillante Idee: sie machten so, als ob sie an ihrem Ticker einen spannenden Kampfbericht abläsen! Dabei lösten sie einander ab — zuerst brüllte der eine den völlig imaginären «Bericht» von einer Kampfrunde, und dann der andere einen Bericht von der nächsten.

Adams hatte auf den Amerikaner gewettet und ließ in «seinen» Runden Stribbling unbarmherzig einhämmern. Aber Mercer, der für Schmeling war, «las» dann seinerseits einen schwungvollen Bericht ab, wie der Deutsche mit heroischer Anstrengung neue Kraft fasse und Stribbling durch mächtige Schläge zu zermürben beginne! So war die atemlose Menge von entgegengesetzten Gefühlen hin und her gerissen; unter ihrem Andrängen drohte die Tribüne zu brechen — und darum beschlossen die beiden Verschwörer, mit einem Knalleffekt Schluß zu machen.

Mercer beugte sich über den Ticker und verkündete — im Herausziehen der Papierschlange — mit Stentorstimme:

«Siebente Runde! Beim Gongzeichen — springen beide Gegner — sofort in die Ringmitte! Sie wechseln — einen Wirbelwind — von Uppercuts. Es ist — der härteste Kampf — der je — in einem Schwergewichtsmatch — erlebt wurde! Jetzt plötzlich — wird der Knockout — mit unwiderstehlicher Kraft — auf die Kinnspitze gelandet! Der Getroffene — stürzt wie ein Baumstamm — zu Boden! Die tobende Menge — akklamiert den Sieger — in rasendem Taumel der Begeisterung...!»

Und hier schöpfte der Berichterstatter Atem, wie nach einer schweren Arbeit.

Aus tausend Kehlen donnerte ihm der Schrei entgegen: «Wer hat gesiegt.»

Dramatisch gebot Mercer mit seinem Arm Stille. Alles schwieg. *«Davon ist im Telegramm nichts erwähnt»*, sagte er harmlos und setzte sich.

Zu nah!

Dieser Boxkampf war durch eine phantastische Reklamekampagne «aufgebaut» worden. Die beiden Boxer indessen gaben ein heroisches Beispiel von Vorsicht.

Jetzt hatten sie schon eine Viertelstunde auf den Fußspitzen umeinander herumgetanzt, ohne daß es zum Punch kam.

In diesem Moment nun starrten sie aufeinander längs den ausgestreckten Armen mit fürchterlicher Miene — in sechs Fuß Entfernung —, als ein heiserer Schrei von den billigeren Plätzen ertönte: *«Nehmt sie auseinander!»*

Rekorde

Stellen Sie sich vor: gestern treffe ich den berühmten Weltrekordmann im Laufen, den Nurmi, auf der Straße. Er war total außer Atem. Schon von weitem keuchte er mir entgegen: «Man hat bei mir eingebrochen!»...

«Na», frage ich neugierig. «Sie haben die Diebe natürlich eingeholt und geschnappt?»

«Ah, woher denn», sagte Nurmi ganz traurig und schaute nach seiner Armbanduhr —: «Ich hab' sie doch längst überholt...»

SPARSAMKEIT

Die Geschichte mit dem Gasautomaten

Als ich Neumanns letzten Sonnabend besuchte, standen die fünf Kinderchen feierlich aufgereiht, um ihr Wochengeld in Empfang zu nehmen. Was bedeutet das? fragte ich grenzenlos erstaunt, da Neumanns bekanntlich sehr sparsam sind. «Sie erwarten ihren Sonnabend-Groschen», sagte Papa Neumann mit väterlichem Stolz. — «Mensch», stammelte ich — «rechne doch mal nach: das sind fünfzig Pfennig pro Woche, das macht ja eine Riesensumme im Jahr — — und die wirfst du so aus dem Fenster?»

«Aber nein», sagte Neumann mit sanftem Gesichtsausdruck: «denk dir: die Jöhren halten alle den Gas-Automaten für 'ne Sparbüchse — und du glaubst gar nicht, wie hell und gemütlich wir jetzt wohnen!»

Ein Schotte hatte sich als beste Sparmethode für die Sommerferien ausgedacht, daß er jedesmal, wenn er seiner Frau einen Kuß gab, einen Groschen in die Sparbüchse legen werde. Dieses tat er auch mit großer Pünktlichkeit. Als die Ferien zu Ende waren, öffnete er lüstern die Büchse — und fand darin zu seiner Verblüffung nicht bloß Groschen, sondern auch Sixpences, Schillinge und sogar eine Pfundnote!

Sprachlos ward er zu einem einzigen Fragezeichen und starrte seine Frau an!?

«Ja, ja, mein Lieber», sagte sie — «nicht jeder ist so schäbig wie du!» ...

Erste Zeitungsmeldung: «Ein Fischer in Gravesend (Südengland) hat einen Hering gefangen, in dessen Magen sich ein silberner Schilling befand.»

Zweite Zeitungsmeldung: «Die schottische Fischerei-Flotte ist in einer heftigen Bewegung nach Süden begriffen.»

Schottisches Zeitungsplakat

ZUSAMMENSTOSS
zwischen
2 AUTOTAXEN
in
ABERDEEN

22 der 40
FAHRGÄSTE
VERLETZT

Das Neueste

Ein Schotte speist mit seinem Bekannten in einem Prunkhotel.

Als der Kellner mit der Rechnung kommt, tönt es laut und energisch vom Schotten her: «Zu mir; ich zahl das Ganze!»

Am nächsten Tage erschienen die Zeitungen mit der Schlagzeile: «Schotte erwürgt Bauchredner.»

Besuch aus Schottland

Der Manager eines Londoner Hotels inspiziert den Korridor. Da bemerkt er einen Zimmerpagen, wie der ein paar Schuhe dicht vor einer Tür putzt. «Wie oft soll ich's denn sagen?» brüllt der Manager, «daß das Personal das Schuhwerk nicht vor jeder einzelnen Tür zu putzen hat! So was stört doch die Gäste! . . .»

«Verzeihung», flüstert der Page, «aber ich kann dieses Paar nicht von der Tür wegbringen.»

«Ja, warum denn nicht?»

«Weil der Gast mißtrauisch scheint. Er hält die Schnürsenkelenden mit aller Kraft hinter der Tür fest.»

Hänschens Schicksal

Hänschen bekommt Lebertran. Damit er diesen ohne Grimassen herunterschluckt, versprachen Papa und Mama:

«Jedesmal, wenn du zwei Eßlöffel voll brav geschluckt hast, bekommst du 20 Pfennig in deine Sparbüchse!»

Als die Flasche endlich leer war, wurde die Sparbüchse feierlich aufgebrochen. Es fanden sich darin 7 Mark 80.

«Fein!» rief Hänschen. «Was werdet ihr mir kaufen für dieses Geld, was —?»

Und es ergab sich, daß ihm Papa und Mama dafür eine neue Flasche Lebertran kauften.

SPRECHEN, Konversation etc.

Aus der Gesellschaft

Trotz der hastigen Zeit ist die Kunst geistvoller Konversation doch nicht ganz ausgestorben. So war neulich, wie wir hörten, der bekannte Dichter Dr. Blumenheu bei der Baronin Golfklapps eingeladen. Und es geschah, daß er die ganze Gesellschaft durch ein andauerndes Gerede über seine Sehnsüchte anödete. «Bevor ich sterbe», sprach Dr. Blumenheu, «will ich einmal etwas ganz Großes und ganz Reines vollbringen —!»

«Waschen Sie einen Elefanten!», riet die Baronin.

Franz Joseph und Girardi

Die Schauspielerin Schratt hatte dem Kaiser so viel von Girardis bezaubernder Unterhaltungsgabe erzählt, daß dieser den berühmten Komiker gern einmal persönlich kennenlernen wollte.

Die Schratt arrangierte das. Girardi wurde bei ihr zur «Jause» (zum Fünfuhrkaffee) eingeladen, und auch Franz Joseph erschien.

Der Kaiser war sehr erwartungsvoll. Aber seltsam: Girardi verhielt sich ungeheuer zugeknöpft. Er redete nur, wenn er gefragt wurde, und dann in den ehrfurchtsvollsten Tönen.

So daß Franz Joseph gegen Schluß etwas enttäuscht sagte:
«Aber mein lieber Girardi, man hat mir so viel von Ihrer glänzenden Unterhaltungsgabe erzählt ...»
«Majestät», sagte Girardi und fuhr sich mit dem Tuch über die Stirn — «jausen Sie amal mit an Kaiser! ...»

Die Antwort

Die Konsequenz der Maschine ist die denkende Maschine: der Roboter. Es gab in Europa eine Zeit, wo alle Mechaniker (in Vorahnung des Kommenden) Roboter konstruierten, nämlich das achtzehnte Jahrhundert. Der berühmteste Erbauer automatischer Menschen hieß Vaucanson. Eine Dame in Paris war von seinen Automaten so begeistert, daß sie Vaucanson unbedingt kennenlernen wollte. Doch der Erfinder blieb dabei recht einsilbig, so daß sie nachher sagte: «Ein steifer Mensch — ich glaubte, er hat sich selbst konstruiert.»
Solche altertümlichen Menschenautomaten werden heute von den Amerikanern sehr gesucht. Nun gelang es dem Museum in Pittsburgh, einen «schreibenden Kavalier», der mit Schnallenschuhen und Jabot an einem Tisch saß, irgendwo in Europa aufzustöbern. Dieses Stück hielt eine Feder zum Eintauchen über ein Tintenfaß — war aber in der Bewegung erstarrt und blickte mit bleiernen Augen ins Leere, als ob ihm der Gedanke entschlüpft sei. Er «glupschte», wie man so sagt, jetzt schon gute hundert Jahre lang, weil sein komplizierter Innenmechanismus in Unordnung geraten war. Die Kustoden in Pittsburg machten sich mit Feuereifer daran, ihn wieder zurechtzubasteln, ähnlich wie die Seelenbastler der Psychoanalyse es mit einem Patienten tun, der irgendeinen schweren Schock erlitten hat. Auch wollten sie gerne wissen, von wem dieser stille Rokokomensch eigentlich gebaut worden sei? Den einzigen Anhaltspunkt bot ihnen ein «M», das in die Brokatweste des Mannes eingestickt war. Diese Ursprungsfrage führte zu hitzigen Diskussionen zwischen den beiden Kustoden: der eine behauptete, nur *Maelzel*, der Erfinder des Metronoms, könne als Konstrukteur in Betracht kommen, während der andere hartnäckig den großen Mechaniker *Maillardet* als Erzeuger bezeichnete.
Eines Tages, als sie wieder heiß stritten und zugleich um die Figur bemüht waren — hörte man in deren Innerem ein leises Schnurren, wie von einer zufriedenen Katze. Die beiden Kustoden hielten den Atem an. Die Hand mit der Feder kam in zitternde Bewegung und senkte sich jetzt ins längst gefüllte Tintenfaß. «Er schreibt, er schreibt!» schrien beide: «Schnell ein Blatt unterlegen!» Und kaum hatten sie das getan, so sahen sie, wie der Mann den Ellbogen bewegte, das Haupt beugte, die Feder aufs Papier drückte und jetzt in

zierlicher Schrift schrieb: *Je suis construit par Maillardet.* Dann blieb er wieder unbeweglich stehen.

Der Irrtum

Der Abbé Raynal war ein hemmungsloser Geschichtenerzähler: er kannte sämtliche Anekdoten seit der Gründung Roms auswendig und plapperte sie so oft als möglich herunter. Eines Tages, als er wieder einmal das Wort an sich gerissen hatte und seine Anekdotensträhne abhaspelte, unterbrach ihn die *blinde* Madame du Deffand, indem sie ausrief: «Mein Gott, Herr Abbé, schließen Sie doch dieses Buch; man hat es mir schon hundertmal vorgelesen!...»

Ein chinesischer Student an der Universität Paris lernte sein Französisch nach den Phrasen eines Etikette-Buches. Bei einem Nachmittagsempfang des Rektors bekam er die erste Gelegenheit, seine Kenntnisse anzuwenden. Als ihm eine Tasse Tee gereicht wurde, sprach er feierlich :«Ich danke Ihnen, mein Herr oder meine Dame, je nachdem.»

Der Dialog

Der geniale Kritiker Belinski war eine impulsive Natur. Über eine Frage, die ihm besonders am Herzen lag, hatte er einmal einen längeren Dialog geschrieben — den ersten in seinem Leben. In der ersten Freude stürzte er knapp nach Vollendung seines Werkes zu seinem Freund Alexander Herzen, um diesem die noch warme Arbeit vorzulesen.

Es war das eine Unterhaltung zwischen A. und B., wobei A. die Ansicht Belinskis siegreich verfocht, während B., der Vertreter der anderen Meinung, am Ende sich demütig für überzeugt und überwunden erklärte. Und wie das bei solchen schriftlichen Gesprächen geht: die Gedanken des A. — Belinskis — waren glänzend und schlagkräftig entwickelt, während das, was der B. vorbrachte, naturgemäß schwächer und ein wenig mittelmäßig wirkte.

In einem Zuge, mit flammender Begeisterung hatte Belinski den Dialog vorgelesen.

«Nun», fragte er erwartungsvoll seinen Freund: «Nun, wie findest du das Gespräch?»

«Ausgezeichnet —», sagte Herzen langsam, «großartig... aber sag' mal, mein Lieber: hattest du wirklich Not, dich mit einem solchen Dummkopf einzulassen?...»

Belinski blieb einen Moment starr.

Dann fing er wie toll zu lachen an.

Ausrede

Ich habe meinen Antrittsbesuch in einer Villa zu machen. Ein entzückendes Stubenmädel öffnet, doch beim ersten Schritt schon wird mir aus dem Papageienkäfig im Vorzimmer etwas Entsetzliches zugerufen: die Aufforderung aus Götz von Berlichingen in ununterbrochener, kreischender Wiederholung!

Ich stehe einen Moment starr, und werfe dann einen vorwurfsvollen Blick auf das Stubenmädel. Da wird es ganz rot und sagt verlegen: «Das habn wir ihm net g'lernt, das hat er sich selber ausdenkt —.»

Parlez-vous français?

Ein amerikanischer Tourist war nach Paris gekommen und brannte darauf, sein Schulfranzösisch endlich an den Mann zu bringen. «Garsong», sagte er nach längerem Studium der Lunchkarte, «je désire consomme royal et un pièce of pang et beurre — nein, verdammt — une pièce of beurre.»

«Verzeihung, mein Herr», sagte der taktvolle Kellner in tadellosem Englisch, «leider spreche ich kein Französisch.»

«Well», sagte der Amerikaner, «aber schicken Sie mir doch schnell jemand, der Französisch kann!»

Der Affe und der Papagei

Der Affe und der Papagei stritten sich über ihre Vorzüge. Der Affe sagte:

«Ich klettere auf Baumkronen; ich ringele meinen Schweif um die höchsten Äste und lasse mich herunterbaumeln; ich reite im Zirkus auf Hunden; ich mach «hübsch tot» auf einen Pistolenknall; ich verstehe Zimmer auszufegen! . . .»

«Das ist alles nichts», unterbricht ihn der Papagei: «Ich, ich kann sprechen!»

«So!» sagt der Affe, «und ich, was tu ich denn seit einer Viertelstunde?!»

Schuljungenstreich

Bekanntlich sitzen die Quäker bei ihren religiösen Versammlungen zunächst in tiefer Stille da und warten, bis einer der Brüder vom Geist ergriffen wird und in Zungen redet.

Ein Schuljunge von Canterbury schlich sich in eine solche Versammlung, wo alle tiefernst und stumm um den Tisch saßen. Er hielt ein Pfennigtörtchen hoch in der Hand und sagte feierlich: «Wer zuerst spricht, bekommt diesen Kuchen!»

«Geh weg, Junge», rief ein wutroter Gentleman und erhob sich, «geh weg, Junge, sonst — —»

«Der Kuchen gehört Ihnen, Sir!» rief der Schuljunge, legte ihn auf den Tisch und verließ fluchtartig das Lokal.

SUWOROFF

Suworoff

Der General, Graf, Feldmarschall, Fürst und Generalissimus Suworoff war ein Clown, der in siebzig Schlachten gesiegt hatte, ein elektrischer Funke, der alle Sicherungen der Würde durchbrannte, ein Gockel, der in den ernstesten Versammlungen plötzlich zu krähen anfing, weil er sagte, daß das gut sei, um die Leute aufzuwecken. Er lebte von einer Grimasse zur anderen und haßte die Spiegel in den Tod. Stillstehen konnte er überhaupt nicht und auch nicht gehen, sondern stets nur hin und her laufen wie ein Wiesel — nie hat man ihn anders reiten sehen als im Galopp.

Sein Verstand war so schnell, daß er die Gedankenkette schon dreimal durchlaufen hatte, bevor die anderen überhaupt drangingen — so blieb seiner Ungeduld nichts übrig, als ihnen eine lange Nase zu machen! Er steigerte jede geringste Handlung in begeistertem Aberwitz zum Symbol. Ihm war die dienstliche russische Formel «Ich kann's nicht wissen» so herzhaft verhaßt, daß er jedesmal das Zimmer mit Weihrauch ausräuchern ließ, wenn dieser Ausdruck gefallen war. Ebenso heftig haßte er die Worte «defensiv» und «Unterkunft». Unter diesem kochenden Temperament loderte stets die Flamme des wildesten Pathos.

Aber er konnte auch stillhalten wie ein rocher de bronce. Der General NN. war ein großer Schwätzer. Darum erschien nach der Einnahme Warschaus folgender Tagesbefehl: «Suworoff wird im vergoldeten Wagen des Generals NN. seinen Einzug in die Stadt halten. Der Eigentümer soll ihm gegenübersitzen, rechts hinaussehen und schweigen, *denn Suworoff wird in Nachdenken versunken sein.*»

Während einer Manöverübung bemerkte Suworoff, daß eine Reservekolonne unnütz Zeit verlor, statt den anderen Truppen zu Hilfe zu eilen. Er sprengte zu dem Oberleutnant, der sie kommandierte, und rief: «Worauf wartest du? Die Kolonne geht verloren, und du bringst keine Hilfe?»

«Ew. Durchlaucht», antwortete der, «schon längst hätte ich meine Pflicht erfüllt; ich erwarte aber die Befehle vom vorgesetzten General.» Dieser General befand sich nur wenige Schritte davon entfernt auf seinem Pferde.

«Von welchem General?» ruft Suworoff weiter: «Er ist ja erschossen, ist ja schon lange tot! Sieh doch nur hin (indem er auf ihn zeigt), dort läuft ja auch sein Pferd! – eile!!»

Und er sprengte davon.

Suworoff hielt streng die Fasten ein. Potemkin sagte ihm einmal lachend: «Man sieht, Graf – Sie wollen rittlings auf einem Karpfen ins Paradies einziehen.» Dieser Scherz wurde von den Höflingen Potemkins natürlich mit Begeisterung aufgenommen. Tags darauf wagte einer der niedrigsten Leibdiener Potemkins denselben Scherz gegenüber Suworoff zu wiederholen: «Ist es wahr, Durchlaucht, daß Sie rittlings auf einem Karpfen ins Paradies einziehen wollen?» Suworoff wandte sich nach ihm um und versetzte kalt:

«Nehmen Sie zur Kenntnis, daß Suworoff zuweilen Fragen stellt, aber niemals welche beantwortet.»

Kaiser Paul I. von Rußland ließ sich von einem gefangenen Türkenknaben die Stiefel putzen und den Bart rasieren. Das Jungchen wurde sein Kammerdiener, wurde mit der Zeit Ober-Jägermeister, Ober-Stallmeister, erhielt den Titel «Graf Kutsaissoff», den Andreas-Orden erster Klasse und stand als mächtiger Mann im Reiche da. Wobei er immer noch den Kaiser rasierte.

Eines Tages wollte Kaiser Paul Krieg mit der französischen Republik führen und brauchte dazu den Feldmarschall Suworoff, der halbverbannt auf seinem Landgut lebte. Also schickte der Kaiser den Grafen Kutaissoff hin.

«Wer sind Sie, Herr?» fragte ihn Suworoff.

«Graf Kutaissoff.»

«Graf Kutaissoff? Kutaissoff? Kenne ich nicht. Es gibt Graf Panin, es gibt Graf Stroganoff, aber von einem Grafen Kutaissoff hab' ich nichts gehört... Was sind Sie im Dienst, wenn ich fragen darf?»

«Ober-Stallmeister.»

«Und was waren Sie vorher?»

«Ober-Jägermeister.»

«Und vordem?»

Kutaissoff stockte.

«Also sagen Sie es doch!»

«Kammerdiener.»

«Das heißt, Sie haben Ihren Herrn gebürstet und rasiert?»

«Ja... jawohl.»

«Proschka!» – brüllte Suworoff zu seinem sagenhaft nachlässigen Kammerdiener Prokop. «Proschka, komm' her, du Schlingel!

Da, sieh dir mal diesen Herrn an im roten Rock mit blauem Bande. Das war ebenso ein Nichts, ein Bartkratzer, wie du. Aber er ist ein Türke, also trinkt er nicht! Kannst du sehen, wie hoch er geflogen ist? Man schickt ihn sogar zu Suworoff! Aber du, Viehstück, bist ewig besoffen, aus dir wird nichts. Da — nimm ihn zum Beispiel, und du wirst auch ein großer Herr werden.»

Kutaissoff rannte, außer sich, fort und rapportierte dem Kaiser, daß Suworoff verrückt sei und fortwährend phantasiere.

Aber man brauchte den Feldmarschall, und so wurde er zum Generalissimus ernannt und mußte über die Alpen ziehen.

TANZEN

Tanzgespräch

Das klassische Tanzgespräch um die Jahrhundertwende! «Kennen Sie Ibsen?» — «Nein. Wie macht man das?»

Das moderne Tanzgespräch. «Sie tanzen himmlisch. Haben Sie Stunden genommen?» — «Das nicht, doch ich habe einen Kurs im Ringkampf absolviert.»

«Darling, du wärest der wunderbarste Tänzer, wenn es nicht zwei Dinge gäbe.» — «Welche Dinge, Liebling?» — «Deine Füße.»

Sie schmiegte sich ihm an. Ihre sanfte Wärme brannte in seine Seele. Irgend etwas in ihm flammte auf. Er rührte an ihre weiße Schulter mit seinen Fingerspitzen, er sprach zitternd: «Sag — oh, sage mir — welche Tat kann ich für dich vollbringen?» — Sie hob ihre Gazellenaugen: «Paß auf deine Füße auf, du Trampeltier, und tritt mir nicht aufs Kleid, bis der Tanz zu Ende ist!»

Kühner Vergleich

Auf einem Ball betrachtete der berühmte Dandy Jerrold die Tanzenden. Eine außerordentlich lange Dame walzte mit einem kurzen, dicken Gentleman vorüber.

«Schau hin», sagte Jerrold zu seinem Bekannten, «*dort tanzt die Meile mit dem Meilenstein.*»

TAUBHEIT etc.

Nur für Natur

Neulich spazierten zwei Damen, von denen eine sehr schwerhörig war, längs den Eisenbahnschienen durch die Natur.

Plötzlich sauste ein Expreßzug vorbei, der beim Passieren ein Doppelsignal mit der Dampfpfeife gab, als ob der Himmel einstürzen wollte.

Die schwerhörige Dame wandte sich zu ihrer Begleiterin und sagte mit einem strahlenden Lächeln:

«Das ist der erste Kuckuck, den ich in diesem Jahre gehört habe.»

«Ihr Großvater scheint ein wenig taub zu sein?»

«Ein wenig? Mensch, gestern hielt er die Familienandacht ab und kniete dabei auf der Katze.»

Im Asyl für Taubstumme

Der Doktor des Taubstummen-Asyls zu einem Freunde:

«Hast du nicht Lust, heute abend zum Ball meiner Taubstummen zu kommen? Es werden eine Menge hübscher Mädchen dort sein.»

«Aber wie fordert man sie denn zum Tanz auf?»

«Ganz einfach: man verbeugt sich lächelnd. Und sie verneigen sich und lächeln ebenfalls. Darauf tanzt man los.»

Der Freund geht mit dem Doktor auf den Ball. Bemerkt gleich am Eingang ein hübsches Mädchen. Er nähert sich, verbeugt sich und lächelt. Das Mädchen nickt, und sie tanzen. Der Kavalier findet sie, mit der er kein Wort sprechen kann, so reizend, daß er drei Tänze hintereinander mit ihr tanzt.

Als er sie, wieder mit seinem besten Lächeln, zum vierten Tanz auffordern will, sieht er einen jungen Mann an seine Partnerin herantreten und ihr sagen:

«Liebling, ich warte jetzt schon eine Viertelstunde. Wann werde ich endlich mit dir tanzen können?»

«Wenn du willst — gleich, Schatzi: aber sag mir nur, wie ich hier diesen entsetzlichen Taubstummen loswerde!»

Der kluge, aber zerstreute Graf N. machte eines Tages dem Staatskanzler Rumjanzew seine Aufwartung. Rumjanzew war fast taub. Doch wollte es ein Zufall, daß er die ersten Worte des Besuchers richtig beantwortete.

«Ich bemerke mit besonderem Vergnügen», sagte Graf N., «daß Exzellenz besser hören.»

Der Kanzler: «Wie?»

Graf N.: «Ich bemerke mit besonderem Vergnügen, daß Exzellenz besser hören.»

Der Kanzler: «Wie, bitte?»

Graf N.: «Ich bemerke mit besonderem Vergnügen, daß Exzellenz besser hören.»

Nachdem es derart noch einige Male hin und her gegangen war, weist der Kanzler auf eine Schiefertafel, die ständig auf seinem Tisch lag, und bittet, das Gesagte hinzuschreiben.

Graf N. schreibt mit unerschütterlicher Gelassenheit auf die Tafel:

«Ich bemerke mit besonderem Vergnügen, daß Exzellenz besser hören.»

TAXIS

Die letzte Pferdedroschke

Diese Geschichte ist melancholisch. Der berühmte Zeichner F. verläßt nachts seinen Klub. Weit und breit kein Autotaxi zu sehen. Es ist spät, es ist schon beinah früh. Endlich klappert langsam eine Pferdedroschke daher, nur noch durch Bindfaden zusammengehalten. Vorne ein Roß, ein Pferd, ein Gaul, eine Mähre — jedenfalls ein Etwas mit Nüstern und Scheuklappen. Auf dem Bock ein Patriarch, gegen den Tagore ein Säugling ist. F. zögert ein wenig, ruft ihn aber doch an:

«He! Hallo!»

«Wohin wollen Sie, Herr Nachbar?»

«Fahren Sie mich bis zum nächsten Autotaxi!»

Ein alter, alter Chauffeur

José Berys hat folgende Szene beobachtet:

Das ist ein alter Pariser Chauffeur, noch von den Kutscherzeiten her, mit sechzig Wintern auf dem Buckel. Neulich wird er, so gegen Mittag, am Bastille-Platz von einem tadellosen britischen Staatsbürger angeredet:

«Sind Sie frei?»

«Gewiß, mein Prinz. Aber Sie gestatten, daß ich, bevor wir fahren, in dem runden Häuschen da einem internationalen kleinen Bedürfnis nachgehe...»

«Yes. Wie lange?»

«Fünf kleine Minuten.»

Worauf der Engländer neben dem Wagen stehenbleibt und sich eine Zigarette anzündet.

Nach einer imposanten Viertelstunde ist unser Mann wieder zur Stelle.

«Rasch!...» sagt der Engländer, «ich will nach Tremblay, zum Rennen.»

«Unmöglich...» meint der Chauffeur und zuckt die Achseln. «Jetzt ist Mittagszeit... Ich muß den Wagen unterstellen und muß dann mit meiner Frau Mittag essen...»

«Na, aber... Warum haben Sie mich dann fünfzehn Minuten unnütz warten lassen?»

Der alte Chauffeur kletterte auf seinen Sitz, ließ den Motor an, und sagte:

«Mein Prinz: weil ich nicht wollte, daß der Wagen unbewacht herumsteht.»

Und er dampfte knatternd ab.

TELEGRAMME

Es gibt Konkurrenzen für Zeitraffer-Kurzgeschichten. Den Rekord hielt bis jetzt: «Schnell, einen Kuß — meinem Mann ist der Zwicker in die Bowle gefallen!» Dieser Rekord ist jetzt geschlagen. Ein amerikanischer Soldat in Deutschland erhielt neulich von seiner Braut in New York folgendes Telegramm: «Konnte nicht länger warten und habe Deinen Papa geheiratet. Herzliche Grüße. Mama.»

Geistesgegenwart

Ein Mann kam ins Western-Union-Telegrafenbüro, um eine Depesche aufzugeben, und erkundigte sich nach dem Tarif. Der Beamte am Schalter sagte ihm, daß er für den Text soundso viel pro Wort bezahlen müsse, daß aber der Name frei gehe. Nach einem Sekundenbruchteil erklärte der Mann in breitestem schottischen Akzent: «Sie werden lachen, aber ich bin nämlich ein Sioux-Indianer und heiße mit Namen: ‹Komme erst Freitag früh›.»

Ich sehe mich ganz plötzlich im Besitze unschätzbarer historischer Information. Und zwar verdanke ich sie einem alten grauen Eckhaus in Göttingen, in dem sich gut wohnen läßt: In diesem Hause ist das erste Telegramm aufgenommen worden!

Ich meine das erste richtige Drahttelegramm; denn «telegraphiert» hat man ja seit undenklichen Zeiten per Feuerzeichen, Trommel oder Semaphor. Hier aber arbeiteten die beiden Professoren Gauß und Weber; denn zum Telegraphieren gehören zwei, und man kann sie noch jetzt aus Bronze gegossen in den städtischen Anlagen sehen — der eine sitzt in erzenem Schlafrock mit einer elektromagnetischen Spule in der Hand, der andere jedoch steht daneben in vielgefälteltem Bronzebratenrock, deutet mit dem Zeigefinger auf die Spule und scheint zu sagen: «Herr Professor Weber — diese Spule ist der schönste Tag meines Lebens!»

Doch wie so oft bei historischen Ereignissen spielt auch hier jemand eine Hauptrolle, der weder ein Denkmal bekommen hat noch in den Annalen erwähnt wird: dieses ist Mikkelmann. Wie die Lokallegende wispert, war Mikkelmann das Faktotum der beiden Gelehrten und eines von jenen Originalen, die knapp nach dem Jünglingsalter bereits «der Olle» genannt werden — der olle Mikkelmann, er atmete, kann man sagen, durch eine Tabakspfeife, hatte die unerschütterliche Ruhe des echten Göttingers und wußte alles. Besonders in jener aufregenden Zeit, wo die Erfindung aus dem Stadium des Knobelns in das Stadium des Bastelns überging, ward Mikkelmann schlechthin unersetzlich; er wußte stets, wo der Schraubenzieher lag, so daß mit ziemlicher Gewißheit feststeht: ohne Mikkelmann kein Telegraph!

Als nun einer der Professoren nach der Sternwarte außerhalb Göttingens übergesiedelt war, um von dort in das alte graue Haus zu telegraphieren, ergab sich jene ärgerliche Zwischenzeit, wo man noch keine Verbindung hatte und doch, wegen der fortschreitenden Vorarbeiten, in ständigem Kontakt bleiben mußte. Diese Verbindung, gewissermaßen die letzte Post vor dem Draht, war Mikkelmann — getreulich wanderte er von der Sternwarte zum grauen Haus und zurück, viele, viele Male am Tage.

Endlich war alles bereit. Am einen Ende des Drahtes saß Gauß, am anderen Weber; und nun sollte das erste Telegramm abgehen. Zu gleicher Zeit wie dieses wurde auch der olle Mikkelmann von der Sternwarte in die Stadt abgeschickt; mit Botensack und Pfeife schritt er rüstig fürbaß, wie der technische Ausdruck lautet.

Und jetzt bin ich, vor Aufregung zitternd, in der Lage, einer staunenden Nachwelt den Inhalt des ersten Telegrammes der Weltgeschichte kundzutun. Man bedenke, was das bedeutet — welche ungeheuren historischen Worte seitdem telegraphiert wurden, und wie noch heute der Normalmensch bei Empfang eines Telegramms aufgeregt wird und an alles Mögliche denkt ...

Das erste Telegramm, hier ist es. Es lautet:

«Mikkelmann kömmt.»

Nicht mehr und nicht weniger. Vielleicht das einzige würdige Gegenstück zu «La vérité est en marche»: Mikkelmann kömmt! Und wie wunderbar hier bereits der ganze kommende Telegrammstil vorgeprägt ist in seiner gehaltvollen Knappheit: Mikkelmann kömmt!

Vivat Mikkelmann! Er wurde nicht in Bronze gegossen, in keinem Lexikon wirst du ihn finden — doch er bekam sein Denkmal in der Sache selbst, die er fördern half: im ersten Telegramm. Und nun ist es meine Pflicht, eine Lokaltradition zu erwähnen, die noch heute flüsternd durch die Räume des alten grauen Hauses zirkuliert.

Sie besagt, daß Mikkelmann früher angekommen sei als das Telegramm.

THEATER, Zirkus etc.

Tantiemen

Der berühmte Schauspieler *Lemaitre* erwartete mit seinem Direktor den Besuch eines jungen Autors. Der hatte vor 8 Tagen sein Stück eingereicht.

«Mein Lieber», sprach der Direktor behaglich. «Ihr Stück ist nicht schlecht, aber es wimmelt darin von Unwahrscheinlichkeiten. Ich gebe Ihnen einen erfahrenen Mitarbeiter, der alles in Ordnung bringt. Doch er muß dafür natürlich eine *Entschädigung* haben: Sie werden ihm drei Viertel Ihres Autorenhonorars überlassen ...» (Wobei er bloß zu erwähnen vergaß, daß der «Mitarbeiter» dem Direktor ein Viertel verabredungsgemäß wieder *zurückzuzahlen* hatte.)

«Außerdem», fuhr der Direktor fort, «erfordert dieses Stück viele Dekorationen, eine besondere Aufmachung, eine große Statisterie, prachtvolle Kostüme: weil *Sie* es sind, will ich von Ihnen nur einen kleinen Kostenbeitrag von 30 000 Franken verlangen ...»

Der junge Autor war auch noch mit dieser letzten entsetzlichen Bedingung einverstanden. Jovial begleitete ihn der Direktor zur Tür.

Doch in diesem Augenblick rief Lemaitre, der bis dahin geschwiegen hatte:

«Halt, Direktor, Sie haben noch etwas vergessen!»

«Was denn?» fragt dieser erstaunt.

Lemaitre, auf den jungen Autor weisend:

«Der Herr hat ja noch seine Uhr!»

Trockene Feststellung

Bei einer Theaterprobe mußte der berühmte Schauspieler Lucien Guitry auf eine halbe Stunde fortgehen und sagte, die Hand an der Türklinke, zu seinem Kollegen:

«Ich gehe, eine neue Dekoration ansehen... Probiert ohne mich weiter!»

Nach einiger Zeit kehrt er mit einem Begleiter zurück und will durch den Zuschauerraum eintreten. Er öffnet einen Spalt der Logentür, horcht vorsichtig hinein, und flüstert zu seinem Begleiter:

«Die Stimmen klingen ganz natürlich: die Probe hat aufgehört.»

Geschichten von einer Schauspielerin

Sie war ein Wunder auf der Bühne. Sie blieb auch im Leben schön, graziös und hinreißend witzig. Sie wurde von einer sehr viel älteren Kollegin, Frau N., angefeindet.

Eines Tages wendet sich die Schauspielerin an zwei Bekannte, die gerade heftig diskutieren:

«Worüber sprechen Sie?»

«Über die Erschaffung der Welt. Wie stellen Sie sich dazu?»

«Bin nicht dabeigewesen. Wenden Sie sich an Frau N.»

Ein andermal langweilt ein rotverbrannter Koloß die ganze Gesellschaft mit seinen Jagdgeschichten:

«Ich verfolgte unermüdlich die Fährte des unbekannten Tieres... Ich schleiche immer weiter... Plötzlich teilen sich die Büsche... Ich sehe vor mir einen furchtbaren Auerochsen!»

Er auch!» sagt sie aus vollem Herzen.

Die Freunde machen ihr Vorwürfe über ihre großen Geldausgaben. Sie solle doch wenigstens alles aufschreiben. Nach ein paar Tagen findet man einen Zettel auf ihrem Schreibtisch:

Vogelfutter	—,40 M
Einem Bettler	5,— „
Verschiedenes	1000,— „

Vorstellungen

In einem New Yorker Theater sollte ein neues Stück aufgeführt werden. Der weibliche Star erklärte es dem Theaterdirektor: «Sehen Sie, es ist ein ganz modernes Stück — es gibt überhaupt keine Dekorationen. In der ersten Szene bin ich auf der linken Seite der Bühne, und das Publikum muß sich vorstellen, daß ich in einem vollbesetzten Restaurant Mittag esse. In der zweiten Szene gehe ich auf die rechte Bühnenseite hinüber, und das Publikum hat sich vorzustellen, daß ich zu Hause in meinem Wohnzimmer bin —»

«Und bei der dritten Aufführung», sagte der Direktor, «müssen *Sie* sich vorstellen, daß vor Ihnen ein Publikum sitzt.»

Er weiß es besser

Ein Theaterdirektor hörte unlängst aus dem Parkett einer Probe zu. Der Schauspieler fuhr sich mit allen fünf Fingern durch das Haar und begann: «Es quälten mich schreckliche Halluzinationen!»

«Hallozinationen!» verbesserte der Direktor.

«Bitte, es heißt Halluzinationen», sagte der Schauspieler.

«Und *ich* sage Ihnen, es heißt Hallozinationen», brüllt der Bühnengewaltige und schlägt mit der Faust auf ein Parkettfauteuil zu 18 Mark. So geht's eine Weile hin und her. Schließlich stürmt der Künstler in die Theaterbücherei, holt das Konversationslexikon, Band Habakuk bis Hopfendraht, herbei, schlägt nach und zeigt die Stelle triumphierend dem Direktor:

«Bitte ... Halluzinationen!»

Nachlässig nimmt der Direktor den Band in die Hände, schaut den Buchrücken an und schiebt das Werk mit unsäglicher Verachtung beiseite:

«Meyer ...!» sagt er dröhnend. «Und dazu noch eine ältere Auflage!»

Der Nebenberuf

Bei dieser Vorstellung hatte der jugendliche Held mit einem akrobatischen Satz über drei schöne, sich bückende Mädchen zu springen. Eines Abends bückte sich die letzte der drei schönen Schauspielerinnen nicht ganz so tief wie notwendig. Infolgedessen mußte er höher springen, und krachte daher beim Auslauf logischerweise mit dem Kopf an die Kulisse — — (Was ihm übrigens gar nichts schadete.)

Aus Rache nannte er jene schöne Schauspielerin: «Die Dame mit dem Nebenberuf.» Worauf diese logischerweise schluchzend in die Garderobe ihrer Kollegin läuft und ihr unter Tränen erzählt:

«... und außerdem nennt er mich ‹die Dame mit dem Nebenberuf!...›»

Die Freundin nimmt sie tröstend in die Arme und sagt:

«Nu na, stenographieren wern wir ...!»

Vollbesetzt

Eine italienische Truppe spielt den «Faust».

Der Darsteller des Mephisto, schon ein wenig beleibt, hatte es versäumt, festzustellen, ob er auch durch die Versenkung mit seinem Körper durchpassieren könne.

Nun kam der Moment, wo Mephisto in die höllischen Regionen verschwinden soll.

Mephisto versinkt dämonisch bis an den Bauch und bleibt dort stecken.

Fährt er in die Hölle, oder fährt er nicht in die Hölle? — Das Publikum ist atemlos.

Bis plötzlich ein Mann von der obersten Galerie ruft:

«Bei Gott! *Der Ort ist proppenvoll besetzt!*»

Rhabarber

Der französische Diplomat d'Ormesson erzählt von einer seltsamen Erfahrung, die er einmal in Kopenhagen gemacht hatte. Die dänische Königsfamilie besuchte einmal wöchentlich die Oper. Während der Zwischenakte starrte das Publikum auf die Hofloge, wo stets eine lebhafte Unterhaltung im Gange war.

D'Ormesson befand sich im Vorzimmer der Hofloge und wollte den Prinzen soeben seine Aufwartung machen — als er erstaunt innehielt und durch die Portieren lugte:

Der Erbprinz beugte sich soeben zu seiner Nachbarin und sagte träumerisch: «... *Eins, zwei, drei, vier, fünf, sechs...*»

«*Sieben, acht, neun, zehn, elf*», versetzte die Erbprinzessin mit einem warmen Blicke der Zuneigung.

«*Dreizehn, vierzehn, fünfzehn!*» wandte Prinzessin Ingeborg temperamentvoll ein.

«*Sechzehn, siebzehn, achtzehn?*» fragte die kleine Prinzessin Thora und rief dann jauchzend: «*Neunzehn, zwanzig, einundzwanzig, zweiundzwanzig!...*»

«Wie lustig, wie lebhaft war es heute wieder in der königlichen Loge!» sagten die Dänen und gingen zufrieden nach Hause.

Der geborene Schauspieler

«Kennen Sie X? Er meint von sich, daß er der geborene Schauspieler sei.»

«Unsinn. Er kann nichts. Er hat noch nie einen *zweiten Hervorruf* gehabt — außer ein einziges Mal in seinem Leben.»

«So?»

«Jawohl, nur ein einziges Mal. Und zwar bei seiner Geburt. Er ist ein Zwilling.»

Kleine Korrektur

Ein gewisser männlicher Bühnenstar pflegte die kleineren Planeten um sich herum sehr von oben herab zu behandeln. So was macht die Leute wütend.

Neulich näherte er sich in der Pause einem Mann in den Kulissen, der zufällig Bühnenarbeiter war.

«Und was, mein Junge, ist denn dein Beruf?» fragte der Star geistesabwesend.

«Ich bin ein Baptist», war die Antwort.

«Aber nein, das ist doch dein Glaube. Ich möchte deinen Beruf wissen. Ich, zum Beispiel, bin ein Schauspieler.»

«Nein», sagte der Bühnenarbeiter, «das ist *Ihr* Glaube!»

«Grüß Gott, Doktor ...»

Der Feuilletonist S. v. R. kam eines Tages auf die Idee, auch noch Theater zu spielen. Aber bald merkten seine Freunde, daß R. zusehends magerer und blasser wurde. Teilnehmend fragten sie ihn, wie er sich fühlte?

«Entsetzlich», sagte R., «ich fühle einen inneren Zwiespalt, der auf keine Weise zu überbrücken ist: — in der Zeitung schreiben und Theater spielen!

Und gestern früh passiert das Unheimlichste: als ich aufwachte, ertappte ich mich dabei, wie ich devot zu mir selber sagte: ‹Grüß Gott, Doktor! ...›»

Theater

Dritter Akt des Melodrams. Der Held tritt mit einem Riesenschritt auf die Bühne, entdeckt den verdutzten Bösewicht und sagt:

«Ah — — Sie sind es, Sir Berkeley? Sie haben meiner alten Mutter das Herz gebrochen. Sie haben mich zum Bettler gemacht. Sie haben meine Tochter verführt. Sie haben meine Gattin ermordet. *Ich sage Ihnen: gehen Sie nicht zu weit, Sir Berkeley! Gehen Sie nicht zu weit!!*»

Knaben im Theater

Er kann nicht mehr als drei Jahre alt gewesen sein. Er hatte den Übergang vom Heinzelmann zum Trainingsanzug noch nicht vollzogen. Er war zart und süß wie jene kleinen Apfelsinchen, die man manchmal in der großen drin findet. Er war mit Papa und Mama in die Jugend-Kino-Vorstellung gekommen, wahrscheinlich zum erstenmal im Leben, und nahm hinter mir Platz. «Platz» ist so ein Wort: er stand in voller Länge auf Papas Knien und konnte gerade noch zwischen unseren Schultern durchgucken, wobei er sich mit absurd kleinen Fingern an der Lehne festhielt.

Wortlos, überwältigt, ließ er das «Zeichen des Zorro» an sich vorbeiflimmern — verstand er was, oder verstand er nichts? Aber nun kam die Szene, wo der Offizier dem Soldaten zutrinkt und ihm dabei heimlich das Verschwörer-Briefchen entwendet — Großaufnahme: der Brief wird geschickt aus der Tasche gezogen...

Plötzlich spüre ich einen Druck auf der Schulter, ein winziger Zeigefinger weist auf die Leinwand, und ein Kristallstimmchen erklärt laut: «Der maust!»...

Dagegen waren die beiden Londoner Zeitungsjungen, die im «Hamlet» auf der vierten Galerie neben mir saßen, schon etwas älter. Es wurde wirklich gut gespielt, und als gegen Schluß Hamlet und Laertes, der König und die Königin ermordet dalagen, wehte selbst bis zu uns «Göttern» auf der vierten Galerie ein Schauer hinauf.

Auch die beiden Zeitungsjungen waren starr... bis einer den andern zwinkernd anstieß und sagte: «Mensch — das wär jetzt 'ne Extra-Ausgabe!»

Die Conference

In Berlin gab es ein «Kabarett der Komiker», dessen Direktor *Robitschek* hieß (genannt «Wildlocke»). Als Conferencier an diesem Kabarett war *Fritz Grünbaum* angestellt, der sich zur Zeit des Fridericus-Rex-Rummels beharrlich *Fridericus Grünbaum* nannte. Nun hat der sehr energische Direktor Robitschek einmal einen Sketch geschrieben. Die Aufführung dieses Sketch wurde von Grünbaum folgendermaßen eingeleitet:
Jetzt kommt ein Sketch.
Der Sketch ist von Direktor Robitscheck.
Was soll ich Ihnen sagen?
Sag ich: der Sketch ist *gut*, so sagen Sie: — ja, weil der Grünbaum sonst entlassen wird...!
Sag ich: der Sketch ist *schlecht*, — so werde ich entlassen...
Also:
Ich sage nicht «der Sketch ist gut.»
Ich sage nicht «der Sketch ist schlecht.»
Ich sage: Der Sketch ist von Robitschek!

Eine runde Antwort

Auch in Paris veranstaltet man Rundfragen über die Nützlichkeit dieses oder jenes Theaters. So kam denn auch einmal das Odéon an die Reihe, welches in seiner Stellung als zweite staatliche Sprechbühne sich offenbar keines hohen künstlerischen Rufes erfreut.

«Ist das *Odéon nützlich?*» wurde der Schriftsteller Willy gefragt.

«Ohne Zweifel!» sagte Willy. «Stellen Sie sich nur vor — wenn das Odéon nicht existierte — ja, wo würde dann der Autobus Clichy-Batignolles anhalten?»

Theaterhistorie

In einem Theaterstück trat Napoleon mit seinen Marschällen auf. Marschall Berthier hatte Napoleon mit devoter Verbeugung eine Proklamation zu reichen, die dieser dann pathetisch herunterdeklamierte. Aber Napoleon war faul: er kannte die Proklamation nicht auswendig, er las sie immer bequem vom Blatte ab. Bei der 6. Vorstellung begann der Kaiser wiederum:

«Offiziere und Soldaten! — —» (jetzt bemerkte er, daß Berthier ihm aus Perfidie ein leeres weißes Blatt gegeben hatte.)

«Offiziere und Soldaten!» fährt Napoleon fort — «hier steht Berthier vor euch. Ich habe ihn zum Fürsten von Wagram, zum Fürsten von Neuchâtel, zum Marschall von Frankreich gemacht! Heute erwartet ihn die allergrößte Ehre: er selber wird zu den Truppen im Namen des Kaisers sprechen.»

Und er reicht das Blatt Berthier:

«Marschall von Frankreich, lesen Sie!»

Berthier bekam einen Nervenschock. Dann verbeugte er sich tief vor dem Kaiser:

«Sire», sagte er, «ich bin verwirrt von dieser Ehre, aber ich bin ihrer nicht würdig! Ich bin ein einfacher Soldat — ich habe leider nie lesen gelernt!»

Und mit einer energischen und zugleich resignierten Geste reichte er dem erschütterten Kaiser das Blatt zurück...

Bühnenluft

Jemand bemerkte zu der Schauspielerin Mrs. Siddons, daß Schauspieler Applaus brauchten, da er ihnen Selbstvertrauen gebe. — «Mehr noch», versetzte Mrs. Siddon: *«er gibt uns Atem.»*

Die starke Nummer

In eine russische Provinzstadt kam neulich ein Zirkus. Der Besuch war zum Weinen schlecht.

Die Zirkusdirektion war nahe am Verzweifeln. Plötzlich stürmt der Billetteur ins Bureau und erklärt, er habe das Geheimnis gefunden, wie man ein ausverkauftes Haus erzielen könne...

Andern Tags sind überall Plakate angeklebt, die erklären, daß die Direktion außer dem üblichen Programm noch eine spezielle «Weltnummer» zeigen werde und daß, falls jemand im Publikum die Nummer *nicht gefalle,* ihm an der Zirkuskasse sogleich der dreifache Billettpreis ausbezahlt würde. Das Ergebnis war überwältigend — der Zirkus war doppelt ausverkauft und überfüllt.

Vor Beginn der dritten Abteilung erscheint der Zirkusdirektor grellbeleuchtet in der Arena und spricht:

«Genossen Bürger! Jetzt wird sogleich die ‹Weltnummer› ausgeführt — und falls sie jemand nicht gefällt, bitte ich ihn, das offen zu erklären und an der Kasse den dreifachen Billettpreis zu empfangen. — Achtung! Achtung: *das Orchester der GPU wird die Internationale spielen.*»

Stimmungsbild

In E. geht es hart auf hart: da wird gehämmert, gegossen, geschuftet — und das alles fällt dann als Ruß auf die reinen Stehkragen. Den Übergang von der Arbeitsmüdigkeit zur Schlafmüdigkeit besorgen einige Bier- und Varietélokale, deren westfälisch-polackische Zuhörerschaft nicht eben leicht aufzumischen ist. Die paar Humoristen, Sänger und Bauchredner, die nach E. verschlagen sind, treffen sich nach der «Arbeit» nachts wie verkümmerte Herbstfliegen in einem Café, um sich aneinander zu wärmen. Und da man in E. verdammt wenig Sinn für «Gespaßln» hat, so erzählen sie die Dinger einander selbst. Wenn man vorbeikommt, hängt ständig folgender Gesprächsfetzen in der Luft: «... Paß auf, ich werd' dir jetzt erzählen a Gespaßl mit drei Poengten...» Tra—ta—tatatata! knattert der Bohrhammer vom Stahlwerk dazwischen und übertönt infernalisch alles Übrige.

Kommst du nicht weg, so laß dich hinaustragen...

Der römische Kaiser Nero hielt sich für einen großen Schauspieler. Da er im Rezitieren unersättlich war und das den Leuten überdrüssig wurde, so ließ er die Pforten des Theaters von Soldaten bewachen, damit niemand hinausginge. Das führte zu Zwischenfällen. Leute, die durch natürliche Bedürfnisse pressiert waren, hielten so lange als möglich durch und täuschten endlich, wenn sie nicht mehr weiter wußten, Ohnmachten vor, damit man sie hinausschaffe. Einer Frau gelang es, zu entschlüpfen, indem sie drohte, andernfalls hier an Ort und Stelle niederzukommen! Einmal geschah es sogar, daß ein Hörer von so verzweifelter Langeweile ergriffen wurde, daß er einen *plötzlichen Tod durch Schlaganfall* simulierte, und hierauf — während der Rezitation des Kaisers — eiligst auf einer Bahre aus dem Theater getragen wurde. —

Eine bizarre Geschichte erzählt Karl Schurz in seinen Lebenserinnerungen. Es war während des amerikanischen Sezessionskrieges, in der Schlacht bei Bull Run. Meine Aufmerksamkeit, sagt Schurz, erregten besonders zwei Soldaten, die auf einer Decke einen verwundeten Kameraden trugen. Sie kamen gerade an meiner Kolonne vorbei, als dicht bei ihnen eine feindliche Granate platzte. Sofort ließen die beiden Soldaten die Decke fallen und rannten davon. Der «verwundete Kamerad» aber sprang eiligst auf und folgte ihnen mit solcher Schnelligkeit, daß er sie bald überholt hatte. Schallendes Gelächter der umstehenden Truppen klang hinter ihnen her.

Der Empfehlungsbrief

Der Schauspieler händigte dem Direktor einen Empfehlungsbrief ein.

Überbringer war darin als großartiger Schauspieler gerühmt. Der Brief schloß mit den Worten:

« — — Er spielt Macbeth, Hamlet, Shylock und Billard. Billard am besten.»

Geheimnis des Erfolges

In einer kleinen französischen Provinzstadt schlug neulich ein Wanderzirkus seine Zelte auf. Wie nicht anders zu erwarten, bestand das Programm aus lauter Welt-Sensationen, deren größte ein Boxkampf war. Aber es kam kein Mensch. Man setzte die Eintrittspreise heroisch herunter. Dennoch kam keiner ins Zirkuszelt. Schließlich hängte die Direktion ein Plakat heraus: «Eintritt frei!»

Das zog. Jetzt kamen fast mehr Zuschauer, als der Zirkus fassen konnte.

Nach Schluß der Vorstellung drängten alle eiligst zum Ausgang. Dort, an der Tür, standen schweigend die Boxer und ließen ihre Muskeln spielen. Über ihnen hing ein riesengroßes Plakat: «Ausgang — ein Franc die Person.»

Alle zahlten. Alle...

Nachts brach der Zirkus schleunigst seine Zelte ab und fuhr ein Städtchen weiter —.

Guten Tag, lieber Freund...

Auf der Bühne wird ein neues Stück geprobt. An einer Stelle hat jemand beim Hereinkommen zu sagen:

«Guten Tag, lieber Freund...»

Der Theaterdirektor unterbricht den jungen Schauspieler, der die Rolle spielt:

«Aber nein, mein Lieber, Sie sprechen das viel zu traurig. So begrüßt man doch nicht einen Freund!»

«Aber...»

«Lassen Sie mich ausreden, ja? Ich habe Sie gerade deshalb engagiert, weil Sie eine gute joviale Figur machen. Also — lustig! — Guten Tag, lieber Freund!»

«Aber ich will nur bemerken...»

«Was? Sie haben hier nichts zu bemerken! Keine Einwendungen! Vorwärts!»

Darauf tritt der Schauspieler vor und sagt sehr lustig:

«— Guten Tag, lieber Freund! Meine Mutter ist gestorben! Eben habe ich es erfahren!»

TIERE

Miniatur

Die Katze hat sich dicht neben dem prasselnden Kaminfeuer ausgestreckt. Jetzt beginnt sie in der Wärme wohlig zu schnurren...

Klein-Elschen stürzt zur Mama: «Mutti, komm schnell, komm... die Katze fängt an zu kochen!!»

Miniatur

«Ich bin betrübt, das tun zu müssen», murmelte Johnny, als er das Pflaumenmus der Katze um die Schnauze strich, «aber ich kann nicht zulassen, daß der Verdacht auf mich mit Fingern zeigt.»

Der Affe und der Papagei

Mein Onkel, der wegen seiner geradezu peinlichen Höflichkeit bekannt war, besaß einen Affen und einen Papagei. Der Papagei konnte bloß zwei Worte sprechen und wiederholte dementsprechend sehr oft: «Scharmanter Abend! Scharmanter Abend!...»

Was den Affen anlangt, so konnte er überhaupt nicht reden.

Eines Abends war mein Onkel eingeladen, und beging die Unvorsichtigkeit, die beiden exotischen Tiere in einem Zimmer alleinzulassen.

Als er nach Mitternacht heimkam, fand er folgende Situation vor; der Affe hatte sich aus den Federn des Papageis einen giftbunten Kopfschmuck zusammengestellt, und schnitt damit vor dem Spiegel die haarsträubendsten Grimassen.

Der Papagei aber hatte sich, halbausgerupft, auf die höchste Gardinenstange geflüchtet, und sagte ununterbrochen mit matter Stimme:

«Scharmanter Abend... Scharmanter Abend... Scharmanter Abend...»

Rührendes Beispiel von Tierliebe

Ein Jäger entdeckte im hintersten Dschungel einen jungen Elefanten, der in eine Falle geraten war. Er erbarmte sich des ängstlichen Rüsselbabys und gab ihm seine Freiheit wieder.

Nach Jahren ist der Jäger wieder in Europa und besucht einen Zirkus mit einer sensationellen Elefanten-Nummer. Unter den Dickhäutern befand sich auch das einstige Elefantenküken, welches offenbar in eine zweite Falle geraten war.

Kaum war das Riesentier in die Arena getreten, als es auch schon seinen Retter von damals bemerkte. Da hörte der Elefant nicht mehr das Peitschenknallen des Dompteurs, da hörte er nur noch sein Elefantenherz pochen, ging auf den Jäger zu, umschlang ihn zart mit seinem Rüssel und hob den Mann von seinem Galerieplatz zu 2,50 Mark auf einen von den guten Fauteuils zu 15 Mark.

Die Kuh und das Auto

Eine Kuh hat einer Pariser Zeitung neulich folgenden Bericht eingesandt:

Die Autos sind ungeheure Tiere mit hervorstehenden Glotzaugen, welche nachts zu leuchten anfangen. Wenn zwei solcher Tiere sich begegnen, so laufen sie entweder wie fremd aneinander vorüber, oder sie schlagen sich beide tot. Eine Mitte gibt es da nicht.

Man kann sie auf die Wiese führen. Aber sie weiden nicht. Sie können sich überhaupt selber nicht ernähren. Der Mensch gibt ihnen zu trinken und zu essen.

Sie laufen auch nicht so schnell, wie man glaubt: eine Freundin von mir wurde auf der Straße sehr lange Zeit von einem verfolgt — das Riesenbiest schnaufte und brüllte fortwährend, ging aber doch langsamer als meine Freundin, die ruhig ihren Stall erreichen konnte. Was sie auf ihrem Wege liegenlassen, wird von den Spatzen verachtet und nicht angerührt.

Ob sie wohl lieben? — Jedenfalls habe ich sie noch nie zu zweien nebeneinander spazieren sehen.

Sie laufen vorbei, ohne zu merken, daß ich sie beobachte. Gestern aber hatte eines die Kühnheit, zu uns auf die Wiese zu kommen. Es brach frech durch den Zaun durch und wollte mitweiden. Die Menschen ließen es allein. Es verbrachte mit uns die Nacht. Ich versuchte heimlich eine Unterhaltung anzuknüpfen. Keine Möglichkeit. Am Morgen früh kam seine Mutter es suchen, und zog das Unartige an einer langen Schnur mit sich fort. Als ich ihm Adieu sagte, hat mir die Mama, die weit höflicher war, geantwortet.

Grubenhunde nennt man die zur Gesteinsförderung dienenden kleinen Wagen der Bergwerke. Seit dem 18. November 1911 bedeutet ein *Grubenhund* aber auch noch etwas anderes. An jenem Tage hielten in Österreich die Ingenieure den Atem an, starrten entgeistert in die «Neue Freie Presse», griffen sich an den Kopf — und dann erdröhnte ein Gelächter, in das ganz Österreich und später alle deutschsprechenden Länder einstimmten. Ein neuer Begriff *«Grubenhund»* war geboren. Grubenhund ist — wie sein Erfinder, der Ingenieur A. Schütz, definiert — das Symbol der Verulkung vorgetäuschten Universalwissens, der Protest gegen die angemaßte Autorität der Druckerschwärze in allen, besonders aber in *technischen* Dingen.

Im November 1911 wurde Wien von einem kleinen Erdstoße heimgesucht. Die «Neue Freie Presse» füllte Tag um Tag, Woche um Woche mit nichtssagenden, gschaftlhuberischen «Beobachtungen aus dem Leserkreise» ihre Spalten. Alle Schleusen der Druckerschwärze flogen auf. Es war furchtbar. Da erschien folgende Notiz:

Neue Freie Presse, 18. Nov. 1911.

Die Wirkungen des Erdbebens im Ostrauer Kohlenrevier.

Von Herrn Dr. Ing. Erich v. *Winkler*, Assistenten der Zentralversuchsanstalt der Ostrau—Karwiner Kohlenbergwerke, erhalten wir folgende Zuschrift:

Gestatten Sie, daß ich Ihre Aufmerksamkeit auf eine Beobachtung lenke, die ich, dank einem glücklichen Zufall, gestern abends zu machen in der Lage war und die durch Veröffentlichung in Ihrem hochangesehenen Blatte auch außerhalb unseres Vaterlandes hohe Beachtung aller technischen und speziell montanistischen Kreise finden dürfte.

Da ich gestern abends mit dem Nachtzuge nach Wien fahren mußte, so benützte ich die vorgerückte Stunde, um noch einige dringende Arbeiten in unserer Versuchsanstalt zu erledigen. Ich saß allein im Kompressorenraum, als — es war genau 10 Uhr 27 Minuten — der große 400-pferdekräftige Kompressor, der den *Elektromotor* für die *Dampfüberhitzer speist*, eine auffällige *Varietät* der *Spannung* aufzuweisen begann. Da diese Erscheinung oft mit *seismischen* Störungen zusammenhängt, so kuppelte ich sofort den Zentrifugalregulator aus und konnte neben zwei deutlich wahrnehmbaren Longitudinalstößen einen heftigen *Ausschlag* (0,4 Prozent) an der *rechten Keilnut* konstatieren. Nach zirka 55 Sekunden erfolgte ein weit *heftigerer Stoß, der eine Verschiebung* des *Hochdruckzylinders* an der *Dynamomaschine* bedingte, und zwar derartig heftig, daß die Spannung *im Transformator auf 4,7 Atmosphären zurückging*, wodurch *zwei Schaufeln der Parson-Turbine* starke *Deformationen* aufwiesen und sofort durch *Stellringe ausgewechselt* werden mußten.

Da bei uns alle *Wetterlutten* im *Receiver der Motoren* zusammen laufen, so hätte leicht ein unabsehbares Unglück entstehen können, weil auf den *umliegenden Schächten die Förderpumpen ausgesetzt hätten.*

Völlig unerklärlich ist jedoch die Erscheinung, daß mein im Laboratorium *schlafender Grubenhund* schon eine halbe Stunde vor Beginn des Bebens auffallende Zeichen *größter Unruhe* gab. Ich erlaube mir bei dieser Gelegenheit anzuregen, ob es im Interesse der Sicherheit in Bergwerken nicht doch angezeigt wäre, die schon längst in Vergessenheit geratene Verordnung [1] der königlichen *Berginspektion Kattowitz* vom Jahre 1891 wieder in Erinnerung zu bringen, die besagt, daß: ... in Fällen von tektonischen Erdbeben die *Auspuffleitungen aller Turbinen und Dynamos stets zur Gänze an die Wetterschächte* derart *anzuschließen sind*, daß die explosiblen Grubengase selbst bei größtem Druck nicht auf die Höhe der *Lampenkammer* gelangen können.

Mit der Veröffentlichung des Vorgesagten glaube ich einen kleinen Beitrag zu den nie rastenden Bemühungen unserer Bergbehörden zwecks Sicherung des Lebens der Bergarbeiter geleistet zu haben, und bitte Sie, hochverehrter Herr Redakteur, den Ausdruck meiner aufrichtigsten Hochschätzung entgegennehmen zu wollen.

Im Moskauer Zoo

Die räterussische Zeitung Wetschernjaja Moskwa veröffentlicht folgenden sonderbaren Bericht aus dem Moskauer Tierpark:

«An keinem Ort der Stadt Moskau ertönen tagtäglich so viele gefahrkündende Signalpfiffe wie im Zoo.

‹Mitbürger! Stochern Sie doch nicht den Bären mit dem Stock!›

‹Ich stech ihn doch nicht ins Auge — bloß ins Ohr.›

‹Ganz gleich: es ist verboten, Mitbürger!›

‹Warum darf der eine, und der andre darf nicht?›

‹Keiner darf.›

‹Und warum füttert die Sportmütze dort das Walroß mit Streichhölzern? ... Warum?›

Es ertönt ein Pfiff, und um das Walroß bilden sich Gruppen. Erregte Gruppen.

‹Mitbürger, hier darf man nicht füttern...›

‹Ja, was geb ich ihm denn — bloß ein Kästchen... Er kaut es und spuckt's dann aus.›

‹Füttern ist verboten!›

‹Aber ich geb ihm ja kein Essen, bloß ein Streichholzkästchen. Mir ist's nicht schade drum. Ich hab' zwei.›

---

1) Eine solche unmögliche Verordnung ist nie erschienen.

‹Entfernen Sie sich vom Gitter!›

‹Soll *er* sich entfernen. Ich tu ihm ja nichts. Paß du doch lieber auf den Strohhut dort auf — guck mal, wie er dem Krokodil ins Wasser spuckt...›

Ein schriller Pfiff.

‹Mitbürger, spucken Sie nicht ins Wasser!›

‹Ach was, es wird's schon nicht krumm nehmen.›

‹Man darf nicht spucken...›

‹Aber ich spuck doch nicht auf den Elefanten, sondern auf ein Scheusal!... Vielleicht frißt es Menschen, das Scheusal — und ich soll dazu schweigen?...›

Doch nun suchen zwei geschäftig nach dem Kamel.

‹Wo ist das Kamel?›

‹Das Kamel ist nicht da. Für Mittag geschlossen.›

‹Dann los, Wassjka, zum Bison!›

Und sie blasen dem Bison in die Nüstern. Der Bison niest und erregt einen Ausbruch ehrlichsten Entzückens durch diese unkomplizierte Operation. Sie laufen weiter — denn es gibt noch eine Menge dringender Aufgaben: sie müssen zu den Papageien, um ihnen ein paar unanständige Worte vorzusprechen — in der geheimen Hoffnung, daß wenigstens einer von ihnen sie sich für die Zukunft einprägen wird; dann müssen sie dem Schwan eine zerrissene Zeitung vorwerfen, um zu sehen, was er damit anfängt; und endlich wäre es ja auch sonderbar, dem alten Wolf kein Zigarettenendchen hinzuwerfen. Denn warum soll man das Tier kränken? Es ist ja nicht schlechter als die andern.

Und über all diesem tönen als schrille Begleitung die Signalpfeifen der Aufseher:

‹Mitbürger... Aber man darf doch nicht! Man darf nicht!...›

‹Nichts darf man! Aber ich bin doch nicht gratis durchgerutscht, ich hab' doch mein Billett genommen...›»

Triumph der Technik

Ein Mann hatte sich einen außerordentlich bunten Papagei frisch aus Brasilien gekauft. In der ersten Freude setzte er sich's in den Kopf, dem Vogel das Wort «Hallo!» gleich, sofort, in einer Stunde anzuzeigen.

Also stellte er sich vor den Käfig und brüllte «Hallo... hallo... hallo...!» ununterbrochen vierzig Minuten hindurch. Doch der Urwaldbewohner nahm nicht die geringste Notiz, sondern zeigte ihm stumm seinen Rücken. Erst nach Ende der Litanei wandte er bloß seinen Kopf um (im Winkel von 180 Grad) und sagte kurz:

«Nummer besetzt!»

Das Stelldichein

Eines Tages, als der Sultan auf dem Ruhebette seines Palastes in Damaskus lag, stürzte ein schöner Jüngling, sein Lieblingsdiener, in das Gemach. Er fiel auf die Knie, schrie in Aufregung, daß er sofort nach Bagdad fliehen müsse, und bat darum, sich das schnellste Roß seiner Majestät nehmen zu dürfen.

«Warum mußt du so schnell nach Bagdad?» fragte der Sultan. — «Weil ich jetzt eben im Garten des Palastes den Tod stehen gesehn habe. Und wie er mich bemerkte, streckte er seine Arme drohend nach mir aus: ich muß ihm eiligst entkommen!»

Der Sultan gab ihm das Pferd, und der Jüngling sprengte davon. Dann aber ritt der Sultan zornig in den Garten, und fand den Tod immer noch dort stehen. «Wie wagst du es, meinem Lieblingsdiener zu drohen?» schrie der Sultan; doch der Tod antwortete völlig verblüfft: «Ich versichere Eurer Majestät, daß ich ihm nicht gedroht habe. Ich warf bloß meine Arme erstaunt in die Luft, ihn hier zu sehen — denn ich hab' ja mit ihm heute Nacht ein Stelldichein in Bagdad.»

Der ehrliche Schmerz

Bei der Beerdigung eines Millionärs schritt auch ein ältlicher, ärmlich gekleideter Mann hinter dem Sarge.

Dieser Mann vollführte solche Gesten der Verzweiflung und vergoß so heiße Tränen, daß einige Familienmitglieder wirklich gerührt wurden. Sie fragten sich, wer denn dieser offenbar unbekannte Verwandte sei, der den Entschlafenen so bitter beklage?

Um darüber Klarheit zu erlangen, näherte sich einer der Angehörigen dem Schluchzenden und fragte:

«Wenn Sie so heftig weinen, gehören Sie wohl zur Familie?»

«Nein», sagte der Trauermann: «— darüber wein ich ja eben, daß ich nicht zu ihr gehöre!»

Ein grotesker Vorschlag

Als man in Frankreich wieder einmal die Abschaffung der Todesstrafe erfolglos diskutierte, machte Alphonse *Allais* den Vorschlag, die Abwicklung der Hinrichtungs-Prozedur folgendermaßen zu verändern:

In dem Augenblick, wo die Gehilfen des Henkers den Verurteilten bei den Schultern packen und vor die Guillotine schleifen, während ein Dritter, von der andern Seite aus, ihm den Kopf an den

Ohrläppchen durch das «Guckloch» zieht —, in diesem Augenblick solle ein Gerichtssoldat heranstürzen und dem Henker in offizieller Haltung einen Brief mit dem Siegel des Präsidenten der Republik übergeben.

Der Henker ergreift den Brief, liest ihn durch, und spricht feierlich zu dem Verurteilten:

«Sie sind begnadigt!»

Gleich darauf setzt er das Fallbeil in Bewegung und vollzieht die Hinrichtung.

«Auf diese Weise», versichert Alphonse Allais, «erreicht man, daß der Mensch in *allergrößter Freude* stirbt, dieser Mensch, der ja schließlich doch vielleicht unschuldig sein könnte...»

Vorläufig jedoch vollziehen sich die Hinrichtungen in Frankreich wesentlich anders. So wünschte neulich ein asiatischer Fürst bei seinem Aufenthalt in Paris auch einer richtiggehenden Guillotinierung beizuwohnen. Glücklicherweise konnte man seine Neugierde befriedigen, da gerade um diese Zeit ein Mann hingerichtet werden sollte, der eine alte Frau wegen 3 Francs 60 ermordet hatte.

Nach einer lustig verbrachten Nacht ließ sich der *Fürst* frühmorgens zum Richtplatz führen und nahm zwei Schritt von der Guillotine Aufstellung. Mit lebhaftem Interesse verfolgte er alle Vorbereitungen der Exekution.

Als das Fallbeil stürzte, glänzten seine Äuglein.

Dann klopfte er dem Henker befriedigt auf die Schulter, wies mit dem Finger auf den feierlich dastehenden *Staatsanwalt* und sagte:

«Jetzt diesen!»

Zahn um Zahn

Lord Erskine und Dr. Parr, die beide sehr eingebildet waren, pflegten sich oft miteinander zu unterhalten, wobei sie sich mit den spitzigsten Komplimenten überschütteten.

Bei solcher Gelegenheit erbot sich einmal Dr. Parr, Lord Erskines Grab-Inschrift zu schreiben!... Dieser entgegnete höflich: «Sir — das ist ein geradezu unwiderstehlicher Anreiz, Selbstmord zu verüben!»

Annonce im New York Sun

«Hiermit erfülle ich die traurige Pflicht, allen Freunden und Bekannten mitzuteilen, daß mir der Tod gestern meine inniggeliebte Gattin geraubt hat, als sie mir einen Sohn schenkte, für den ich eine gute, gesunde Amme suche für die Zeit, wo ich noch keine neue Lebensgefährtin gefunden habe, welche hübsch und im Besitz von 20 000 Dollar sein muß, weil ich mein renommiertes Wäschegeschäft, nach völligem Ausverkauf aller Restbestände, in meinen

Neubau Nr. 174 der 12. Avenue überführen will, woselbst prachtvolle Wohnungen von 500 Dollar an zu vermieten sind.»

Grabinschrift

Auf dem Friedhof in Grafton, Vermont, fand man auf einem Grabstein folgende lakonische Inschrift:

Heimgegangen

Geistesgegenwart

Im russischen Bürgerkrieg. Die weiße Armee Denikins nähert sich Charkow. In der Stadt herrscht der Terror; das Gefängnis ist überfüllt. Täglich wird vor den versammelten Gefangenen die Liste der heute zu Erschießenden verlesen. Jeder Aufgerufene muß sich mit «Hier!» melden und wird von den Soldaten in Empfang genommen ...

Der aufrufende Tscheka-Beamte ist nervös, überarbeitet. Die Liste zittert in seiner Hand.

«Iwanow!»

«Hier —» Einer wankt zu den Soldaten hinüber.

«Petrow!»

«Hier —» Desgleichen. Hundert bleiche Gesichter starren den Vorlesenden an.

«Nikandrow!»

Schweigen.

«Nikandrow!! Zum Donnerwetter!!»

Grabesstille.

Plötzlich sagt einer der Gefangenen — er lehnt sich an die Tischkante und rollte eine Zigarette —:

«Was ist das, Towarischtsch — wollen Sie die Toten erschießen?»

«Wieso?!»

«Nun: Nikandrow ist doch vorgestern schon erschossen worden. Sie haben ihn ja selber aufgerufen.»

«— Schon erschossen? ... Hm! ... Also weiter!» ruft der Beamte und streicht Nikandrow auf der Liste aus.

Der Mann an der Tischkante zündet sich langsam seine Zigarette an. Es war Nikandrow.

Tags darauf kam Denikin und befreite die Gefangenen.

Der sparsame Schotte lag im Sterben. Teilnahmsvoll stand die ganze Familie um das Bett. Bis zum letzten Moment bewies er die alte Klarheit seines Geistes.

«Bevor ich in die andere Welt gehe», so murmelt er, «will ich euch sagen, daß Johnnie Brown mir zehn Pfund schuldig ist, und ich werde keine Ruhe im Grabe finden, eh ich nicht sicher bin, daß ihr das Geld vor meinem Begräbnis einzieht!»

«Wie klar!» rief die Familie aus. Der Jüngste war bereits auf dem Wege zu Johnnie Brown.

Mit schwächerer Stimme fuhr der alte Mann fort:

«... und dann muß ich euch sagen, daß ich Bob Williams zwanzig Pfund schuldig bin, und bevor das nicht bezahlt ist, kann ich keine Ruhe — — —»

(Die Familie, alles übertönend): — «Er phantasiert schon!» ...

Peinliche Entdeckung

Eine Opern-Tournee nach Brasilien. Auf dem transatlantischen Luxusdampfer machen sich die Künstler miteinander bekannt.

«Sie gestatten ... Ich bin erster Tenor.»

«Sooo ... Ich bin ebenfalls erster Tenor!»

«Und ich auch.»

«Ich auch.»

«Ich auch.»

Wie merkwürdig: fünf erste Tenöre, mit denselben Rollen, demselben Repertoire!

Man ruft erregt nach dem Impresario. Der Impresario kommt und erklärt:

«Meine Herrschaften, wir fahren nach Brasilien, nicht wahr? Sie werden zugeben, daß ich ganz sicher auf einen ersten Tenor muß zählen können. Und da sich andererseits nicht leugnen läßt, daß in Brasilien gerade eine Epidemie des Gelben Fiebers herrscht, so — — —.»

Das Massengrab

Nach der Beerdigung von Meier kam dessen intimster Freund Müller ganz verstört ins Café.

«Was ist mit Ihnen, Müller, Sie sind ja ganz bleich, Sie zittern?» fragen teilnahmsvoll die Bekannten.

«Schrecklich ... nicht auszudenken! ... daß dem seligen Meier das passieren mußte!» stöhnt Müller.

«Ja, was ist denn geschehen? Erzählen Sie!»

«In ein Massengrab hat man ihn geworfen... in ein Massengrab...»

«Ausgeschlossen. Man hat ihn doch ganz normal beerdigt.»

«Aber ich hab's ja selber gesehen!... Dort stand doch auf dem Grabstein zu lesen:

Hier ruht
Ignaz Meier

Mit ihm wurde ein ehrlicher, anständiger
und solider Kaufmann begraben.»

In zweiter Linie

Bischöfe haben im allgemeinen eine ausgezeichnete Gesundheit, aber dieses Mal fühlte sich ein Bischof in London nicht ganz wohl und konsultierte seinen Arzt. Der Arzt rieb sich die Nase und riet ihm, den Winter zur Erholung in Algier zu verbringen. Der Bischof meinte, daß sich dies nicht werde machen lassen, daß er sehr viele Verpflichtungen habe.

«Well, Hochwürden», meinte der Arzt und schaute ihn über die Brillengläser an: «Die Sache ist die — hier heißt's entweder *Algier* oder der *Himmel!*»

«In diesem Fall», sagte der Bischof, «gehe ich — hm — nach Algier.»

Die andere Route

Eine englische Zeitung meldete den Tod eines Geistlichen in folgender Weise:

«Reverend X. hat heute in den Abendstunden die Erde verlassen, um gen Himmel zu fahren.»

Darauf erhielt das Blatt spät in der Nacht eine Eildepesche:

«Reverend X. noch immer nicht eingetroffen. Bin äußerst beunruhigt.

St. Peter.»

Frau Meiers Ende

Frau Meier stirbt. Sie fühlt den Tod herannahen und will ihr Gewissen durch ein Geständnis an ihren Gatten erleichtern.

«— Ich gestehe dir», sagt sie mit schwacher Stimme und richtet sich im Bett auf: «ich gestehe dir, daß unter unseren neun Kindern eines nicht von dir ist.»

«Mein Gott, welches?...»

«Rate mal!» sagt Frau Meier leise und sinkt tot aufs Kissen zurück.

Große Männer-Woche

Der Gatte erwacht und findet seine Frau in Tränen.

«Liebste, was gibt es?»

«Oh, ein Traum», schluchzte sie, «ich hatte einen schrecklichen Traum!»

Um sie trösten zu können, fragt er nach dem Traum. Nach langem Widerstreben erzählt sie:

«Ich träumte, daß ich durch die Straßen ging und zu einem riesigen Warenhaus kam. Dort hingen überall Plakate: «Ehemänner zu verkaufen.» Man konnte sehr schöne für fünfzehnhundert Mark haben, sogar schon für elfhundert, und auch noch sehr, sehr nette für hundert Mark.»

Da fragte der Gatte gutmütig:

«Sahst du irgendeinen, der mir ähnlich war?»

«Ach, Dutzende», schluchzte das Frauchen, «— in ganzen Bündeln, das Bündel zu zehn Mark fünfzig!»

Neue Definition

Ein kleiner Junge sprach am Frühstückstisch von einem Traum, den er in der Nacht gehabt hatte.

«Peter», fragte seine Mama, «weißt du auch, was Träume sind?»

«Aber sicher», sagte er: «Kino im Schlaf.»

Der selige Schnupfen

Zwei zerlumpte, abgemagerte New Yorker Tramps schlenderten durch die winkligen Gassen von Chinatown. Da fanden sie, statt der Zigarettenstummel, ein kleines Fläschchen; ein Fläschchen mit Kokain, das jemand hier hingeworfen hatte — aus Angst? Im Rausch? Aus Verzweiflung? —

Die Tramps hatten schon viel von der Wirkung dieses Rauschgiftes gehört. Auch hatten sie öfter gesehen, wie so etwas eingenommen wird. Sie beschlossen, es auch einmal zu probieren.

Der eine entkorkte das Fläschchen, schüttelte ein Häufchen der weißen Kristalle auf seine Hand und sog den trockenen Schnee gierig ein. Sein Genosse tat desgleichen.

Ihre Figuren strafften sich. Sie schritten elastisch dahin. Jetzt nahm einer von ihnen das Wort. Seine Wangen waren gerötet, seine Augen glitzerten:

«Ich hab's mir überlegt», sagt er, «ich will ein paar Kapitalin-

244

vestierungen machen. Ich werde jetzt alle Diamanten-Minen in Südafrika aufkaufen und dann auch noch alle Gold-Minen in Australien.»

Aber sein Gefährte blieb kühl und überlegen: «Halt, mein Junge», sagte er. «Nicht so eilig. Ich weiß noch gar nicht so sicher, ob ich sie dir überhaupt verkaufen will.»

Ein Traum

Eine junge Dame träumte nachts, sie gehe auf einem schönen Waldweg. Er führte einen Hügel hinauf, auf dessen Höhe ein nettes Holzhaus mit einem Gärtchen gelegen war. Sie konnte sich nicht enthalten, mehrmals an die Haustür zu klopfen, und endlich öffnete ihr ein uralter Mann mit einem langen weißen Bart. Doch gerade als sie mit ihm sprechen wollte, wachte sie auf. Jede Einzelheit dieses Traumes stand ihr so lebhaft in Erinnerung, daß sie sich tagelang damit beschäftigte. Darauf hatte sie, in drei aufeinander folgenden Nächten, immer wieder genau denselben Traum. Aber jedesmal erwachte sie, wenn sie gerade mit dem alten Mann sprechen wollte.

Ein paar Wochen darauf fuhr die junge Dame über Land zu einem Weekend, als sie den Chauffeur plötzlich zu halten bat. Denn dort, rechts von der Chaussee, hatte sie den Waldpfad ihrer Träume entdeckt! «Warten Sie ein paar Minuten», sagte sie, und ging klopfenden Herzens den Pfad hinauf. Und sie war kaum überrascht, als der Waldweg wirklich zu dem kleinen Holzhause führte, das ihr in allen Einzelheiten vertraut war. Und wirklich, auf das Klopfen öffnete ihr derselbe alte Mann! «Bitte, sagen Sie mir», begann sie: «ist dieses Haus zu verkaufen?» «Jawohl», sagte der Alte: «doch ich würde Ihnen kaum raten, es zu kaufen. Sehen Sie, mein junges Fräulein — in diesem Hause geht ein Gespenst um!» «Ein Gespenst», rief sie: «um Gottes willen, was für ein Gespenst?» — «Sie», sagte der alte Mann und schloß leise die Haustür.

Traumbuch und Scheckbuch

Ganz Amerika freute sich 1931 über folgende buchstäblich wahre Geschichte.

Zehn Jahre lang hatte eine irische Köchin, genannt «Miss Mary», in der Familie des New Yorker Advokaten Williams gedient. Nach diesen zehn Jahren getreulichen Kochens bekam sie einen dreimonatigen Urlaub und fuhr in die Heimat. Mary wurde wie ein Glied der Familie wert gehalten, und so beschlossen die Williams, sie bei ihrer Rückkunft mit einer Überraschung zu empfangen:

«Wollen wir Marys Zimmer neu herrichten?» — schlug Frau Williams vor. Der Vorschlag wurde mit Begeisterung angenommen. Das Zimmer der Köchin hatte schlechte alte Möbel. Man klebte neue Tapeten, kaufte neue Möbel, besorgte sogar einen Teppich und hängte vor die Fenster Tüllgardinen. Als Mary nach dem Urlaub zurückkam und ihr Zimmer betrat, starrte sie mehrere Sekunden entgeistert auf die neue Pracht, stürzte dann wie eine Wahnsinnige zum Bett, riß Decken und Laken heraus und schrie: «Wo ist meine Matratze?»

Denn in der alten Matratze waren ihre Ersparnisse von zehn Jahren eingenäht — 2000 Dollar. Die Williams suchten ihre Köchin nach Möglichkeit zu trösten: vielleicht habe der Trödler, der die Matratze angekauft, sie noch nicht weiterverhandelt!... Man lief zum Trödler, und zum Glück war die Matratze noch nicht verkauft. Als man sie zu Hause auftrennte, waren die 2000 Dollar noch drin.

«Hören Sie, Mary», sagte der Advokat — «schämen Sie sich nicht?! Geld in die Matratze einnähen: das mag noch vielleicht in Ihrem wilden Irland angehen. Aber in New York, im Zentrum der Zivilisation, ist so etwas geradezu lächerlich. So was tut man nicht. Ich begleite Sie morgen in die Bank, und Sie zahlen das Geld auf laufendes Konto ein...»

Gesagt, getan. Williams stellte Mary dem Direktor der Bank vor und erzählte die Geschichte mit der Matratze. Der Direktor lachte laut, drückte Miss Mary herzlich die Hand und übergab ihr ein elegantes Scheckbuch in Ledereinband.

Unterdessen wurde aus der Prosperity ein Ding mit Namen Weltkrise. Die Bank, deren Direktor damals so furchtbar lachte, machte bankrott. Advokat Williams verlor sein Vermögen. Was sollte man der Köchin sagen?... Man rief sie zum Familienrat, der sie auf die erschütternde Nachricht vorbereiten sollte. Frau Williams weinte still, auch dem Advokaten standen Tränen in den Augen:

«Verzeihen Sie, liebe Mary —», sagte er endlich stockend, «— ich bin für meinen Leichtsinn hart gestraft worden. Ich würde Ihnen sogleich die 2000 Dollar einhändigen, doch habe ich gegenwärtig keinen einzigen Cent flüssig. Ich verspreche Ihnen, die Summe in monatlichen Raten von 50 Dollar abzuzahlen...»

Geduldig hatte Miss Mary den aufgeregten Advokaten angehört. Jetzt sagte sie verlegen:

«Machen Sie sich um mich keine Sorgen, Mister Williams. In derselben Nacht, nachdem ich das Geld eingezahlt hatte, verfolgte mich ein böser Traum: eine lachende Hyäne versuchte mich einzuholen. Am Morgen schlug ich nach im Traumbuch und las, daß eine Hyäne einen Schwindelbankier bedeutet. Nach dem Markteinkauf ging ich in die Bank und nahm mein Geld heraus. Die 2000 Dollar liegen längst wieder eingenäht in der Matratze.»

TRINKEN

Der Trinkspruch

Ein altes Weibchen kam einmal bei einer Feierlichkeit neben den Pastor zu sitzen. Es wurde Wein gereicht, und jedes bekam sein Glas. Das alte Weibchen hatte brennende Lust, vom Wein zu trinken; auch empfand sie es als eine Pflicht der Höflichkeit, dem Herrn Pastor zuzutrinken. Aber mit welchen Worten trinkt man einem Pastor zu? — «Prosit» schien ihr viel zu weltlich und respektlos zu sein!

Da dachte sie ein wenig nach, stand dann auf, erhob das Glas, und sagte strahlend:

«Halleluja, Herr Pastor!»

Gut verkleidet

Der Herzog von Norfolk war ein Freund der Flasche. Eines Tages fragte er den witzigen Schauspieler Foote, in welcher *neuen Maske* er auf die Maskerade gehen solle? — «Gehen Sie nüchtern!» riet Foote.

Mondschein-Whisky
(aus der Prohibitions-Zeit)

Der verstorbene Charlie Case war eine der originellsten Erscheinungen des amerikanischen Varietés. Er pflegte ganz gemächlich aus einer Kulisse zu schlendern und dem Publikum unter vier Augen sehr haarsträubende Geschichten von irgendeinem mythischen «Papa» zu erzählen. Zum Beispiel folgende:

«Was ich sagen wollte — Papa ist da neulich um ein Haar in eine eklige Affäre hineingeschliddert. Das kam so: Ein Bursche in den Bergen hatte hochprozentigen Mondschein-Whisky destilliert und gab Papa einen halben Liter ab. Papa trank drei Schluck davon, und dann ging er in die Stadt, mietete einen leeren Geschäftsladen und nahm von den Leuten je 50 Cents Eintrittsgeld — alle die Tiere und Schlangen zu sehen. Aber, sehen Sie, es kam zu einer Meinungsverschiedenheit: Papa konnte die Tiere und Schlangen vorzüglich wahrnehmen, doch die Leute sahen vielleicht bloß 'nen leeren Laden...

Einige von den Kerlen gingen hoch, und zum Sheriff: er solle Papa einsperren, bis er das Geld wieder zurückzahlt. Der Sheriff schnallt seinen Colt um und kommt mit Schritten, um Papa zu verhaften, jawohl!

Aber, sehen Sie, Papa gab dem Sheriff einen Schluck aus der Flasche und verkaufte ihm den halben Anteil an der Menagerie für dreihundert Dollar.»

«Huchen»

Der Herr des Hauses gießt sich Rum in sein Glas Tee. Wie durch ein willkürliches Zittern der Hand überschreitet er dabei die normale Portion, und maskiert dieses durch ein erschrockenes «Huch!»

Dann bietet er auch dem Gaste Rum in den Tee an (das sogenannte «Advokatchen», weil es die Zunge löst und beredt macht) — aber hier gießt der Hausherr äußerst vorsichtig und beherrscht ein...

«Nein», sagt der Gast, «seien Sie schon so gut — *«huchen»* Sie auch schon mir!»

Die Geschichte von den Brooklyn-Boys

Das Stammpublikum dieser New Yorker Nacht-Bar hatte den Ehrgeiz, noch auf eigenen Füßen zu stehen, wenn andere schon längst unterm Tische lagen, und niemals «nicht mehr im Bilde» zu sein. Ein guter Ehrgeiz. George teilte ihn.

Aber eines Nachts war George verschwunden, um erst nach drei Wochen stark bandagiert an die Theke zu humpeln. Die Freunde krümmten sich zu Fragezeichen???

«Was mit mir passiert?» sagte George. «Well, das ist 'ne Geschichte. Ihr erinnert euch doch der letzten Nacht, die ich hier war? Wir hatten zwei Dutzend Flaschen aufpoliert, aber ihr wißt ja, was ich vertragen kann... Kurz, mein vierzigstes Stockwerk war noch klar wie 'ne Projektionslinse, als ich gerade nach Hause ging — ein Lineal ist 'ne krumme Linie dagegen!... Immerhin hatte ich so eine Ahnung, daß diese Nacht die Brooklyn-Boys auftrudeln würden. Als ich in mein Körbchen huschte und das Licht ausdrehte — da seh ich schon zwei von ihnen je in der Ecke am Fußende stehen!»

«Die Brooklyn-Boys?» fragte jemand.

«Na klar», sagte George. «Kleine Männchen von ungefähr dieser Größe (hier hielt er die Hände drei Zoll auseinander), in schwefelgelben Sportanzügen.

Also zwei von ihnen standen da. Ich tu', als ob ich schlafe, und sehe dabei, wie sie auf mich hin nicken und sagen: ‹Das ist er! Das ist der Bursche!› Plötzlich — bautz — deck ich die beiden glatt zu mit der Bettdecke. Aber sie hatten Wind bekommen... einer sauste untern Schrank, der andere fuhr ab durchs Schlüsselloch.

Well, sag ich, das dürfte genügen, und leg mich wieder hin.

Kaum hab' ich eine Minute gelegen und mach vorsichtig die Augen auf, wie ich ganze sechzig Stück Brooklyn-Boys vor mir sehe! Alle mit den Zeigefingern auf mich: ‹Das ist er. Das ist der Bursche — hu — hu!›

All diese Zeit war mein Kopf, wie gesagt, klar wie 'ne Projektionslinse. Ich wußte genau, was ich zu tun hatte: mit einem Satz sprang ich auf sie drauf — das ist das beste gegen Brooklyn-Boys. Die Bande — zwanzig durch's Schlüsselloch, dreißig auf die Gardinestange, der Rest untern Waschtisch!... Na, denke ich, für diese Nacht hast du jetzt Ruhe. Kaum bin ich im Bett, so sehe ich — was glaubt ihr wohl?»...

«Was denn?»

«So sehe ich mitten auf dem Fußboden fünfhundertdreißigtausend Brooklyn-Boys — in Reih und Glied —, jeder mit einem Karabiner, Modell 98, auf der Schulter! Und daneben einer, der fuchtelt mit dem Säbel und brüllt wie eine Maus: ‹Das ist er, Jungens. Das ist der Kerl!›

Dann quietscht er: ‹Präsentiert das Gewehr!›...

Dann schrillt er: ‹Legt an!›...

Well, wie ich sage, all diese Zeit arbeitete mein Gehirn präzise wie ein Uhrwerk... Ich merkte natürlich sofort, was los war, und ehe der Säbelfuchtler noch sein ‹Feuer!› kommandieren konnte, war ich schon raus aus dem Bett und — klirr! — durch das Fenster gesprungen...»

Hier schöpfte George Atem und nahm einen Kognak. «Natürlich», setzte er hinzu, «liegt mein Zimmer gewissermaßen im dritten Stock — was Ihr an den Bandagen bemerkt. Aber was hätte, frage ich, alles passieren können, wenn ich z. B. betrunken gewesen wäre — und nicht rechtzeitig den Sprung getan hätte, he?! — —»

Die übliche Verhaftung

«Nun, Jim», fragt der Bürgermeister einen alten Bekannten, «was hat Euch denn wieder hierher geführt?»

«Zwei Policemen, Sir», war die ruhige Antwort.

«Betrunken, nehme ich an?» inquirierte der Bürgermeister weiter.

«Jawohl, Sir», sagte Jim ohne einen Muskel zu verziehen, *«alle beide!»*...

Damals, zur Zeit der Prohibition

In eine New Yorker Apotheke tritt ein würdiger Gentleman und verlangt einen halben Liter Schnaps. Der Apotheker erwidert empört, daß Alkohol nur gegen ärztliche Verschreibung verkauft werde und daß man ihn nur bei bestimmten Krankheiten gebrauche.

«Aoh», sagte der Gentleman, «welche Krankheiten sind das?»

«Man muß zum Beispiel von einer Schlange gebissen worden sein.»

«Well, haben Sie eine Schlange?»

«Nein; aber ich kann Ihnen ihre Adresse geben: rechts, die dritte

Straße, Nr. 7, ist ein Seifengeschäft, dort finden Sie eine Schlange.»

«Danke», sagte der Gentleman und geht im Laufschritt ab.

Im Seifengeschäft.

«Haben Sie eine Schlange?»

«Ja.»

«Kann sie mich beißen?»

«Ja.»

«Well, bringen Sie sie her.»

«Moment mal.»

Der Seifenhändler schlägt ein ungeheures Buch auf, schreibt was hinein, rückt die Brille auf die Stirn und sagt:

«Sie kommen am 14. Mai um 3 Uhr dran. Bis dahin sind alle Bisse belegt.»

Ultimatum

Lange Zeit war die kleine Maus zu furchtsam, um aus dem Loche hervorzukriechen — wegen der fürchterlichen großen Katze! Eines Nachts aber traute sie sich doch ein klein wenig heraus und fand eine Kognakflasche, die jemand auf den Kellerfliesen zerbrochen hatte. Die Maus nippte ein wenig und schlüpfte in das Loch zurück, um nachzudenken. Dann kam sie wieder hervor und trank etwas länger. Dann kam sie ein drittes Mal und trank noch mehr. Und dann sprang sie auf die Stuhllehne, schlug eine Pirouette auf dem linken Hinterfuß und brüllte: «Jetzt bringt sie doch mal heraus, eure verdammte Katze!»

Wahre Geschichte

Der Wärter einer Menagerie tränkte die Elefanten und bemerkte, daß einer von ihnen hustete.

Er gab ihm einen Eimer Wasser, in das er vorher eine Flasche Whisky hineingesprudelt hatte.

Am nächsten Tage husteten alle Elefanten.

TRINKGELDER

Die Kette

Ein eleganter Badeort irgendwo in Südost-Europa.

Ein reicher amerikanischer Tourist fährt mit dem Taxi beim Luxushotel vor. Er springt aus dem Auto und sagt dem Portier in der Halle: «Fragen Sie den Chauffeur, was ich ihm schuldig bin?»

Der Portier geht hinaus, schaut den Taxameter an und kehrt zurück mit den Worten:

«Achtundzwanzig Francs, mein Herr.»

«Hier sind 30 Francs, davon sind 2 Francs für Sie.»

Hierauf schaltet sich automatisch folgende Zwischenkette ein:

Der Portier zum Etagen-Kellner:

«Nehmen Sie, hier sind 25 Francs für den Chauffeur, der draußen wartet:

Der Etagen-Kellner zum Zimmermädchen:

«Hier sind 20 Francs. Für den Chauffeur, der draußen wartet.»

Das Zimmermädchen zum Pagen:

«Hier sind 15 Francs für den Chauffeur draußen.»

Der Page sucht endlich den Chauffeur auf und gibt ihm 10 Francs.

Der Chauffeur schaut auf das Geld und ruft haßerfüllt:

«Was? Das ist aber stark! Nur zwei Francs Trinkgeld? Und so was nennt sich Amerikaner!...»

ÜBERTREIBUNG

Groteske

Der verstorbene Komiker S. hatte es besonders auf die Stielaugen des Schriftstellers Dörmann abgesehen. Als man den Dörmann einst im Kaffeehaus erwartete, brach S. in die Worte aus:

«Die Augen san schon da — glei wird er kummen!»

Tolle Fragmente

Das war im alten Rußland. Ein Nachmittagstee der Offiziersdamen.

«Herr Rittmeister, bitte erzählen Sie eine Anekdote! Alle unsere Männer sind begeistert von Ihren Anekdoten.»

«Aber, mesdames, nicht alle diese Geschichten sind sozusagen für zarte Ohren berechnet...»

«Bitte, bitte erzählen Sie... Wo irgendwas besonders Schlimmes kommt, können Sie's ja weglassen...»

«Na, also in diesem Falle könnte man *eine* Geschichte eventuell noch erzählen, aber auch da bleibt nichts nach als:

«... Ha!... ein Stiefel!...»

UNFÄLLE

Unfallchronik

Wir waren bei Bekannten auf dem Lande zu Besuch gewesen, mein Freund und ich, und jetzt fuhren wir durch die Nacht nach Hause. Mein Freund saß am Volant. Das Auto machte solche Zickzacklinien, als ob wir es gestohlen hätten. Mein Freund war ganz vergnügt — aber ich war es nicht, und ich sagte es. Da kam uns von weitem ein starker Wagen mit blendenden Laternen entgegen. Ich zitterte. Da sagte er beruhigend: «Unsinn... als ob ich nicht steuern kann, alter Junge! Glaub' doch so was nicht... Paß mal auf, wie ich jetzt unsern alten Kasten mitten durch die beiden Lichter da hindurchsteuern werde...!»

An alles weitere kann ich mich nicht mehr erinnern...

An der Grenze des Unverständlichen

Hiram Jones in Arkansas war sehr fromm. Aber vielleicht nicht ganz auf die richtige Art. Jedenfalls nahm er jedes Niesen als Werk der Vorsehung.

Sein Weib lief ihm mit dem besten Freunde davon. Hiram klagte nicht. Sein Sohn kam nach Sing Sing, seine Tochter wurde verführt und verlassen, sein Weizen durch Hagel dem Erdboden gleichgemacht — Hiram klagte nicht, sondern kniete jedesmal nieder und pries die Vorsehung.

Als er demnach im Armenhaus gelandet war, schickte ihn der Aufseher sogleich aufs Feld, Kartoffeln zu pflügen. Kaum begann Hiram sein Werk, als ein abziehendes Gewitter ihm einen tadellosen Blitz zukommen ließ.

Der Blitz schmolz die Pflugschar zu einem Reiseandenken zusammen, brannte ihm Bart und Kleider ab, tätowierte seinen Rücken mit einem O. K. und schleuderte ihn durch den nächsten Dornbusch.

Langsam erhob sich Hiram auf die Knie, faltete die Hände und hob seine Augen gen Himmel. Und hier krümmte sich der Wurm zum ersten Male:

«Lieber Gott», sagte er, «das fängt allmählich an, komisch zu werden.»

Vor einigen Jahren verließ jemand in Chicago einen Nachtklub in Begleitung eines Mädchens und fiel bei der Dunkelheit in ein offengelassenes Kanalisationsloch. Die Verletzung war schwer, sein Rückgrat blieb für immer beschädigt. All seine Bekannten sagten: «Das ist ein einwandfreier Fall von öffentlicher Vernachlässigung.

Der Sachverhalt ist ganz klar. Du erhältst mindestens 50 000 Dollar Schadenersatz.» Schon wollte sein Rechtsanwalt die Klage einreichen, als gerade die Nachricht von Pearl Harbour über das Radio durchgegeben wurde. Die Klage wurde fallengelassen. Der einzige Zeuge des jungen Mannes war das Mädchen. Sie war Japanerin.

KARL VALENTIN

Als die Nazi-Zeit hereingebrochen war, sagte Valentin: «I sag gar nix. (Trotzig:) Dös wird man doch noch sagen dürfen...!»

In der Nazi-Zeit, kurz vor dem Kriege, veranstaltete die Stadt München einen grandiosen Festzug: die deutsche Kunst, der deutsche Gewerbefleiß, die neuen deutschen Errungenschaften — alles paradierte auf prächtigen Wagen mit weißbekleideten Jungfrauen, Fahnen und stolzen Aufschriften. Zwischen diesen rollenden Prunkbauten sah man einen dürftigen Leiterwagen, auf dem ein Gewirr von Stangen, Ofenrohren, Tuchfetzen und Drähten wüst durcheinander lag — ein Stückchen von dem, was 1945 in allen deutschen Städten herumliegen sollte... Neben der Schindmähre, die den Wagen zog, ging Valentin tief melancholisch mit wippender Peitsche einher. Der Wagen trug die Aufschrift: «Nicht fertig geworden.»

Als der deutsche Gruß «Heil Hitler!» durch freiwilligen Zwang überall eingeführt wurde, saß Karl Valentin eines Tages in seiner Wirtschaft, trank seine Maß, zahlte und erhob sich. Alles schaute auf ihn, um zu hören, ob er «Heil Hitler!» sagen würde. Valentin stellte sich in die Mitte des Lokals, hob blitzenden Auges seine Hand, rief «Heil...» — und verstummte und erstarrte in dieser Pose. Dann begann er noch einmal «Heil...» — und erstarrte wieder. Endlich schlug er sich mit derselben Hand auf die Stirn und sagte deprimiert: «Also — ich kann mir den Namen nicht merken...»

Ein Münchener Parteigenosse suchte Karl Valentin zum Nazismus zu überreden: «Aber Herr Valentin, schauen Sie doch die Millionen, die für Hitler sind — die Millionen —!» — «Millionen, dös schon», sagte Valentin nachdenklich: «Aber *einen* möcht ich sehen...»

Valentin war Brieftaubenzüchter. Eines Tages fuhr Liesl Karlstadt mit einer Taube im Käfig nach Feldafing bei München, um sie dort zum Heimfluge loszulassen. «Ich wart und wart», erzählt Valentin, «aber keine Taube fliegt in den Schlag. Endlich halt ich's nicht mehr aus, geh auf die Straße, geh die Allee in Richtung Feldafing — da seh ich von weitem etwas sich am Boden bewegen. Ich schau näher hin: also kommt mir das Rabenvieh doch zu Fuß entgegen!»

Nicht lange nach dem ersten Weltkrieg gab es in München ein Schützenfest. Valentins Zeitungsaufsatz darüber begann so: «Kaum war der Donner des Dreißigjährigen Krieges verrollt, als die Knallerei schon wieder anfing. Diesmal auf der Schützenwiese.»
Das war in der Inflationszeit nach dem ersten Weltkrieg, damals, als die Banken ihre Paläste aufstockten, um alle die Nullen unterzubringen. Karl Valentin ging nichtsdestoweniger ruhig seinen Weg auf der Theatinerstraße. Auf einmal drängt sich an ihn luftschnappend ein Wesen heran — mit blauen Nasenäderchen, Lodenmantel und Dackel, ein sehr aufgeregtes Wesen:
«Herr Valentin — der Dollar — ham's schon g'hört — der Dollar?»
«Was ist mit dem Dollar?»
«Aber, Herr Valentin — wissen's, wie hoch der Dollar steht? Der Dollar steht auf eine Milliarde, vierzig Billionen, sechshundert Millionen, fünfhundertfünfzigtausend Markln.»
«Mehr ist er auch nicht wert», sagt Valentin, und verfolgt mit unbeirrten Schritten seine Komikerlaufbahn.

Dem Valentin wurde alles zum Symbol. Eines Tages trug er stolz eine dicke Hornbrille auf der Nase. Da machte ihn sein Faktotum, die Liesl Karlstadt, darauf aufmerksam, daß die Brille ja gar keine Gläser habe! — «Immer besser noch, als gar nix...», meinte Valentin tiefsinnig.

Eines Tages war Valentin seine Taschenuhr gestohlen worden. Zu Haus hatte er noch seine Standuhr im Speisezimmer. «Wann i jetzt morgens ausgeh», sagte Valentin, «dann schau i mir meine Standuhr recht lange an — recht lange: damit i mir die Zeit für den ganzen Tag merken tu...!»

Valentin machte einen Spaziergang auf der Wiese, wo die Kühe grasten. Begleitet wurde er dabei von Liesl Karlstadt und einem Riesen — jenem Riesen aus Valentins Photographensketsch, für den man die Türfüllung immer aussägen muß, damit er aufrecht ins Zimmer kann. «Wie wird das Wetter?» fragt Valentin mißtrauisch. — «Das Wetter wird gut», meint der Riese, «ich sehe auf'm Kuhrücken viele hundert Fliegen.» — «Aber nein», sagt die Liesl, «das Wetter wird schlecht: mein Laubfrosch sitzt ganz unten im Glas.» Da wurde Valentin aber energisch. «Hundert Fliegen», rief er mit rotem Kopf, «hundert Fliegen auf dem Rücken einer Kuh sind mir eine größere Autorität als ein Laubfrosch im Glas...!»

Musik

Der Münchener Komiker Valentin wollte sich neulich ein Klavier kaufen. Der Geschäftsinhaber zeigt ihm die Instrumente: «Wünschen Herr Valentin vielleicht diesen Ebenholzflügel zu 3000 Mark?»

«Nein», sagt Valentin diskret — «nein, soviel hab i mer net denkt...»

Man zeigt ihm bereitwilligst einen zu 2500, zu 2000, zu 1000 Mark — und immer sagt Valentin sinnend, «soviel hat i mer net denkt...»

Endlich zeigt man ihm ein Piano zu 600 Mark. «Ja», sagt Valentin langsam, «wann's auf Abzahlung ginget —?»

«Aber gern, gern. Wie wär's mit vierteljährlichen Raten à 100 Mark?»

«Nein», sagt Valentin leise, «soviel hab i mer net denkt...»

«Wir kommen Ihnen gern entgegen. Bitte, was haben sich Herr Valentin als Vierteljahresrate gedacht?»

«50 Pfennig, hab i mer denkt —», sagt Valentin ängstlich.

«Aber Herr Valentin! Das macht ja 300 Jahre! Wie wollen Sie das schaffen!?»

«Leicht!» — sagt Valentin mit einem Aufleuchten.

Moderner Ausweg

Daß ein Komiker im Privatleben melancholisch ist, ist bereits so oft wiederholt worden, daß es schon gar nicht mehr wahr ist. Natürlich ist er melancholisch; woher hätte er sonst seine Komik? Aber andererseits ist er *immer* Komiker, sonst wäre er es nicht! — Da ging neulich ein Komiker mit einer Dame auf der Straße spazieren. Da begegnete ihnen eine andere Dame, und die andere Dame fing mit der einen Dame einen Krach an. Zungen, Regenschirm, Nägel traten in Aktion. Teilnehmend stand das Volk: eine schwarze Mauer. Welche entsetzliche Situation für den armen Komiker! Welche Gelegenheit für ihn, melancholisch zu werden! Er aber ging statt dessen, heftig, gestikulierend, die Front der Menge entlang und brüllte unausgesetzt: «... Filmaufnahme!... Filmaufnahme!...»

Valentin und Otto Reutter

Karl Valentin, der Münchener Komiker, langte in Kissingen zur Kur an. Den Koffer in der Hand, spaziert er durch eine Allee und sieht vor sich eine Gestalt gehen, die ihm bekannt vorkommt — richtig, es ist der Komiker Otto Reutter: selbst von der Rückseite unverkennbar! Reutter wandelt tief in Gedanken, läßt die Arme steif hängen und hält dabei die Finger gekrümmt, als wenn er zwei unsichtbare Koffer trüge. Karl Valentin erkennt seine Chance, schleicht katzenartig von hinten heran — und hängt seinen Koffer ganz vorsichtig in die gekrümmten Finger hinein!

Und wartet gespannt auf den Effekt —?

«Der Reutter hat mich damals besiegt», erzählt Karl Valentin weiter: «Stellen Sie sich vor: der Mann *ist ganz ruhig, ohne sich umzusehen*, weitergegangen — mit dem Koffer in der Hand!

Kann man halt nix machen...»

VERLOBUNG

Garnet ignorieren!...

Tom war mit einem sehr schönen jungen Mädchen verlobt. Sie hatte eine Zwillingsschwester, die ihr völlig ähnlich sah. Die beiden kleideten sich gleich, sprachen gleich, bewegten sich gleich.

Da sagte ein Freund zu Tom: «Hör mal, ist es nicht furchtbar schwer, die eine von der andern zu unterscheiden?»

Da sagte Tom: «Ach — ich versuch es erst gar nicht...»

Natürliche Zuchtwahl

Dickens pflegte folgende amerikanische Geschichte zu erzählen. Ein junges Mädchen wurde auf einer Dampferfahrt von fünf jungen Leuten angebetet. Sie wußte nicht, wen sie wählen sollte.

«Springen Sie über Bord und heiraten Sie den, der nachspringt», riet man ihr. Sie tat es. Vier der Anbeter sprangen sogleich nach. Als das junge Mädchen und die vier wieder naß an Bord kletterten, fragte sie den Kapitän: «Was soll ich jetzt mit ihnen, sie sind so naß?» — «Nehmen Sie den Trockenen!»

Und sie tat es.

VERSTAND

Der Blinde und der Sehende

Ein Blinder besaß 500 Mark, die er in einem Winkel seines Gartens vergraben hatte. Ein Nachbar hatte das beobachtet und grub sie in der Nacht wieder aus. Verzweifelt über diesen Verlust, suchte der Blinde seinen Nachbar auf, den er im Verdacht hatte.

«Herr Nachbar», sagte er in ruhigstem Tone von der Welt, «ich komme, um Sie um einen Rat zu bitten: ich habe 1000 Mark, von denen ich die Hälfte an einem sicheren Orte versteckt habe; glauben Sie, daß es rätlich ist, die andere Hälfte am selben Ort zu verbergen?»

«Jawohl, ich glaube, ich kann es Ihnen mit gutem Gewissen anraten», sagte der Nachbar, nach reiflicher Überlegung. Und schwand gleich darauf ab, um die 500 Mark wieder an Ort und Stelle zu bringen; weil er die ganzen 1000 haben wollte.

Der Blinde holte sein Geld ab und ließ nichts liegen.

Salomonisches Urteil

Es gibt ein Urteil, das dem berühmten Salomonischen an Weisheit nichts nachgibt, ja, es vielleicht noch übertrifft. Es wurde von einem schottischen Geistlichen gefällt.

Die zwei Brüder James und Donald Macphersen können sich über das Teilen der väterlichen Erbschaft nicht einig werden. Sie wenden sich an den Geistlichen um Rat. Dieser denkt eine Weile nach und spricht:

«Ich gebe James Vollmacht, die Erbschaft nach seinem Gutdünken zu teilen.»

James lächelt. Donald macht eine protestierende Handbewegung.

Der Geistliche fährt fort:

«Und Donald gebe ich die Vollmacht, als Erster seinen Teil auszuwählen.»

Donald lächelt. James denkt sorgenvoll nach.

Mitten im Erwerbskampf

Bekanntlich hat jedes Dorf seinen Dorftrottel, und dieser hier in Markneukirchen war geradezu der Stolz der Gegend. Die Leute stellten mit ihm immer wieder folgendes Experiment an: Sie hielten vor ihn ein 10-Pfennigstück und ein 50-Pfennigstück. Er durfte wählen.

Und der Schwachsinnige griff jedesmal gierig nach dem 10-Pfennigstück — weil es ein bißchen größer war! Das gab jedesmal ein Riesengelächter.

Ich hatte von weitem zugesehen. Jetzt saß der Trottel einsam da. Ich schlenderte auf ihn zu, schenkte ihm eine Mark und fragte, warum er denn immer das 10-Pfennigstück nehme?

Er guckte sich scheu um und sagte dann:

«Na klar: nehme ich den Fuffziger, so wer'n sie das Ding nie wieder probieren!...»

Der zwingende Schluß

Sydney Smith speiste einst mit einem französischen Gentleman, der sich vor dem Diner in freigeistige Spekulationen ausgelassen hatte, und endlich offen bekannte, daß er Materialist sei!

«Eine ganz gute Suppe, das —», bemerkte Smith.

«Oui monsieur, c'est excellent», war die begeisterte Antwort.

«Verzeihung, glauben Sie an einen Koch?» erkundigte sich Smith.

Die List mit der Liste

Ein Kaufmann, der Geschäftsverbindungen nach Jokohama besaß, erfuhr durch ein Gerücht, daß eine dortige Firma falliert habe — doch den Namen der Firma konnte er nicht feststellen. Um die teuren Kabeltelegramme zu sparen, ging er zu jenem Bankier, der die genaue Nachricht erhalten hatte, und fragte ihn nach dem Namen der Firma.

«Das ist eine delikate Angelegenheit», sagte der Bankier, «denn die Nachricht ist nicht offiziell, und wenn ich den Namen nenne, so kann ich verantwortlich gemacht werden.»

Der Kaufmann bat vergebens und machte endlich den Vorschlag:

«Ich gebe Ihnen», sagte er, «eine Liste von zehn Firmen in Jokohama und bitte Sie, mir *ohne jede Namensnennung* zu sagen, ob die fallierte Firma darunter ist oder nicht. Das dürfen Sie doch tun?»

«Gut», meinte der Bankier, «denn wenn ich keinen Namen nenne, kann ich unmöglich verantwortlich gemacht werden.»

Der Kaufmann stellte die Liste zusammen, der Bankier sah sie durch und sagte darauf:

«Der Name der fallierten Firma ist auf der Liste.» — Nicht ein Wort mehr.

«Welche Verluste!» rief der Kaufmann und wies mit dem Finger auf einen der zehn Namen: «das ist die Firma, mit der ich Geschäfte machte!»

«Wie haben Sie nur herausbekommen, daß gerade dieses die Firma ist, welche falliert hat?» fragte der Bankier erstaunt.

«Sehr einfach: weil ich mir die anderen neun Namen ausgedacht habe.»

VORFAHREN

Darwin kann einpacken

Sir William Wynne redete gern von dem Alter seiner Familie. «Ich kann meinen Stammbaum bis Noah nachweisen!» sagte er und glättete sich behaglich die Knie.

«Also ein Pilz von vorgestern!» warf jemand ein.

«Wieso?» fragte Sir Wynne.

«Ich war neulich in Wales», fuhr der andere fort: «Dort wurde mir der Stammbaum einer Familie gezeigt — er füllte elf große Seiten Pergament, und etwa in der Mitte gab es da eine Randbemerkung mit roter Tinte: ‹Ungefähr um diese Zeit wurde die Welt erschaffen.›»

WEIHNACHTEN

Die Weihnachtssuppe

In einem Broadway-Theater lief einmal ein Sketch, der zeigte eine Gruppe frierender und halbverhungerter Polarforscher, die sich auf ein treibendes Eisfeld in der Antarktis gerettet haben. Ein Radio-Apparat gehört zu den wenigen Gegenständen, die ihnen noch geblieben sind. Sie drehen ihn an und hören die Stimme des Ansagers daheim, der gerade dabei ist, das heutige Weihnachtsdiner zu beschreiben: «Wir beginnen mit einem Teller heißer, würziger Suppe...» — Eine der kümmerlichen Gestalten fragt verzweifelt: «Mit Nudeln? —» «Jawohl», spricht die Stimme aus dem Radio, «mit Nudeln!»

Wahre Geschichte aus Wien

Der Weihnachtsbaum ist angezündet. Es duftet nach verbrannten Tannennadeln und Wachsтränen. Alles ist voller Erwartung.

Und nun klingelt es... Aber bloß der Pfändungsbeamte tritt ein. Der kleine Heinzi läuft auf ihn zu und ruft freudig: «Sag, bist du der Weihnachtsmann?»

Der Pfändungsbeamte errötend: «Nein... negativ...»

Weihnachtskarte aus Aberdeen

Wir wünschen Ihnen ein fröhliches Weihnachtsfest,
ein fröhliches neues Jahr,
das Beste zum Geburtstag
1953, 1954, 1955, 1956, 1957!

WETTEN

Fromme Hoffnung

Der Herr Pfarrer donnert von der Kanzel herab gegen den Unfug des Lotteriespielens:

«Ihr wißt nicht mehr, was ihr tut! Ihr braucht nur einmal von irgendwelchen Nummern 5 oder 20 oder 60 zu träumen — und schon lauft ihr mit eurem bißchen Geld, daß ihr so sauer erarbeitet habt, um es aufs Spiel zu setzen: ohne an eure Familie zu denken, ohne... ohne... usw. usw.»

Nach Schluß der Predigt steigt Ehrwürden zufrieden von der Kanzel. Da tritt ein armes altes Weibchen an ihn heran:

«Ach, lieber Herr Pfarrer, wollen Sie mir gütigst noch einmal die drei Nummern sagen, die Sie in der scheenen Predigt genannt haben.»

Der Letzte

Im Hafen von Southampton. Der Kanaldampfer Southampton-Dieppe ist auf dem Punkt abzufahren. Ungeduldig gehen die Passagiere auf dem Deck spazieren. Da bemerken einige von ihnen in der Ferne einen Radfahrer, der mit rasender Anstrengung die Pedale tritt, um den Dampfer noch zu erreichen.

Aber seine Chancen sind fast gleich Null: die Matrosen fassen bereits die Stegbrücken, um sie wegzuziehen.

Sieben verschiedene Wetten wurden abgeschlossen, und das ganze Schiff ist eine einzige Spannung: wird er's noch schaffen? Man hört nichts wie Ausrufe: «Schneller!» «Ausgeschlossen!» «Er schafft es!» «Verloren!» «Er kommt an!» «Pedal!» «Noch schneller!» «Bravo!»

Genau in der letzten Sekunde saust der Radfahrer heran, springt hastig vom Rad, läuft den einzigen Steg hinauf, steht an Bord und ruft: «Abfahren!»

Es war der Kapitän des Schiffes.

In Lynchburg, USA, klettert ein Reisender hastig aus dem Pull-manwagen. Er hat wenig Zeit — er muß zum Bahnhof am anderen Ende der Stadt, um den Anschluß an den Santa-Fé-Expreß nicht zu versäumen. Das einzige Vehikel in Sicht ist eine antike Droschke mit noch antikerem Negerkutscher. Davorgespannt ein stoischer Philosoph in Scheuklappen.

«— Hierher, Boß!» brüllt der Neger und bemächtigt sich seines Handgepäcks. «Fuffzig Cent die Fuhre. Steigen Sie ein!»

«— Ich muß zum Santa-Fé-Expreß. Wird dies Pferd es schaffen? Es sieht nicht sehr kräftig aus...»

«— Dies Pferd? Dies Pferd hat's in sich. Dies Pferd is leidenschaft-lich! Dies Pferd nennen sie ‹Blitzstrahl› hier in der Umgegend!»

Der Reisende steigt ein. Der Neger klettert auf den Bock, knallt dreimal mit der Peitsche und gibt Kommandostimme. Langsam, zö-gernd setzt sich das ehrwürdige Knochenbündel in Bewegung.

«Sag mal, Onkel, dein Pferd scheint irgendwie die Gesundheit verloren zu haben? Es hängt ja kaum noch in den Sielen!» — —

«Boß», sagte der alte Neger, vertraulich flüsternd: «Ich will Ih-nen ein Geheimnis verraten. Dies Pferd ist nicht krank. Aber es hat in der letzten Zeit, man kann sagen, verdammt wenig Glück ge-habt — —»

«Wieso — wenig Glück?»

«Well — jeden Morgen wetten wir beide, ich und das Pferd, auf Kopf und Adler: ob das Pferd sein Maß Hafer haben wird, oder ich mein Viertel Whisky. Und sehen Sie, der Gaul hat in den letzten Wochen eine dauernde Pechsträhne...»

Der Spieler

In Saratoga, USA, finden alljährlich die berühmten Pferderen-nen statt, und dort wird mächtig auf dem Totalisator gespielt. So beschloß ein junges Ehepaar, beides leidenschaftliche Spieler, seine Flitterwochen in Saratoga zu verbringen. Fünf fieberhafte Tage lang wurden sie vom Pech verfolgt; am Morgen des Schlußtages besaßen sie gerade noch zwei Dollar.

«Laß mich heute allein aufs Rennen gehn, Liebling», bat der Gat-te. «Warte auf mich im Hotel. Ich habe einen Tip.»

Ein Freund fuhr ihn zur Rennbahn hinaus. Er erwischte eine 40:1-Quote im ersten Rennen. Jedes folgende Rennen gewann ein Out-sider, und jedesmal hatte er auf ihn gesetzt. Zum Schluß des Nach-mittags besaß er über zehntausend Dollar.

Auf dem Heimweg beschloß er, seine Glückssträhne noch weiter auszumünzen, und kehrte in einem der vielen Spielklubs ein. Sein Glück blieb ihm treu. Er hatte jetzt an die vierzigtausend Dollar. Schon war er im Begriffe heimzukehren, als die Roulette aufs neue umwirbelte. Plötzlich setzte er die ganzen Vierzigtausend auf «Schwarz».

Die Kugel rollte langsamer und blieb stehen. «Nummer vierzehn», rief der Croupier. «Rot.»

Darauf wanderte der Spieler ins Hotel zurück. Die Gattin erwartete ihn auf der Veranda.

«Wie ist's dir ergangen?» rief sie lebhaft. Er zündete sich eine Zigarette an. «Ich habe die zwei Dollar verloren», sagte er.

WETTER

Mäusebussard

Bekanntlich werden viele Hollywoodfilme neuerdings in der echten Natur gedreht, des Realismus halber. So hatte sich auch ein ganzes Atelier in die Wildnis aufgemacht und begann dort seine Massenszenen zu kurbeln. Wegen des Kostenaufwandes war es wichtig, jeweils das Wetter des kommenden Tages zu wissen. Da hatte der Regisseur einen guten Fund gemacht: einen alten Indianer namens Mäusebussard, dessen Wettervoraussagen sich stets als zuverlässig erwiesen. Der alte Kerl wußte es genau, er schaute nicht mal nach den Wolken. Aber eines Tages, gerade als sehr viel darauf ankam, weigerte sich Mäusebussard, seine Voraussage zu machen. Er hockte in den Poncho gehüllt, rauchte stumm seine Pfeife und gab keine Antwort. Der Regisseur war verzweifelt: «Aber Mäusebussard, warum gibst du keine Antwort? Wo bleibt deine Voraussage? Woran fehlt es?» «Is Radio kaputt», sagte Mäusebussard und rauchte stumm weiter.

WIRTSCHAFT

Moderne Fabel

«Wie ist Ihre Ansicht über die Wirtschaftskrise?» fragte man im Jahre 1931 den bedeutenden Volkswirtschaftler.

«Ein Hündchen», so begann er traumverloren, «ein Hündchen trabte einsam durch die Sahara. Wohin sein Auge blickte: alles Sand, nichts als trockener Sand... Das Hündchen lief nach rechts, nach links, zurück, vorwärts —: immer wieder Sand, nichts als Sand...

Da stöhnte das Hündchen: Also, wenn jetzt nicht bald eine Palme kommt, platzt mir die Blase!

Das ist meine Ansicht von der Weltkrise.»

Zollfragen

Heutzutage interessiert sich ganz Europa für Zollfragen. Auch der kleine Mann, der sich bloß eine Laube mit Geflügelzucht leisten kann. Und so fragte ich neulich Herrn Schulze, ob er für Freihandel oder für Schutzzölle sei?

«Sehen Sie», sagte Schulze, «ich möchte schon ganz gern in meinem Drahtzaun ein Loch haben. Ein Loch, wissen Sie, gerade groß genug, daß meine Hühner in den Garten von Nachbar Müller hinüberkommen, aber andrerseits wieder — verstehen Sie — gerade klein genug, daß diese verdammten Hühner vom Müller nicht zu mir herein können...»

Der «Prosperity-Herald»
(Aus der Zeit der Wirtschaftskrise)

Ein Flugblatt in Zeitungsformat erregte neulich einen wahren Sensationssturm in der New Yorker Wall Street. In der Zeit des stärksten Börsengeschäfts tauchten überall Zeitungsjungen auf mit dem Schrei: «Prosperity-Herald!... Es kommen bessere Zeiten:... Sensationelle Nachrichten!»

Die Blätter wurden ihnen geradezu aus den Händen gerissen, zumal die Titelseite von fettgedruckten Freudennachrichten nur so starrte. Quer über die ganze Seite lief die Überschrift: «Hoover verlangt Aufhebung der Prohibition!» Weiter heißt es: «Wirtschaftskrise zu Ende!» — «Pinchot bricht in Tränen aus» — «Die Börse lebt auf!»...

Wiewohl im Leitartikel deutlich gesagt wird, daß alle diese Nachrichten *glatt erfunden* seien, wollten doch Tausende von Lesern nicht glauben, daß das alles bloße Lügen wären.

Unter dem Text der Rückseite stand mit balkendicken Lettern gedruckt: *«Hier steht nicht ein einziges wahres Wort, und das ist besonders traurig.»*

Dieser Prosperity-Herald war in Washington gedruckt und heimlich nach New York geschafft worden. Mehrere hunderttausend Exemplare wurden verkauft. Für den Herausgeber waren jedenfalls «bessere Zeiten» gekommen.

Der gute Chansonnier Jules May hat in einem Pariser Blatt seine Serie von kleinen Geschichten wieder aufgenommen. Aber keine scheint uns besser als jene, die er von sich selber erzählt. Er war auf der Börse, die er häufig besuchte, und machte einen befreundeten Coulissier auf einen riesenhaften Herrn aufmerksam, der, an eine Säule gestützt, sich unerschütterlich ruhig Notizen in sein Taschenbuch schrieb.

«Sehen Sie jenen dicken Herrn?» sagte May.

«Ja.»

«Das ist der Mann in Frankreich, der am besten die Börse kennt.»

«Oh!» sagte der Coulissier bewundernd. «Und was bringt Sie auf diese Meinung?»

«Weil er», sagte Jules May, «weil er niemals auf der Börse spielt.»

Gepflogenheiten

Dem Zug der Zeit folgend, hatte Tommy bankerott gemacht. Er berief eine Gläubigerversammlung, der er schlicht und angenehm mitteilte, daß er pleite sei. Doch wenn sie nicht zu sehr drängten, könne er immerhin drei Schilling pro Pfund versprechen.

Aber einer der Gläubiger — ein Schotte — wollte nicht mitmachen, er nicht!

«All right», sagte Tommy, «ich will Sie zum Vorzugs-Gläubiger machen.»

«Was ist das?» fragte der Schotte mißtrauisch.

Da führte ihn Tommy in die Ecke und flüsterte: «Ein Vorzugs-Gläubiger — das will ich Ihnen gleich erklären. Sie als Vorzugs-Gläubiger wissen schon *jetzt sofort*, daß Sie nichts kriegen werden — keinen halben Penny, verstehen Sie? Aber die anderen, die haben noch dreißig Tage zu warten, bis sie dasselbe wissen. Also Sie sehen jetzt den Vorzug doch ein, nicht wahr?»

Die Konkurrenz platzt

Ein heißer Nachmittag in Paris. Die Straße liegt wie ausgestorben. Endlich taucht jemand auf der Bildfläche auf: ein Karren mit Hosenträgern, Schnürsenkeln und Schuhkreme wird von einem bärtigen Greise vorübergerollt.

Der Karren trägt, über die ganze Länge, eine riesengroße Aufschrift:

«Bitte nicht verwechseln mit den Galeries Lafayette.»

Ich ging, erzählte mir eine junge Dame, in großer Eile auf der Potsdamer Straße. Ich fürchtete, mich zu einer Verabredung zu verspäten. Ich fragte einen entgegenkommenden älteren Mann: «Ach, verzeihen Sie — wie spät ist es?»

Der blieb einen Moment stehen, sah vor sich hin, blickte mir dann voll ins Gesicht und sagte:

«Frollein — ham Sie schon mal 'n Pfandschein ticken gehört?»

Der Leiter einer großen Papiermühle in Amerika lud neulich eine Reihe von Graphikern und Buchherstellern der bekanntesten Verlage zu einem Fest. Das Essen war delikat, der Wein floß in Strömen, und als der Leiter sich zu einer Rede erhob, wurde er mit stürmischem Applaus begrüßt.

«Meine Herren», sprach er bewegt, «es ist heute genau fünfzehn Jahre her, daß unsere Mühle ihre erste Papierbestellung von einem Verlage erhielt —» Stimme aus dem Hintergrund:

«Und wann werden Sie liefern?»

WISSENSCHAFT

Die Hilfsmittel

Kürzlich wurde in Californien ein neues Riesenteleskop eingeweiht. Zu der Feier war auch Frau Einstein, die Gattin des berühmten Gelehrten, geladen. Der gigantische Apparat machte auf Frau Einstein einen starken Eindruck. «Um's Himmels willen», rief sie, «wozu braucht man diese Maschine?» Man erklärte ihr, daß der Hauptzweck darin bestehe, damit die Gestalt des Weltalls zu ergründen. «Oh», sagte Frau Einstein, «mein Mann macht das auf der Rückseite von einem alten Kuvert.»

Die Wissenschaft

Ein berühmter Astronom teilt in einer Vorlesung seinem Auditorium mit, daß die Wärmekraft der Sonne graduell abnehme, und in 80 Millionen Jahren völlig erschöpft sein werde.

«In wieviel Jahren, sagen Sie?» rief eine bestürzte Stimme aus dem Saal.

«In achtzig Millionen Jahren.»

«Ah!» rief der Interpellant und lehnte sich erleichtert und beruhigt in seinen Sessel zurück. — «Ich dachte schon, daß Sie acht Millionen gesagt hätten!»

Auf einer Abendgesellschaft wurde Einstein von der Hausfrau gebeten, seine Relativitätstheorie zu erklären. «Madame», sagte er, «ich spazierte eines heißen Tages auf dem Lande mit einem blinden Freund und sagte, daß ich gern einen Trunk Milch haben würde. — ‹Milch?›, sagte mein Freund, ‹Trinken verstehe ich, aber was ist Milch?› — ‹Eine weiße Flüssigkeit›, antwortete ich. — ‹Flüssigkeit verstehe ich; aber was ist weiß?› — ‹Die Farbe einer Schwanenfeder.› — ‹Feder verstehe ich, aber was ist ein Schwan?› — ‹Ein Vogel mit einem gebogenen Hals.› ‹Hals verstehe ich, aber was ist gebogen?› — Darauf verlor ich die Geduld, ergriff seinen Arm und streckte diesen geradeaus: ‹das ist gerade›, sagte ich, und dann bog ich seinen Arm am Ellbogen ein: ‹das ist gebogen›. — ‹Ah!› sagte der Blinde, ‹jetzt weiß ich, was Sie mit Milch meinen!›»

Das Pünktchen

Ein großer Astronom bemerkte einst zu einem Bekannten: «Für den Astronomen ist der Mensch bloß ein unendlich kleines Pünktchen im unendlich großen Weltall.» — «Das schon», erwiderte dieser, «aber der Mensch ist schließlich doch Astronom.»

WITWEN

«Ich höre, du machst einer Witwe den Hof. Hat sie dich irgendwie ermutigt?»

«Das will ich meinen! Neulich hat sie mich gefragt, ob ich schnarche.»

WUNDER

Das größere Wunder

Der Herr Religionslehrer erzählt den Kindern die Geschichte von Jonas und dem Walfisch. Sie macht den größten Eindruck, die ganze Klasse sitzt starr vor Staunen da. Der Herr Lehrer will diese Wirkung noch nachgenießen und fragt:

«Kann sich jemand ein größeres, ein herrlicheres Wunder denken?» . . .

«Jawohl, Herr Lehrer!» schreit ein kleiner Junge und schüttelt die hochgehobene Hand, bis es im Gelenk knackt.

«Nun?» fragt ihn der Lehrer.

«Bitt' schön, wenn Jonas den Walfisch verschluckt!»

Im Jahre 1874 waren's in Berlin schlechte Zeiten.

Da geschah es, daß die Petrikirche eine neue Fensterscheibe benötigte.

In großherziger Aufwallung stiftete die *Glaser-Innung* der Kirche ein herrliches Fenster mit Glasmalerei.

Daher schloß der Pastor die Einweihungsrede mit den Worten:

«— — — diese gute Tat, *möge der Himmel sie ihnen lohnen!*»

Tags darauf zog am Himmel ein Gewittersturm auf und zerbrach in sieben Minuten sämtliche Fensterscheiben der Stadt.

ZAUBERN

Der Zauberkünstler

Bei einer Galavorstellung an Bord eines Ozeandampfers absolvierte ein dressierter Papagei seine Nummer und schaute nun neugierig zu, wie ein brillanter Zauberkünstler sich nach ihm produzierte. Zuerst ließ dieser einen Goldfisch verschwinden, sodann seine appetitliche blonde Assistentin, und endlich einen ganzen Überseekoffer mit drei Matrosen. In diesem Augenblick lief das Schiff auf eine Mine. Der Papagei fand sich plötzlich allein auf dem Atlantischen Ozean, wobei er auf einem Stück Treibholz zu balancieren versuchte. «Erstaunlich!» murmelte er, «was wird der Mann nächstens verschwinden lassen?»

INHALT

EGON JAMESON
ABC der liebevollsten Sätze

In diesem Buch läßt Jameson, dem wir schon einen ABC-Schatz der Dummheit und einen der Weisheit verdanken, unzählige Autoren aus vielen Nationen 3000mal in klassischen und frivolen, zitatgewohnten und entlegenen Sätzen der Liebe das Wort reden und beweist damit, daß Liebe «eine redselige Leidenschaft» ist. Ein unentbehrliches Kompendium für alle, denen die Liebe die Sprache verschlagen hat.

30. Tausend · rororo Taschenbuch Band 1108

SIGISMUND VON RADECKI
ABC des Lachens
Ein Anekdotenbuch zur Unterhaltung und Belehrung

Stuttgarter Zeitung: «Welch ein köstliches Buch, welch ein amüsantes Buch! Man mag es nicht aus der Hand legen; hat man sich aber endlich dazu überwunden, ertappt man sich ständig bei dem Wunsch, es wieder vorzunehmen und weiterzulesen, zu schmunzeln, hell aufzulachen.»

320. Tausend · rororo Taschenbuch Band 84/85

Humor seit Homer

Eine Sammlung der ältesten Witze, Schnurren, Scherze, Reparties, Bonmots, Facetien, Schwänke, Apophthegmata, Anekdoten aus aller Welt, über die der Leser nicht nur lachen, schmunzeln, zwinkern und lächeln wird, sondern die ihn auch zum Nachdenken über die seltsamen Zusammenhänge aller Kulturen anregen sollen.

80. Tausend · rororo Taschenbuch Band 625